岩　波　文　庫

38-608-3

人類歴史哲学考

(三)

ヘ ル ダ ー 著

嶋田洋一郎訳

Herder

IDEEN ZUR PHILOSOPHIE DER GESCHICHTE DER MENSCHHEIT

凡　例

一、本文中の＊と番号で示される注はヘルダーによる原注である。原文の隔字体は太字で示す。

一、本文には今日の人権感覚や歴史意識の点から見て問題となるような語句や表現が含まれているが、本書の歴史的性格を考え、変更を加えていない。

一、訳注について。『人類歴史哲学考』読解に際しての最大の問題は、ヘルダーが執筆にあたって参照した種々の資料について本文中にも原注にも、その典拠がほとんど示されていないことである。現在のところ、こうした典拠について最も多くの情報を提供しているのは、ハンザー版の編者ヴォルフガング・プロスによる注釈であり、以下、本訳書における訳注もこのプロスの注釈に負うところが多いことをお断りしておきたい。訳注では人物や地名等に関する説明を中心とし、著書のある人物についてはヘルダーが念頭に置いていると思われる作品にも言及する。なお人名については、原綴および生没年の記載を原則として本文で言及される近世以降の人物に限り、第五分冊に索引を付す。またヘルダーが作品執筆の最終段階で削除したと思われる他の著作からの引用は、作品の思想史的背景をより明らかにするためにも、見当のつくかぎりできるだけ掲載することとした。そのさい邦訳のあるものはこれを利用し、その書誌的情報を明記する。邦訳の見つからないものについては、主としてハンザー版の注釈に引用されているものを和訳してある。

一、今回の翻訳と訳注の作成に際して使用ならびに参照したテクスト類は左記のとおりである。なお翻訳の底本としたのは『人類歴史哲学考』の本文に加えて構想や草稿および異文が最も豊富に収録されている『ズプハン版全集』第十三巻（一八八七年）および第十四巻（一九〇九年）である。

Johann Gottfried Herder. *Sämtliche Werke.* (Hrsg. von Bernhard Suphan), Bd. XIII. Berlin 1887, Bd. XIV. Berlin 1909.

Johann Gottfried Herder. *Ideen zur Philosophie der Geschichte der Menschheit.* 2 Bde. (Hrsg. von Heinz Stolpe), Berlin 1965.

Johann Gottfried Herder. *Ideen zur Philosophie der Geschichte der Menschheit.* (Hrsg. von Martin Bollacher), Frankfurt a. M. 1989.

Johann Gottfried Herder. *Werke.* (Hrsg. von Wolfgang Pross), Bd. III. *Ideen zur Philosophie der Geschichte der Menschheit.* (2 Bände), München 2002.

これらの版に加えて左記の英語訳とフランス語訳（いずれも全訳）も参照した。

Johann Gottfried v. Herder. *Outlines of a Philosophy of the History of Man.* Translated from the German *Ideen zur Philosophie der Geschichte der Menschheit* by T. Churchill, London 1800.

Idées sur la Philosophie de l'Histoire de l'Humanité, par Herder. Ouvrage traduit de l'Allemand et Précédé d'une Introduction par Edgar Quinet, Tome I, II, Paris 1827. Tome III, Paris 1828.

なお『人類歴史哲学考』にはすでに左記の二種類の和訳（いずれも全訳）があり、今回の和訳に際して大変参考になった。

ヨハン・ゴットフリイト・フォン・ヘルデル『歴史哲学』（上）田中萃一郎訳（泰西名

著歴史叢書13)、国民図書株式会社、一九二三年。同『歴史哲学』(下)川合貞一訳(泰西名著歴史叢書14)、国民図書株式会社、一九二五年(後にヘルデル『歴史哲学』として一九三三年に第一書房より一巻本として刊行されたほか、戦後にも再び上下の二巻本として刊行)。

ヨハン・ゴットフリート・ヘルダー『人間史論』Ⅰ・Ⅱ、鼓常良訳、白水社、一九四八年。同『人間史論』Ⅲ・Ⅳ、鼓常良訳、白水社、一九四九年。

一、本文中の人名と地名の表記でギリシア語やラテン語に由来するものは、原則として長音を含まずに慣例に従った形で表記する。

＊本・第三分冊における個々の民族の記述には、ヘルダーが当時の科学知識や文献資料に基づいているとはいえ、今日では不適切な語句や偏見に基づく表現が多く見られる。それらは十八世紀のヨーロッパにおける価値観や民族観の反映として読まれるべきものであり、そのまま訳出した。読者諸賢にあっては、このような事情を理解したうえで読み進めていただきたく思う。

目　次

第三部

第十一巻

第十二巻

第十三巻

人類歴史哲学考（三）

第二部（承前）

第十巻

一　われわれの地球はそこに生きる被造物のために固有に形成された地球である[1]

人間史の起源は哲学者にとってきわめて深い闇の中にあり、すでにその最古の時代にいくつもの特異な出来事が現れているため、どの哲学者もそれらを自分の体系と結びつけることができなかった。それゆえ人は絶望のあげく、結び目を切断し、地球を前時代の住居の残骸と見なすのみならず、人類をも次の者たちの生き残り、すなわち、今とは異なる状態にあった地球が、いわゆる最後の日を体験した後に、たとえば山上や洞窟にいて、この地球全体に及ぶ審判を逃れたとされる者たちの生き残りと見なすに至った。またこうも言われる。「生き残った者たちの人間理性と技術と伝承は、滅亡した前世界から救い出された戦利品である。*121 したがってこの戦利品は、一方では何世紀にもおよぶ経験に基づくような輝きをすでに最初から示すこともあれば、他方では一つの地峡を通じてのように、二つの世界の文化がこれら生き残った人間を通じて混乱させられたり、結びつけられたりするため、この戦利品の正しい姿は決して明らかにされえない」と。この意見が真実ならば人間史の純粋な哲学はまったく存在しなくなる。なぜなら、もしそうならば、人類自身とそのすべての技術は、前世界が崩壊する際に投げ出された残骸にすぎないだろうからだ。そこで以下においては、地球自身のみならず、地球に基づく人間史をも収拾のつかない混沌にしてしまうこの仮説に、どのような根拠があるのかを見ることにしよう。

私にはこの仮説が、地球の原形成においては根拠を有していないように思われる。というのも、地球で最初に生じたように見える崩壊や変革は、終末期の人類史を前提とするものではなく、地球をまず居住可能にした創造の領域に属しているからである。*122 われわれの惑星の核心たる古い花崗岩は、われわれの知るかぎりでは、有機的存在物の埋没した痕跡を示していないだけでなく、自らの中に有機的存在物を含んでいたことをも、また自己の構成要素がこれらの存在物を前提にしていたことをも示してはいない。おそらく花崗岩は頂上を創造の水面上に聳えさせていたのだろう。なぜなら、その頂上には海の作用の痕跡が認められないからである。しかしこの露出した高みにおいては、人間という被造物は呼吸もできず、栄養も取れない状態だった。この岩塊を取り巻く大気は、まだ水と火から分離されていなかった。大気は種々の物質に満ち満ちており、しかもそれらは多種多様な結合と幾多の期間を経てようやく地球の底に沈澱し、地球に次第に形を与えていった。だが大気は、きわめて精緻な地球被造物に対しては生命の息吹を維持することも賦与することもできなかった。したがって生きものが最初に生れたところは水の中だった。そして生きものは一つの創造する強烈な根源力によって生れたのであるが、この根源力は水中以外のところでは作用を及ぼすことができなかった。そこでこの力は、おびただしい数の甲殻類において、すなわち飽和状態にあった海で生きることのできたこの唯一の被造物において自らを有機組織化した。地球の形成が進むにつれて甲殻類は何度も滅亡したが、それらの破壊された部分は、いっそう精緻な有機体の基礎となった。花崗岩という原岩石が水から解き放され、その沈澱物、すなわち原岩石と結合した諸元素と有機物の沈澱物で水中が豊饒なものになるにつれて、植物の創造が海の創造に急いで続いた。そして植物はどんなにむき出しの地帯でも、繁茂できるだけ繁茂した。しかしこの植物界という温室でも陸棲動物はまだ生きることができなかった。現在は草木が生えているラップランドの高地でも熱帯植物の化石が発見される。これはその高地の水蒸気が、当時は熱帯気候のもとにあったことの明らかな証拠である。しかしこうした水蒸気を含む大気は、すでにかなり純化されていたにちがいない。というのも、精緻な植物が光によって生きていることから見ると、この大気を構成する大部分の要素は沈下していたからだ。ただ、これらの植物の痕跡から陸棲動物も、いわんや人骨もまだ発見されていないということは、陸棲動物や人間が当時まだ地上に存在していなかったことを示していよう。それは、これらの被造物を形成するための素材はもちろん、維持するための食物も用意されていなかったからである。こうして多様な変革が進行し、ついにはごく上部のローム層、もしくは砂層に初めてゾウやサイの骨が現れる。実際たしかに、もっと深い層には人間の化石と思われるものも存在したが、どれも疑わしいものばかりで、それらは自然研究者たちの精密な研究によって海棲動物の骨であると説明された。自然はまた地上においても、熱帯地方の動物、それも一見きわめて大きな動物の創造を始めたが、これはちょうど自然が海中では甲羅をかぶった甲殻類と大きなアンモナイトから創造を始めたのと同じことである。いずれにせよ、少なくとも後になって打ち寄せられ、あちこちで完全な形で残っているゾウの無数の骨のそばにヘビや海棲動物などは発見されたが、人体は一つも発見されなかった。たとえ発見されたとしても、それはこの種の生きものがまったく現れない古い山岳に比べて、明らかにずっと新しい時代のものである。地球という最古の書物は、粘土層、粘板岩層、石灰層、砂層などの頁によって、さまざまな変革のことを語っている。しかしその一方で、もしその地球の変革を生き延びた人類の残存者がわれわれであるとするならば、この書物はそれによって地球のどのような変革を語るというのか？　それは変革というよりも、むしろもっぱら次のようなことである。すなわち、われわれの地球はさまざまな物質と力の混沌から、それも創造する精神が生命を与える温度のもとで、一連の準備としての諸変革によって自らを固有の根源的全体へと形成したということと、ついには地球創造の頂点に位置する繊細で巧緻な人間という被造物が出現しえたということである。したがって次のような学説、すなわち、世界の諸地域や両極の数十回にわたる変化、人間が居住し開墾した土地の数百回にわたる変動、或る地域から別の地域への人間の追放、それに岩石の下や海の中にある人間の墓碑について語ることによって最古の歴史全体においては戦慄と驚愕しか叙述しないような学説は、地球の明白な諸変革にもかかわらず、地球の構造に反するか、あるいは少なくともそれに根ざしていないのだ。古い岩層に見られる亀裂や岩脈、あるいはその崩壊した側壁は、現在の地球以前に人間が居住していた地球については何一つ語っていない。それどころか、また古い塊がこのような運命によって瓦解したとすれば、太古の世界のどんな生きものもきっと残されていないだろう。それゆえ研究者にとっては、現在の地球のみならず、その生きものの歴史もまた全体としてきちんと解決すべき問題なのだ。われわれとしてもこの問題に近づき、次のように問うことにしよう。

＊121　とりわけ洞察の鋭い『真理の認識と学問の起源に関する試論』（ベルリン、一七八一年）(3)を参照。われわれの地球が今とは異なる世界の残骸から作られているという仮説は、多くの自然研究者にとってはきわめてさまざまな根拠から一般的なものとなっている。

＊122　以下の主張を裏づける事実は、地球学に関する最近の多くの書物に散見されるし、幾分はビュフォン(4)などからも大変よく知られているので、一つひとつ引用して本書の飾りにするようなことはしない。

二　人間の形成の場所と最古の居住地はどこにあったのか？

実証するまでもなく、後からできた地球の端にこうした場所が存在したことはありえないので、われわれとしてはただちに永遠の原山脈[5]と、それに隣接してゆるやかに広がる高地に足を踏み入れることにしよう。いたるところで甲殻類が生れたのと同じように、人間もいたるところで生れたのか？　たとえばアンデス山脈がアメリカ先住民を、ウラル山脈[6]がアジア人を、ヨーロッパ・アルプスがヨーロッパ人を産んだのと同じように、月の山脈は黒人を産んだのか？　また世界の主要な山脈は、そこに居住する人間にそれぞれ固有の地域のようなものを持っているのか？　どの大陸も、それ以外の大陸では生きられないような種類の動物を、つまりその大陸で、またその大陸に向けて生れたにちがいない種類の動物を持っているのに、いったいどうしてまたその大陸固有の種類の人間を持っていないことがあろうか？　それに多種多様な民族の形姿、習俗、性格、なかでも諸民族のあいだで非常に異なる言語はその証拠ではないだろうか？　私の読者であれば、これらの疑問に対する根拠ある答えが、何人もの博識で明敏な歴史研究者によってどれほどまばゆいばかりに詳述されているかは誰にも明らかだろう。しかしその結果、彼らの言うことは牽強付会な仮説と見なされるに至った。(7)すなわち彼らはこう言う。「なるほど自然はいたるところでサルやクマを創り出すことはできたが人間は創り出せなかったので、自然の他の活動にまったく反する形で、まさに自分の最もか弱い種属である人類をとにかく一対だけでも産み出し、それを自然には不似合いなこの節約ぶりによって無数の危険にさらしたのだ」と。彼らはまたこうも言う。「豊かな種子に恵まれた自然が、どれほど浪費するかを今こそよく見るがよい。自然が植物のみならず動物や人間をも無数の萌芽のまま、どれほど破滅の胎内に投げ込むかを見るがよい。しかもまさに人類の基礎を置くべきその時点で、この産み出す自然、つまり処女のような若さにあってあらゆる存在と形姿の種子にあれほど豊かに恵まれた母が、そしてまた地球の構造に示されように、新たな種属を産み出すために何百万もの生きものをたった一度の変革で犠牲にできたとされるこの母が、まさにこの時点で下等生物の創造に疲れ果てて、生命に満ちたその荒々しい迷宮を、か弱い一対の人間でもって完成させたことがいったいありえようか?」と。この輝かしく見える二つの仮説がどの程度また人類の文化と歴史の歩みに合致しうるのか、あるいは、この二つの仮説が人類の形姿と性格、そして地球の他の生きものと人間との比例関係に鑑みて、どれくらい検証に耐えうるのかを見ていくことにしたい。

まず明らかに自然に反しているのは、自然がすべての生きものに生命を同じ数ずつ、それも一度に与えたとする仮説である。しかしこれは地球の構造と被造物自身の内的性質からしてありえない。ゾウと蛆虫、ライオンと繊毛虫が同じ数ずつ存在することはないし、またそれらの本質に即して見ても、原初から同じ割合で、ましてや一度に創り出されることは不可能だった。地球の岩石が、より精緻な生命のための苗床となるには、何百万もの貝類が滅亡せざるをえなかった。植物の世界は一年ごとに滅びるが、それはより高次の生命を養うためである。したがって、創造の究極の原因をまったく無視するにしても、自然が数は少なくても高次なものに生命を与えるべく、多から一を作り、回転を繰り返してやまない創造の車輪によって無数のものを破壊せざるをえなかった原因は、すでに自然それ自体の実質のうちに存在していた。こうして自然は下から上へと進み、存続させたいと考えた種属を保存するために、いたるところで十分な種子を残しながら、より精選された精緻で高次の種属への道を拓いた。人間を創造の頂点としたいと考えた自然は、人間に魚あるいはクラゲと同じ数量、同じ誕生日、同じ居住場所を持たせることはできなかった。水が人間の血液になるわけにはいかなかったのだ。それゆえ、自然の生命熱は、人間の血液を赤くするくらいに高温に向けて浄化され、精緻に純化されていなければならなかった。人間のあらゆる器官と繊維、それに骨格すら最も緻密な粘土で形成されることになっていた。全能なる母は第二原因(8)なしに決して行動しないので、そのための素材(9)を自ら手に入れられるように作業していたにちがいない。人間に比べて粗雑な動物の創造においてさえも母はこの方法を貫徹した。このようにそれぞれの生きものは、それぞれが生れうる状態や場所で生れた。諸力はあらゆる入口から入って生命に辿りついた。アンモナイトは魚類より以前に存在した。植物は動物に先行していたが、動物は植物なしには生きられなかった。クロコダイルやアリゲータは、賢明なゾウが草を集め、その長い鼻を振る以前に、こちらへ忍び寄るように出現していた。肉食動物が姿を現す前提は、その餌となるべき動物の種類がすでに大量に増殖した形で存在することであった。したがって肉食動物は、その餌となるべき動物と同時に出現することも、また同数で存在することもできなかった。同じように、自然によって地球の居住者にして被造物の支配者であることを求められていた人間は、その出現の際には自分の領域と住居が完成されていなければならなかった。それゆえにこそ人間は、必然のなりゆきとして後から、しかも自分が支配すべきものより少ない数で姿を現さざるをえなかったのだ。もし自然が地球上での作業場の素材から、人間よりも高次の純粋で美しい存在を産み出せたならば、いったいそうしなかったはずがあろうか？　しかし自然がそうしなかったということは、自然が人間をもってその作業場を閉じ、海底で過剰なまでの豊饒さをもって開始した被造物の形成を、今や最も精選された節約のうちに完成させたことを示している。諸民族の最古の伝承[10]はこう語っている。「神は人間を自己にかたどって創造した。自己の似姿を神は人間の中に創造し、これを一人の男と一人の女に創造した。それは神が創造した無数のものの後にくる最も少ない数であった。そこで神は休息し、それから先は創らなかった」と。生きもののピラミッドはここにその頂点をもって完成された。

ところで、この頂点はどこにその場所を見出しえたのか？　完成された地球のこの真珠は、どこに産み出されたのか？　それは必然的に最も活発な有機的諸力の中心点、すなわちこう言ってよければ、創造が最もはかどり、最も時間をかけ、最も精緻に仕上げられたところにおいてであった。とすれば、これはアジア以外のどこであろうか。しかも推測するに、それはすでに地球の構造が語っているとおりである。事実、アジアにおいて地球は広大で高い山脈を有し、それは決して水に覆われることがなく、その岩の尾根を何本もの腕のように縦横に伸ばしていた。活動する諸力はそれゆえここに最も集中し、電流もここで摩擦を起こして循環し、多産な混沌の中にあった種々の物質もここできわめて潤沢に沈澱した。これらの山脈の周囲に、その形態が示すとおり最大の大陸が生れた。またこれらの山脈の中や周囲には、あらゆる種類の動物が最大量で棲息しており、多分それらは、他の地域がまだ水の下にあり、森林あるいはむき出しの山頂をほとんど仰ぎ見ることもなかったときに、すでにこのあたりをうろつき回り、生を享受していたのだろう。リンネ[*123]が天地創造時の山脈と想像していた山は、現実に自然の中にある。しかしその山は山ではなく、広大な屋外円形劇場、(11)つまりその何本もの腕を多種多様な風土の中にまで伸ばす山脈の集合点であった。パラス[*124]は次のように述べている。「是非とも言っておきたいのは、北方や南方の地域で人に飼われるようになった動物が、アジア中央の温和な風土にあっては、どれもみな野生の状態で発見されるということである。(ただしヒトコブラクダは例外である。その二つの種はおそらくアフリカ以外の土地では育たないし、アジアの風土に慣れるのもむずかしい。)(12)野生の雄ウシ、水牛、われわれのヒツジの祖先であるムフロン、(13)野ヤギとアイベックス、それにこの両者の混合から生れ、ヨーロッパで飼育されている非常に多産な種のヤギなどの原産地は、中央アジアとヨーロッパの一部を占める山脈連鎖の中に見出される。シベリアと境を接する東の端の高山にはトナカイがしばしば見られ、そこで運搬用の役畜(えきちく)として利用されている。トナカイはまたウラル山脈にも棲息し、そこから北方の地域に広がった。フタコブラクダは、チベットと中国のあいだにある広大な砂漠で野生の状態で見出される。イノシシは温和なアジア全体の森林や湿地に棲息している。われわれの飼い猫の祖先であるヤマネコも十分に知られている。最後に、われわれの飼い犬の主要な種は、たしかにジャッカル(14)に由来している。もっとも、私はこの主要な種をまったく純粋なものとは考えないが、思うに、この種はずっと大昔に普通のオオカミやキツネ、それにハイエナと混ざり合って、そのためにきわめて多様な形姿と大きさのイヌが産み出されたのだろう。等々。」このようにパラスは述べる。とにかくアジアの、それも南方地域の自然産物の豊かさを知らない者があろうか？　それはまるで世界で最も崇高なこの高みの周囲に、たんに最も広大であるのみならず、最も豊饒な土地が腰をおろし、最初から有機的な熱の大部分を吸収してしまったかのようだ。最も賢明なゾウ、最も知恵のあるサル、最も元気のある動物はアジアによって養われており、それどころかアジアは没落こそしたものの、発生時に遡る素質から見て、最も利発で高貴な人間を少なからず擁している。

しかし他の大陸ではどうだったのか？　高地のアジアがすでに文明化されていたとき、ヨーロッパが人間でも動物でも、ほとんどがアジアから来たもので占められ、おそらく大部分の土地がまだ水か森か湿地で覆われていたことは歴史によっても明白である。なるほど、われわれはアフリカ内部のことはよく知らないし、とりわけその中央にある山の背の高さも形姿もまったく未知のままだ。しかしそれでも多くの理由から本当らしく思われるのは、水も少なく内部深くまで低地の続くアフリカ大陸が、その中央地帯にある尾根をもってしても、アジアの高さや広さにはとうてい及ばないということである。それゆえ、アフリカ大陸もまたずっと水に覆われていたのだろうし、この温暖な地帯は同地での動植物の創造に力強い固有の刻印を拒まなかった。しかしそれでもアフリカとヨーロッパは、ひたすら子どものようにアジアという母の膝にもたれているように見える。これら三つの大陸は、たいていの動物を共有しており、全体として一つの大陸なのだ。

最後にアメリカである。その険しくて人の住めない高い山地はもちろん、そこで今なお荒れ狂う火山、その足元に遠距離にわたってひれ伏す海のように平坦で低い土地、そしてその土地に棲息する全被造物と、そこに住む諸民族全体の未熟で粗野な生活体制。これらすべてがアメリカ大陸を、最も古くから人の住んでいたものとして認めることを困難にしている原因なのだ。ちなみに被造物について見れば、わけても植物、両棲類、昆虫、鳥類は豊かであるが、逆に旧世界のヨーロッパが活発さを感じとれるほどの完全な陸棲動物の類は少ない。むしろアメリカ大陸は、地球の反対側と比べて考察するならば、自然研究者にとっては二つの相対する半球の相違という内容豊かな難題を提示している。それゆえまた、キトという美しい谷が原初の人間夫婦の生誕地であったということも、にわかには断定しがたいようだ。もっとも私としては、この谷とアフリカの月の山脈にその名誉を認めるには吝かでないし、その証拠を発見するような者に異議を唱える気もまったくない。

しかしたんなる臆測はもうよそう。私はそうした臆測が濫用されて、全能者が自分の欲するところで人間を創るための力と素材が否定されることにはなってほしくない。いたるところで海と陸にその固有の居住者を植えつけた全能者の声は、自らが善いと考えた場合には、どの大陸にもそこで生れた支配者を与えることができた。しかしこの声がそのことを好まなかった原因は、これまで詳述されてきた人類の特性のうちに見出されうるのではないだろうか？　われわれが見てきたのは、人間の理性とフマニテートが教育と言語と伝承に依存するということと、この点で人類は動物と、つまり誤ることのない本能をもって生れてくる動物と完全に区別されるということである。そうであるからこそ、人間はすでにその固有の特性から見ても、動物のようにどこでも荒れた砂漠に投げ入れられずにすんだ。どこにあってもただ人間の手によってしか育たない樹木は、むしろ一本の根から、一番よく生長する場所で、すなわちその樹木を植えた者が自ら世話のできる場所で育つのが当然であった。フマニテートを使命とする人類も、その起源からして一つの血統に由来し、一つの形成する伝承という導きの絆による同胞種属となるのが当然だった。こうしてその全体は、今なおそれぞれの家族が生れるのと同じように生れた。つまり枝は一本の幹から、芽は一つの原初の庭園からというように。思うに、次のものを考量する者、すなわち、人間本性の特徴や人間理性の性質ならびに特性、そして人間が種々の観念に到達し、フマニテートを自分の中で形成する方法を考量する者は、誰もみな神の計画を、それも人間を起源の点からも動物と区別する神が人類に提示するこの傑出した計画を、最も適切で、最も素晴らしく、最も威厳のある計画と見なすにちがいないだろう。この計画によって人間は自然の寵児となったが、それは自然が最も円熟した仕事の成果として、あるいはこう言ってよければ、その高齢時の息子として、このか弱い遅咲きの花にふさわしい場所で産み出したものなのだ。ここで自然は母としての手でこれを育て上げ、その人間としての技術的特性の形成を当初から容易にしてくれるものを周りに置いた。地球上ではたった一つの人間理性しかありえない。それゆえ、自然もまた理性可能態に向けられた被造物をたった一種類しか産み出さなかったのと同じように、この理性可能態に向けられた被造物を、言語と伝承という一つの学校において育て上げられるようにするとともに、自らもこの教育を、一つの起源から連続する幾つもの世代を通して引き受けたのである。

＊123　リンネによる『学問の楽しみ』[15]第二巻、四三九頁、「居住可能な大地についての講演」。この講演は何度も翻訳されている。

＊124『山脈に関する考察』[16]。これは『自然地理学論集』(第三巻、二五〇頁)および他の箇所で翻訳されている。

三　文化と歴史の歩みは人類がアジアで生れたことを史実によって証明している

ヨーロッパの民族はみなどこから来たのか？　アジアからである。われわれは大部分の民族について、このことをたしかに知っている。ラップ人、フィン人、ゲルマン人[17]、ゴート人[18]、ガリア人[19]、スラヴ人、ケルト人[20]、キンブリ人[21]などの起源をわれわれは知っている。彼らの言語、あるいは言語の遺物から、また彼らのかつての居住地についての報告から、彼らの跡をはるか黒海もしくはタタールまで追うことができる。というのも、それらの地域には彼らの言語がまだ部分的に生き残っているからだ。これら以外の民族の起源についてはあまり知られていないが、それは彼らの最古の歴史がほとんど知られていないからである。実際に原住民なるものは、ひとえに以前の時代に関する無知から作り出される。古代および近代の諸民族の言語にきわめて精通した歴史研究者ビュットナー[22]が、その蒐集した博識の宝庫を開き、さらに可能であれば、一連の諸民族に彼ら自身も知らない系統図を提示するならば、人類にとっての稀有の功績となろう。*125

アフリカ人とアメリカ先住民の起源はもちろんいっそうの謎だ。しかしアフリカ大陸の上端部について知るかぎり、そしてまたアフリカ人についての最古の伝承を互いにつき合わせてみるかぎり、アフリカ人はアジア起源である。さらに南下しても、黒人の形姿や肌の色に少なくともこの起源と矛盾するものは何一つ見出されないし、むしろ本書第六巻で示そうとしたように、われわれは風土に即して移りゆく民族形姿の絵図を見つけることで満足しなければならないだろう。これと同じことはアフリカよりも遅れて人が住むようになったアメリカについても言える。実際アメリカの諸民族の一様な外観からも真実らしく思われるのは、東部アジアから人が移り住んできたということである。

しかし民族の形姿以上にわれわれに多くを語るのは民族の言語である。それでは地球全体のどこに最古の洗練された言語が存在するのか？　アジアである。いくつもの民族が東西南北の何千マイルにもわたって単音節の言語だけを使って話しているという奇蹟のようなことを見たいと思うならば、アジアに目を向けるがよい。ガンジス河(23)の向こう側(24)のチベットや中国、ペグー、アヴァ、アラカン、ビルマ、トンキン、ラオス、コーチシナ(25)、カンボジア、シャム(26)では語尾変化のない単音節の言語だけが話されている。おそらくこれらの地域の言語文化および文字の初期の規則によって、こうした言語は保持されてきたのだろう。なぜなら、アジアのこの一隅には最古の諸制度がどれもほとんど変わらずに残っているからである。もしも読者諸賢が次のような言語を、すなわち、壮大でほとんど溢れんばかりの豊かさが、ごくわずかの語根に集約され、その結果として奇妙な規則性と、ほとんど幼稚な技巧で語幹のわずかな変更によって新たな概念を表現し、多様と貧弱とを結びつけるような言語を欲しているのならば、インドからシリア、アラビア、エチオピアに至る南アジアの地域に目を向けるがよい。ベンガル語(28)には七〇〇の語根があるが、それらはいわば理性の構成要素であり、そこから動詞や名詞はもとより、他のすべての品詞が形成される。ヘブライ語(29)とその同系統の言語は、それがまったく別の種類のものであっても、その構造自体をまだいくつかの最古の文字の中に持っているのを見ると本当に驚かされる。これらの言語のすべての単語は、三つの文字からなる語根に集約される。ちなみにその語根は、おそらく最初はまだ単音節だったが、しかし後にこれらの言語に固有の字母アルファベットによって早期にこの形に移され、その中できわめて簡素な付加語や語尾変化の助けを借りて、これらの言語全体を作り上げたのであろう。非常に多量の概念は、たとえばさらに形成の進んだアラビア語においては、わずかな数の語根に集約される。その結果、ヨーロッパの大部分の言語をこれらアジアの諸言語と比較すると、前者が不要な助動詞や退屈な語形変化を持つ継ぎ接ぎ細工であることがたちどころに露呈する。アジアの言語が古ければ古いほどヨーロッパ人にとって学習が困難であるのはこうした理由による。実際またアジアの言語を習得するヨーロッパ人は、自分の言語の不要な豊かさを放棄せねばならず、アジアの言語の中ではまるで自分が、観念という目に見えないものを表示する言語の、精緻に考え抜かれ慎重に規則立てられた象形文字学(30)に到達するかのように感じてしまう。

言語の洗練を最も確実に示すものは、その文字である。文字が古いものであり、技巧を凝らし、熟考されたものであればあるほど、それを用いる言語もいっそう形成が進んだ。だから、これもまたアジアの民族であったスキタイ人も含めてのことだが、ヨーロッパ民族は自ら案出したアルファベットを自慢することはできない。この点ではヨーロッパ民族も、黒人やアメリカ先住民と同列である。アジアだけが、それもすでに最古の時代から文字を持っていた。ヨーロッパで最初の教養ある民族であったギリシア人は、アルファベットを東洋人から手に入れた。そして次のこと、すなわち、ヨーロッパ人の他のアルファベット文字が、どれもみなギリシア人のアルファベットから派生したものか、崩れたものであることは**ビュットナー**(31)の図表*126が示している。またミイラに書かれたエジプト人のアルファベット文字もフェニキアに由来し、同じくコプト人(32)のアルファベットも崩れたギリシア文字である。黒人やアメリカ先住民にあっては、自ら案出した文字というものは考えられない。なぜなら、アメリカ先住民の中でもメキシコ人は自分たちの粗雑な象形文字を超え出ることはなかったし、ペルー人も自分たちの結縄(けつじょう)文字(33)を超え出ることはなかったからである。これに対してアジアは、活字文字でも、技巧を凝らした象形文字でも、人間の話す言葉を固定しうるような文字を、いわば出し尽くした感がある。ベンガル語には五〇の字母と一二の母音があり、中国語はその漢字の森から一二以上の表音文字と三六以上の子音を選び出した。チベット語(34)、シンハラ語(35)、マラーティー語(36)、満州語(37)のアルファベットについても事情は同じだが、文字はそれぞれ違う方向に発展した。アジアの文字の種類には古いものがいくつかあり、そのためアジアの言語自身がそれらの文字とともに、そしてそれらに引かれて形成されていった様子が見てとれるほどである。しかしいずれにしてもわれわれは、ペルセポリス(38)の廃墟に残された簡素で美しい文字をまったく理解できない。

さて、文化の道具である言語から、文化それ自体へと歩みを進めよう(39)。文化はアジア以外のどこでもっと早く生れたのか、いや、生れえたろうか？　文化はアジアを出発点として、周知の経路を通って四方に広がった。動物を支配することが文化への最初の一歩であった。そしてこの支配は、アジア大陸では歴史のあらゆる変革以前に遡る。これまで見てきたように、ここにある世界の原山脈は、最も多くの飼育可能な動物を有していただけでなく、人間の社会がこれらの動物をきわめて早い時期から飼い馴らしてきたこともあって、ヒツジやヤギやイヌなど人間にとって最も有益な種類の動物が、いわばこの地での飼育からのみ生れた。したがって、これらの動物は本来アジアの技術による新しい動物の種類でもある。飼い馴らされた動物の分布の中心点に身を置きたければ、アジアの高原に行くがよい。そこから遠ざかるにしたがって(だいたい地理的に見ると)こうした動物の数は少なくなる。アジアでは南方の島嶼(とうしょ)にいたるまで、この種の動物に満ちている。これに比べると、ニューギニアやニュージーランドではもっぱらイヌとブタしか見られず、ニューカレドニアではイヌだけが、そして広大なアメリカ全土ではグアナコ(40)、あるいはラマ(41)と呼ばれるラクダが唯一の飼い馴らされた動物であった。アジアとアフリカにおけるこうした動物の最良のものは、同時にまた最も美しく高貴な種類のものでもある。ジゲタイ(42)と呼ばれるロバやアラビア馬、野生だが飼い馴らされたロバ、アルガリ(43)と呼ばれるヒツジ、それに普通のヒツジと野生のヤギとアンゴラヤギは、こうした種類の動物の誇りとされるものだ。最も賢明なゾウはアジアでは早くからきわめて巧みに利用されているし、ラクダはこの大陸に不可欠だった。こうした動物のいくつかが有する美しさにおいてはアフリカがアジアに最も近いが、動物の利用という点では今なおアジアに遠く及ばない。ちなみにヨーロッパ大陸で飼い馴らされている動物はすべてアジアから貰ったものであり、大陸固有のものは一五から一六種類あるが、その大部分はネズミかコウモリである。*127

大地の開墾とその産物についても事情は同じであった。ヨーロッパの大部分はずっと後の時代まで森林だった。そのため、住民も植物類によって生きねばならなかったとすれば、彼らはおそらく木の根や雑草、椎の実や山リンゴによってしか栄養を取ることができなかった。ここで話題となっているアジアのほとんどの地域でも、穀物は自然に育つが、農耕も非常に古くから行われている。地球の最も素晴らしい果実であるブドウ、オリーヴ、レモン、イチジク、ダイダイ、そしてわれわれが食するすべての果物や、栗、アーモンド、胡桃(くるみ)などをアジアはまずギリシアとアフリカに、それからさらに遠くへと移し植えた。他のいくつかの植物は、アメリカがわれわれに与えてくれたものだが、その大部分については原産地のみならず渡来や移植の時期も知られている。したがってまた、自然のこれらの贈り物が人類に授けられたのは、ほかならぬ伝承という方法を通じてだった。アメリカではブドウは栽培されなかったし、アフリカでもこれはヨーロッパ人の手で初めて植えられた。

学問と芸術が最初にアジアと、それに境を接するエジプトで育成されたということも、冗長な論証を要しない。種々の文化遺産や諸民族の歴史がそのことを物語っており、またゴゲによる実証的な仕事も容易に参照できるようになった。[*128] 実用的な工芸や芸術の活動は、アジア大陸のあちらこちらで、いや、それ以外のあらゆるところでも、その傑出したアジア的趣味に従って早くから営まれてきた。このことはペルセポリスやインドの寺院の廃墟、エジプトのピラミッド、あるいは遺跡や伝承という形で残されている他の多くの作品が証明するとおりである。しかもそのほとんどがヨーロッパ文化のはるか以前に遡るものであり、アフリカやアメリカにもそれらに匹敵するものはまったく見られない。南アジアの多くの民族における高尚な詩歌は、世界的に有名である。[*129] それは古ければ古いほど品位と簡素さを示しており、作品自体が神による詩歌の名に恥じないものとなっている。後に西洋人の魂に到達した聡明な思想で、いや、これはあえて言っておきたいが、文学創作上の仮説で、その萌芽がずっと以前の東洋人の言述や表現の中に見出されないものがあろうか？　アジア人の商業は地球上で最古のものであり、その中できわめて重要な案出も彼らによるものである。天文学や年代計算法もそうだ。たとえバイイ[(44)]の仮説に少しも共感しなくとも、天文学上の多くの所見や区分や処理法が、早くから普及していたことに驚かない者があろうか？　しかもこれらがアジア最古の諸民族の手になるものであることもほとんど否定できない。[*130] それはまるで彼らの最古の賢者たち、なかでも天空の賢者が、ひそかに進む時間の観察者であったかのようだ。そして実際また今も多くの民族がひどく没落した中にあって、この計算し、数える精神は、彼らのもとでなお作用を及ぼしている。[*131] バラモン僧は途方もない量の数を暗算で計算するし、時間区分も最少の単位から天空の大きな変転に至るまで頭の中にある。しかもこの点で彼はヨーロッパの計算法の助けをまったく借りなくても間違えることはほとんどない。太古の時代が公式の形で残したものを彼は現在ただ応用しているだけなのだ。事実またわれわれの年代計算法もアジアに由来し、ヨーロッパの数字や星座もエジプトもしくはインドに起源を有している。

最後に、統治形態が文化の最も困難な技術であるとすれば、最古で最大の君主政体はどこにあったのか？　世界の諸国は、どこに最も堅固な統治組織を見出したのか？　中国は何千年来その古い体制を固持している。この平和を好む民族は、タタール人の大集団によって何度も侵略されたにもかかわらず、敗北者である中国人がそれでもいつも勝利者のタタール人を手なずけ、自分たちの古い体制に縛りつけてきた。ヨーロッパのどのような統治形態が、このようなことを誇りうるだろうか？　チベットの山地では地球最古の聖職者統治が行われている。ヒンドゥー教徒のカーストは、それが何千年来このきわめて温和な民族の本性となって権力としてすっかり根づいたことから見ても、太古以来の制度であることが分かる。ユーフラテス河畔とティグリス河畔、それにナイル河畔とメディア山地[45]では、完成された好戦的もしくは平和的な君主政体がすでに最古の時代から西方諸民族の歴史に登場する。さらにタタールの高原でも、遊牧民集団の奔放さは統治者カン(汗)たちの専制政治と織り合わされたが、この専制政治はヨーロッパにおける多くの統治形態の基盤となった。こうしてわれわれは、世界のあらゆる方向からアジアに近づけば近づくほど、確固とした基盤を有する国々と出会う。これらの国々が有する際限のない権力は、数千年にわたってそれら民族の思考様式に深く根をおろしたため、シャムの王は、王を持たない国民を無頭の奇形だといって嘲笑したほどだ。アフリカでは、確固不動の専制政治はアジアのものに近いが、南方に行くほど暴政は依然として粗暴な状態にあり、ついにカフィル人のもとでは家父長制の遊牧民状態と化してしまう。南洋では、アジアに近いほど技術、手工業、豪奢がいっそう増し、豪奢の主人たる専制君主が古くから権力を行使している。逆にアジアから遠ざかれば遠ざかるほど、すなわちアジア大陸から離れた島嶼やアメリカ、それに南半球の不毛な辺地では、より粗野な状態となって、人類のいっそう単純な制度である部族と家族の自由に立ち戻る。そのため何人かの歴史研究者[46]でさえ、アメリカの二つの君主政体国であるメキシコとペルーの起源を、アジアのいくつかの専制政体国との親近性から導き出したほどだ。このようにアジア大陸の全体を概観すると、特に最古の居住地たる原山脈の周囲において、アジア諸民族の伝承が彼らの年代計算法や宗教とともに、周知のように数千年前の太古の世界に遡ることが明らかになる。インド、チベット、古代カルデア、[47]さらには低地エジプトにおける古くからの宇宙生成論の巨大な体系に比べれば、ヨーロッパ人と(いつものようにエジプト人を除いた)アフリカ人の伝承、ましてやアメリカ先住民や西方地域の南洋諸島の伝承は、どれもみな新しい作り話の散逸した断片に他ならない。それらは、寓話の中に姿を消すアジアの太古世界の声に向かって投げかけられたものの、方向も定まらずに徒に反響を繰り返すだけの音にすぎない。

それではこの太古世界の声を追い求めるとしたらどうだろうか? しかも人類は伝承以外に形成の手段を持っていないのだから、この声をその源泉にまで遡って追い求めようとしたらどうだろうか? しかしそれは間違った方法であり、虹や反響の後を追うようなものである。なぜなら、子どもが自分の誕生に居合わせながら、それについてほとんど語れないのと同じように、われわれは人類に、その創造と最初の教義、そして言語の案出や最初の居住地について、歴史に即した精確な報告ができるなどと期待してはならないからである。しかしそれでも子どもは若者になると、自分が小さかった頃のことを少なくとも幾分かは思い出す。しかも一緒に育てられ、それから後で引き離された何人もの子どもが同じ話や似たような話をするとき、なぜそれに耳を傾けていけないことがあろうか？　また、他の記録が手に入らないような場合に、子どもが話し、夢として語る過去について深く考えるくらいのことを、なぜしようとしてはいけないのか。とにかく人間を人間によって、すなわち作用を及ぼし続ける伝承によって教えることが、摂理の紛れもない構想である以上は、摂理がこの点でもわれわれの知る必要のあるものだけは十分に与えてくれたと信じようではないか。

＊125　この博識な人物は、きわめて広範囲におよぶ計画をもって類似の仕事に着手している。[48]

＊126　ビュットナーによる『種々の民族における文字種類の比較表』第一部（ゲッティンゲン、一七七一年）を参照。

＊127　ツィンマーマンによる『人間の地理学的歴史』第三部、一八三頁を参照。[49]

＊128　『法と技芸と学問の起源について』（レムゴ、一七七〇年）四つ折版。[50]

＊129　ジョーンズによる『アジアの詩歌への注釈』（アイヒホルン編、ライプツィヒ、一七七七年）を参照。[51]

＊130　バイイによる『古代の天文学の歴史』を参照。

＊131　ルジャンティーユによる『旅行記』（エーベリングの叢書、第二部、四〇六頁以下）およびヴァルターによる『時間についてのインドの教義』（バイエルによる『ギリシアのバクトリア王国の歴史』ペテルスブルク、一七三八年）などを参照。[52][53][54][55]

四　地球の創造と人類の起源に関するアジアの伝承

しかし、こうも多くの欺く声や鬼火があちらこちらへと誘い導く、この人跡未踏の森の、どこから手を着ければよいのか？　私としては、この伝承という点で人間の記憶が押しつける さまざまな夢想の蔵書に一語たりとも付け加える気はない。それゆえ、私は諸民族による臆測、あるいは彼らの賢者による仮説を、伝承による事実からできるだけ区別するとともに、伝承についてはその確実性の度合いと時代とを明らかにしたい。アジアに最も昔からいる民族で極度の古さを誇る中国人は、紀元前七二二年以前に遡るような歴史上確実な証拠を何一つ持っていない(56)。伏義(ふくぎ)(57)と黄帝(こうてい)(58)の国は神話であり、伏義に先行する霊たちや擬人化された四大の時代は、中国人自身によって詩人の手になる寓意と見なされている。彼らの最古の書物、*132 すなわち紀元前一七六年に再発見されたか、あるいは焚書を免れた二部の写本から復元された書物には、宇宙生成論(60)も民族の始まりも描かれていない。堯帝(ぎょうてい)(59)はすでに同書では自分の国の山々とともに泰山をも支配している。

彼の命令一下、星が観察され、水が治められ、暦が調えられた。犠牲と政務もみなすでに確定された秩序の中にある。こうしてわれわれに残されたものといえば、中国最初の偉大な形而上学である易経しかないだろう。[*133] これが語るのは、陰と陽からどのようにして四象[61]と八卦[62]が生じたのか、天地開闢の後にどのようにして盤古[63]と三皇[64]が超自然的な形姿として統治し、ついにようやく人皇[65]に至って人間の歴史が始まったのかということだ。ちなみに刑馬山[66]に生れたこの人皇は、法の最初の制定者で、陸と水を分けて九つの州を作ったとされる。いずれにせよこの種の神話はさらに多くの世代を経て伝えられる。そのため、起源にまつわる事柄については、神聖視され最古の寓話伝承すべてによって崇められたアジアの高山が、これらの王や超自然的な形姿の居住地だったとすること以外には、おそらく何一つこうした神話に根拠を持たせることはできないだろう。こうして地球上の中央にある泰山は、中国人自身にとって、彼らが皇帝と呼ぶこれらの古い寓話上の人物の名において、このうえなく崇められる。

　チベットを目ざして登ってゆくと、地球の様子が中央の最も高い山の周辺でいっそう際立っていることに気がつく。というのも、チベットという宗教国の神話全体がこの山に基づいているからだ。その高みと広がりはおどろおどろしく描かれ、その端では怪物と巨人が見張りをし、七つの海と七つの金の山がこの山を取り巻いている。その頂上にはラアと呼ばれる天の霊たちが住み、それより低いところには他の存在物がそれぞれ段階をなして住んでいる。永劫の時代を経て、天空の瞑想者ラアたちは次第に粗雑な肉体へと身を落とし、ついには人間の形姿にまで身をやつしたが、そこでは醜い雌雄のサルがその両親であった。動物の起源も同じように身を落としたラアたちから説明される。[*134] この苛酷な神話は山から海へと世界を構築してゆき、海を種々の怪物で取り巻き、最後には被造物の体系全体を、永遠の必然という一つの怪物の大きく開いた口の中に放りこむ。しかし人間をサルの子孫だとするこの屈辱的な伝承も、その後さまざまな作り話とひどく織り合わされたため、これを太古の時代の純粋な始源伝承と見なすには多大の顧慮が必要とされる。

ヒンドゥー教徒という古い民族の最古の伝承が入手できれば、それはとても価値のあることだろう。しかしわれわれが知っているのは、バラモン教の最初の宗派がヴィシュヌとシヴァ[(67)]の信奉者たちによって、とうの昔に壊滅させられているということである。それ以外にヨーロッパ人がこれまでヒンドゥー教徒の秘密について得た知識といえば、明らかに新しい伝承ばかりで、それはこの民族のための神話であるか、もしくは彼らの賢者たちの教義体系を説明したものである。これらはまた作り話風のものとなって地方ごとに違った形で伝わり、そのためわれわれは、本来のサンスクリット語はもちろん、インド人の真のヴェーダ(68)を手にできるまで、おそらくまだ長いあいだ待たねばならないと思われる。しかしこのヴェーダの中にも彼らの最古の伝承をあまり期待してはならないだろう。というのも、彼らはヴェーダの最初の部分さえもが失われたと考えているからである。だがそれでもまた、後に作られた多くの話からも、歴史にとって重要な始源伝承の砂金が顔を覗かせている。たとえばガンジス河はインド全土で神聖視され、それは聖なる山、すなわち世界創造者ブラフマ(69)の足元から直接流れて来る。ヴィシュヌが八回目の輪廻でパラシュラーマとして現れたときには、まだ国全体がガーツ山脈(70)に至るまで水で覆われていた。そこでパラシュラーマは海の神に頼んで、自分が矢を射るときに、それが届く範囲で場所をあけ、海を後退させてもらうようにした。海の神はこれを承諾し、パラシュラーマは矢を射た。矢が達したところまで土地は乾いた。それがマラバール海岸(71)である。ソヌラも言うようにこの物語は、かつてガーツ山脈までが海であり、マラバール海岸は新しい土地であることをはっきりと教えてくれる。インド諸民族の他の伝承は、水中からの土地の誕生を、違ったふうにこう物語っている。ヴィシュヌは一枚の葉に乗って漂っていた。最初の人間はこの葉から花となって生れた。大きな波の表面を一個の卵が漂っていたが、ブラフマがこれを成熟させると、その殻は大気と天空になり、同じようにその中身は動物と人間という被造物になった。いずれにせよわれわれは、これらの伝承を純朴なインド人自身の物語口調で読まねばならない。*135

ゾロアスター(72)の教義は、*136 言うまでもなくすでに一つの哲学としての教義体系であり、たとえ他の宗派の伝説が混入していないにせよ、それでもやはり始源の伝承とは見なしがたいものだろう。もっとも、そのような痕跡はもちろんこの教義の中にも認められはする。地球の中央に位置するアルボルズ山(73)という大きな山が再び姿を現し、これに隣接する山々とともに四方に広がって伸びている。太陽はこの山を中心に廻り、この山からいくつもの大河が流れ出る。海と陸もこの山から分かれ出たものだ。万物の形態は、まず幾つかの原像や萌芽として存在した。そして高地アジアのすべての神話に原始世界の怪物が多く登場するのと同じように、この教義にも大きな雄牛カヤモルツ(74)が姿を現し、その死体から地球のすべての被造物が生れた。アルボルズ山の上には、ラアの山上にあったような楽園、すなわち聖なる霊たちと神となった人間たちの住まいがあり、そこには河川の源泉でもある生命の泉が湧いている。これに加えて、闇を断ち切り、これを克服する光は、大地を豊饒なものとし、あらゆる被造物を幸福にする。こうした光は明らかにパールシー教徒(75)の光の体系全体を支える第一の自然的根拠である。彼らは光の理念だけを祭式、道徳、政治という方法でさまざまに適用した。

アジアの山地を西に下って歩けば歩くほど、太古の世界の時代と伝承はそれだけいっそう身近なものとなる。(76)これらすべてからすでに見てとれるのは、それぞれの起源が、より後のものであることと、低地の人々が自分たちの知らない高地の伝承を適用していることである。ただ、古い寓話の断片は、ときどきにしか姿を見せなくなり、むしろどこでも新たな民族衣裳をまとって現れるため、それらの伝承は個々の地域に適合させられる過程で、ますます他に適用しにくいものとなる。それでもこうした伝承は、体系自身としては完結性と明断さを増してゆく。だから私にとって不思議なのは、どうしてフェニキアの歴史家サンコニアトン(77)が、一方では大法螺(おおぼら)吹きとされながら、他方では太古の世界を最初に予言した者とされたのかということだ。なぜなら、彼の住んでいた土地の地理的な位置からして、すでに彼は太古の世界へ足を踏み入れることを拒まれていたからである。――次のようなことを内容とする神話、すなわち、太古世界というこの万有の最初が、暗黒の大気、すなわち暗く濁った混沌であったことと、この輪郭と形態を持たないものが永劫の昔から荒涼たる空間を漂っていたが、織り合わせる霊(78)がついには自らの原理と恋に落ちて、両者の混合から創造が開始されたことを内容とする神話は、実にさまざまな民族に共通の古くからの考え方だったので、フェニキア人のサンコニアトンには、これに何かを創作して加える余地などまったくなかった。エジプト人やギリシア人も含めて、ほとんどのアジア民族は、みな混沌について、あるいは孵化した卵についての伝承を自分たちの仕方で語ったのだから、フェニキアの神殿でもこの種の伝承の記録が発見されないということがどうしてありえようか？　ちなみにそれは次のような伝承、すなわち、被造物の最初の種子は泥の中に繙（ひもと）かれていて、知性を賦与された最初の存在は、天の鏡（ゾファゼミム）[79]と呼ばれる一種の怪物たちであり、その後これらが雷鳴の轟きによって目を覚まされ、多種多様な被造物をその怪奇な形態から産み出した、という伝承である。ここでは短縮されているが、実際これは広く普及している伝承なのだ。しかもそれは他のさまざまな作り話を加えながら、メディアやチベットの山脈を越えてインドや中国に至る一方で、フリュギア[80]やトラキア[81]にまでも及んでいる。なぜなら、ヘシオドスやオルフェウスの神話[82]にもまだその残滓が見出されるからである。しかしわれわれは長い系譜を読むとき、それも神の息吹の声である風の神コルピアスとその妻である**夜**に始まり、**長男**の**エーオン**（永劫）、孫の**種**と**類**、曾孫の**光**と**火**と**炎**、そのまた孫の**カッシウス**や**リバヌス**や**アンティリバヌス**などの**山**に至る系譜を読むとき、人類によるさまざまの案出が、これらの寓意的な名称の手に帰されてきたことに気がつく。それゆえ、こうして誤解された混乱状態にあるいくつもの古い伝承の中から、つまり、この系譜の編纂者がおそらく名称として見つけ、そこから人物を作ったこれらの古い伝承[83]の中から、世界の哲学と最古の人間史を見つけ出すためには、辛抱強く先入見に頼ることが必要とされる。

われわれは暗黒のエジプトの奥深くに下ってまで太古の世界の伝承を求めようとは思わない。同地における最古の神々の名称には、それらがフェニキア人の伝承と姉妹関係にあることを明白に示す痕跡が見られる。というのも、これらの名称にも古(いにしえ)の夜、霊、世界創造者、それに万物の種子が蒔(ま)かれていた泥がふたたび姿を現しているからである。しかしエジプトの最古の神話について知られていることは、どれもみな後代のもので、不確実かつ曖昧で、そのうえこの地域の神話に見られる考え方も、ことごとく風土化されている。したがってこの神話で偶像化されて描かれる神々の形姿や、あるいはさらに黒人の作り話の中に、最古の人間史の哲学の根拠を与えてくれる太古の世界の伝承を掘りあてることはわれわれの目的にそぐわない。

また歴史に即して見ても、広大な地球上にはモーゼの伝承と呼び慣らわされている、**文字で書かれた伝承**しか残されてはいない。いっさいの先入見を持たなくても、つまりその伝承の起源がどのようなものであるかということについての考えをまったく考慮しなくても、われわれはその伝承が三〇〇〇年以上も前のものであり、そもそもわれわれ新しい人類が提示する最古の書であることを知っている。この短くて簡素な書は一読さえすれば、それがどのようなものであろうとし、またありうるのかをわれわれに語ってくれるはずだ。これは歴史ではなく、伝承もしくは古い人間史の哲学と見なされるものである。こうした観点から、ただちにこの東方の詩的な装飾の中身を見てゆくことにしたい。

＊132 『書経。中国人の神聖な書物の一つ』[84]（パリ、一七七〇年）。
＊133 周王などに関するド・ギーニュ[85]による書物以前にプルマール神父[86]によって著された、周の王に先行する時代に関する研究を参照。
＊134 ジョルジ[87]による『チベットのアルファベット』（ローマ、一七六二年）一八一頁、および他の箇所。
＊135 ソヌラ、バルダエウス、ダウ、ホルウェル[88]などを参照。
＊136 『ゼンド・アヴェスター[89]』（リガ、一七七六―一七七八年）。

五　人間史の起源に関する最古の文字伝承

かつてわれわれの地と天の創造が始まったとき、地はまず荒涼として形をなさない物体であり、そこには暗黒の海が溢れ、生命を孵化させる力が水の上を動いていた、とこの伝承は語る。――地球の最古の状態が、最近のすべての知見に従って、それも証明不能な仮説に飛躍せずに、探究する知性が示しうるとおりに叙述されねばならないとしても、われわれはまさにこの古い記述にめぐりあう。大部分が水で覆われた一つの巨大な花崗岩塊と、その上にある生命を孕んだ自然諸力。われわれが知っているのはこれだけであり、それ以上のことは分からない。この岩塊が灼熱して太陽から放り出された[90]とするのは雄大な考えではあるが、自然の類比の中にも、われわれの地球の進行する発展の中にも、その根拠は見出されない。いったい水はどのようにしてこの岩塊の上に来たのか？　地球の丸い形態はどこから来たのか？　磁石は火の中で力を失うというのに、地球の回転と両極はどこから来たのか？　ずっと真実らしく思われるのは、この驚くべき原岩塊が内部の諸力で自己自身を形成したということ、すなわち、その生命を孕んだ混沌から、われわれの地球になるべきものが凝固しながら沈澱したということである。しかしモーゼの伝承はこの混沌をも切り捨て、ただちに岩塊の記述に入る。それとともに、モーゼ以前の諸伝承が描くあの混沌たる巨人や怪物も奈落に落ちて消えてしまう。モーゼの伝承の冒頭の哲学的な一節と、モーゼ以前の諸伝承に共通するものは、たとえばエロヒム(91)と呼ばれる神である。これはおそらく前述のラアやゾファゼミムなどに比肩しうるものだが、モーゼにあっては活動する単一なものという概念に純化されている。すなわちエロヒムは被造物ではなく、創造主なのだ。

万物の創造は光とともに始まる。これによってかつての夜は分かたれ、四大も分かたれる。分かつのみならず生命をも与える自然の原理としてわれわれが古今の経験によって知っているものといえば、光、あるいはこう言ってよければ、原初の火よりほかに何があろうか？　この光は自然のいたるところに広がり、ただ物体の類似関係に従ってのみ不均等に配分されている。たゆまない動きと活動の中で自分自身によって流動する活発なこの光は、あらゆる流動、熱、運動の原因となっている。電気の原理でさえ光の変形として現れるにすぎない。自然のあらゆる生命は熱によってのみ育てられ、流動物の運動を通して発現する。また動物の精子も、一つの拡張し刺激し活性化する力を通じて光に似た作用を及ぼすだけでなく、植物の受粉に際しても光と電気が認められてきた。それゆえ、この古い哲学的な宇宙生成論にあっては、光こそが最初に活動するものなのだ。しかもこれは太陽から来る光ではなく、有機体の塊の内部から迸(ほとばし)り出る光なのだ。(92)このことは再び経験に合致する。あらゆる被造物に生命と養分を与えるのは太陽光線ではない。内部の熱によって万物は受胎する。岩石も冷たい鉄も、このような熱を自分の中に持っている。それどころか、被造物が生命を有し、自らを感受し、活動するのも、発生時に遡るこの火と、内部運動の力強い循環によるそのいっそう緻密な活動の程度と範囲にもっぱら依存している。ここにすなわち生命の根源に関わる最初の炎が燃やされたわけであるが、それは火を吐くヴェスヴィオ火山(93)でも、炎を上げて燃える土の塊でもなく、分かつ力であった。言い換えるならば、それは熱し育てる自然のバルサムという慰めの香油であり、これが万物を次第に動かしていった。これに比べると、眠れる動物としての自然諸力が雷鳴と稲妻によって目覚めさせられる様子を表現するフェニキアの伝承(94)は、何と嘘っぽく粗削りなことか。いずれにせよ、時代を経るにつれて経験を通じて確実にその信憑性を増すモーゼの精緻な教義体系においては、光こそが創造の完成者なのだ。

しかし私としては以下の詳述に際して、創造の日程にまつわる誤解を取り除くために、一見しただけで誰の目にも明らかではあるが、[*137] 次のことに注意を喚起しておきたい。それはすなわち、創造の自己完成という考え方を有するモーゼの教義は、全体として対照法に基づいており、それによって種々の区分も自然に即してではなく、もっぱら象徴的に行われているということである。実際またわれわれの目は、創造の全体とその錯綜する作業を一度に把握することができないため、天と地、あるいは海と陸といった区分が行われざるをえなかった。もちろん、現実の自然においてこれらは、作用を及ぼすと同時に作用を受ける存在として互いに結びついた領域のままなのだが、モーゼにあって最も自然な分類というのは、天は地に、そして地上ではさらに海が陸に対立させられるものだった。それゆえ、この古い文書は**自然を順序よく並べるための最初の簡素な表**であり、その並べるという作業にとって創造日程の命名は、著者モーゼの他の目的に応じて、たんに区分する**名称の足場**として役立つにすぎない。光は、創造を実現させるものとして存在したまさにその瞬間に、天と地を造り上げなければならなかった。そこで光は大気を純化する。すなわち、大気は稀薄な水として、また非常に多くの新たな知見によれば、すべてを結びつける創造の手段として、それも何千もの形で結びつける手段として、光ならびに水陸の存在物の諸力にとって役立つ。その一方で大気は、光もしくは原初の火以外の他の知られた自然原理によっては純化されえなかった。つまり大気はこのような方法以外で、この水という柔軟性に富む流動物へともたらされることはなかった。しかしこうした純化は、どのような過程を経て実現されえたのか？　それはすべての粗雑な物質が、度重なる切断や変質を受けながら次第に沈積することによって、水と大気のみならず海と陸が次第に別個の領域として生れた過程を経て初めて実現されえた。同じように、第二および第三の作業も錯綜した形で完遂された。これらは、モーゼの宇宙生成論の象徴においても対立させられているように、創造の第一の原理、すなわち分かつ光の所産である。これらの作業はどう見積もっても数千年間は続いた。それはいくつもの山脈や地層が生れ、山が削られて谷ができて、河川の川床まで生れたことからも一目瞭然である。水、大気、火という三つの強力な存在物がこの長大な時間の中で活動した。水と大気は切断し、掘っては削り、沈積させた。そして火は水と大気の中で、また自己を形成する地球の中で、可能でさえあればどこでも有機組織に関わりながら活動した。

再びこのモーゼという最古の自然研究者の壮大な視線に言及することにしよう。というのも、現在もなお多くの人がこの視線をとらえられないでいるからだ。地球内部の歴史が示しているのは、地球の形成にあたっては、自然の有機的諸力がいたるところでただちに活動していたということと、それらの一つでも発現しうる場合にはただちに発現したということである。植物界全体は大気と水との新たな沈澱によって滅亡せざるをえなかったにもかかわらず、大地は植物が繁茂できるとなれば、ただちに繁茂させた。海は生きものが住むのに十分なくらいに純化されると、たちどころに生きもので満ち溢れた。しかし海が氾濫すると、これらの無数の生きものは死に絶え、それによって他の有機体の素材として役立たねばならなかった。つまり創造の完成に向けたこれらの純化作用のどの時期にあっても、あらゆる活動領域の生きものは、どれもまだ同時に生きることができなかった。さまざまな類の被造物が交互に続いたが、それらが現実に生成できたのは自己の本性と媒体に応じてのことだった。そして見るがよい。これらすべてを自然哲学者モーゼは創造主の一つの声に包括した。この声は光を呼び出し、それでもって大気には自らを純化するように、海には沈むように、大地には徐々に広がるように命じた。この声は自然圏の活動する諸力だけを活動させたが、今度はまた大地と海と塵（ちり）にこう命じた。**それぞれが自らの方法に従って有機存在物を産み出し、これらの構成要素に植えつけられた固有の有機的諸力によって自ら創造に生命を与えよ**、と。この哲学者はかく語り、自然の外観をも、つまり有機的諸力が自らの活動領域に応じて自己を生命へと完成させるところでは、今なおどこでも認められる外観をも恐れたりはしない。ただ、この哲学者はどうしても区分せざるをえなかったので、自然の諸領域を自然学者が区分するのと同じように、分離して対立させたまでのことである。それに彼は、これらの領域が相互に柵で囲われては活動できないことくらい十分に承知済みなのだ。植物界が先行する。しかも最近の自然学が証明したように、植物はとりわけほとんど光によって生かされているため、あまり風化していない岩石や、それほど洗い流されていない泥土においても、孵化させる創造の力強い熱さえあれば、植物の繁茂はすでに可能だった。これに海という多産な母胎がその産物をもって続き、他の植物の繁茂を促した。かつて海の氾濫によって死に絶えた生きものをはじめ、光と大気と水で充満した大地は急いでその後を追いかけ、創造を続けた。しかしもちろんすべての種を一度に産んだのではない。というのも、肉食動物が動物質の食料なしにほとんど生きられなかったのと同じように、たしかに肉食動物の誕生はいくつかの動物種属の滅亡を前提としているからだ。これもまた地球の自然史が証明しているとおりである。海の生物あるいは草食動物は、最初の永劫の時代に地球のより深い層に沈澱したものとして見出されるが、肉食動物はこの層にほとんど、もしくはまったく見出されない。こうして創造はますます精緻な有機体の中で段階を経て完成へと進み、ついには人間が姿を現す。この人間こそがエロヒムたる神の最も精緻な造形物であり、創造を完成させる頂点なのだ。

しかしこの頂点へと歩みを進めるに先だって、自然の賢者モーゼが自らの絵図に織り込んだいくつかの見事な筆致に、もう少し目を向けることにしよう。第一に。彼は太陽と星々を、創造の完成を促進する車輪の中に、活動する存在としては組み込まず、自らの象徴の中心点としている。なぜなら太陽と星々は、もちろん地球とそのあらゆる有機産物を周期的に運動させ、それゆえ彼の言うように時間の支配者であるが(95)、有機的諸力それ自体を与えはしないし、こうした諸力を地上へ放射することもないからである。太陽は今もなお創造の始まりの時と同じように輝いているが、新たな種属を呼び覚ましもしなければ、有機組織化することもない。というのも、生きものを創造する力がすでに次の移行に向けて準備されていなければ、太陽の熱といえども腐敗の中からどんなに小さな生きものをも発生させることはないだろうからである。こうして太陽と星々は、登場が可能となると、すなわち大気が純化され、地球が完全に構築されて存在すると、ただちにこの自然の絵図の中に姿を現す。しかしそれはもっぱら創造の証人として、つまり自分自身によって有機組織化された領域を統治する君主としてなのだ。

第二に。地球ができた時から月は存在していた。それは私にとってこの古い自然像の美しい証明である。月を地球の後に来た隣人と見なし、地球上および地球内部のあらゆる混乱を月の出現のせいにする者たちの意見は私には何の説得力も持たない(96)。そのような意見には自然に即した証拠がまったく伴っていない。なぜなら、地球の外見上の混乱はどれもこうした仮説なしでも説明できるだけでなく、その説明をさらに良いものにすれば、混乱でさえなくなってしまうからである。言うまでもなく、地球はその生成の外皮に包み込まれていた四大も含めて、種々の変革以外の方法では形成されえなかったし、それどころか、これらの変革を通じて形成が可能となったのは地球が月に隣接していたからにほかならない。地球が自分自身と太陽に引きつけられるのと同じように、月は地球に引きつけられる。さらには潮の満ち引きのみならず植物の繁茂も、少なくとも天空および地球の諸力の働く仕組みが知られた今となっては、月の運行と結びついている。

第三に。この自然の賢者モーゼは、至妙かつ事実に即して空中と水中の被造物を一つの区分の中に入れている(97)。比較解剖学はそれら両方の内部構造に、とりわけ脳の構造に驚くべき類似性を認めた。すなわち、内部構造は被造物の有機組織化の段階を事実に即して示しているのだ。完成した形態の相違は、媒体が、それも被造物が適合すべく作られている媒体が、それぞれの場合で異なることに起因している。したがって空中と水中の被造物という二つの部門については、その内部構造において大気と水のあいだに見出されるのと同じ類比関係が見られねばならない。そもそも創造の歴史というこの生きた車輪全体が証明しているように、四大はそれぞれ自らが産み出しうるものを産み出し、また四大のどれもが創造という一つの作業全体に属する。それゆえ、本来また**地球上で**は**一つの有機的形成だけが目に見えるものとなりえた**のであり、しかもこの形成は最も低次の生きものから始まり、エロヒムたる神の技術が駆使された最後にして最も高貴な作品である人間において完成される。

　喜びと驚きをもって私はここで人間創造の内容豊かな記述へと向かうことにしたい。なぜなら、この記述こそが本書の内容であり、また幸運なことにその核心でもあるからだ。**エロヒムは互いに協議し**、生れつつある人間の中にこの協議の姿を刻み込む。それゆえ知性と熟慮が人間を際立たせる特徴となる。**エロヒムは人間を自分の似姿に形成する。**東方の人々はみなこれを特に身体の直立形態の中に置く。**人間には地上を支配するという特徴が刻み込まれた。**こうして人間という類には有機組織上の優位が与えられ、地上のいたるところを満たすことができるとともに、高等動物の中でも最も多産な被造物として、あらゆる風土においてエロヒムの代理、目に見える摂理、活動する神として生きることになった。見るがよい。ここに人間史の最古の哲学がある。

　さて、生成の車輪が人間という最後に支配する原動力に至って完成したとき、**エロヒムは休息し、それ以上の創造は行わなかった。**それればかりかエロヒムは、万物があたかも自分で自分を産み出し、創造にとって必要な数世代のあいだもずっとそうだったかのように、創造の舞台から姿を消した。ただ、エロヒムが姿を消したということは実際にはありえない。(98) というのも、地球の構造と、互いの基礎となって有機組織化されてきた被造物が十分に証明しているように、地球上のあらゆるものは一つの技術構造物として着手され、低次の被造物から高次の被造物へと完成されたからである。しかし最初の被造物はどのようにして生れたのか？　なぜ創造の作業場は閉じられ、海も陸も今は新しい類の生きもので湧き立たないのか？　そのせいか創造の力は活動を休止しているようにも見え、ただ固定された秩序と種属の器官を通じてのみ活動している。自然の賢者モーゼは、彼が創造全体の原動力と考える活動的な存在をもって、この点についても自然に即した説明を与えてくれる。物質の塊を分かち、天を高め、大気に弾性を賦与し、大地を植物の繁茂に向けて整えたものが、光もしくは火という要素だったとしたら、それが万物の種子に形を与え、低次の生命から最も精緻な生命へと有機組織化されたのだ。こうして創造は完成した。それは永遠なる者の言葉、すなわち秩序づける叡智に従ってこれらの生命力が分配され、これらの力があらゆる形態を、それも地球上で獲得でき、また獲得すべきであった形態を採ったときのことであった。活発な熱は、孵化させる霊が創造の水の上を漂っていたときにこれに伴い、すでに地中に以前からあった形成物の中でたしかに充溢し、力強く発現する。今はこの熱では海にも陸にも何かを産み出す能力はない。しかし創造の原初の熱、と私は言うが、この熱なくしては当時もほとんどのものが自己を有機組織化できなかったのと同じように、発生時に遡るこの熱なしには今もほとんどのものが自己を有機組織化できない。つまり、この熱は現実に生成したすべての産物に自己を分かち与えていたのであり、今なおそれらを存在させる原動力なのだ。あらゆる火山、あらゆる可燃性の鉱物、さらにはあらゆる発火性の小石が証明しているように、どれほど莫大な量の荒々しい火が、たとえば地球の岩塊自体を、それもまだ地中で眠っているか、もしくは活動している岩塊を引き裂いたことか！　植物界全体の中にも燃素(99)が存在し、動物性の生命が、もっぱらこの火という素材の摂取に従事しているということは、最近の多くの実験や知見によって証明されている。その結果、創造の生きた循環全体とは次のこと、すなわち、液体は固体に、固体は液体にされ、火は起こされ、再び結びつけられ、生きた諸力は種々の有機体でもって制限され、再び解き放たれることであるように見える。ところで、地球を完成させる使命を有していた物質の塊には数と量と重さがあったので、その内部を貫いて活動する原動力はまた自らの活動範囲を見出さねばならなかった。こうして今や全被造物は互いに離れて生きている。被造物という車輪は、何も付け加えることなくあちこち走り回っている。この車輪は創造の最初期に遡る枠の中で破壊と組み立てを繰り返す。自然はいわば創造主の有無を言わせぬ力によって完成された技術作品となった。そして四大の力は、形成する霊が合体させうるすべてのものに自己を合体させたため、一定の有機体の循環から退くことはできない。

しかし今やこうした技術作品も永遠には存続しえないことと、始まりのあった循環は必ず終わりを迎えざるをえないことは事柄の本性である。美しい創造は、それがかつて苦労して混沌から抜け出したのと同じように、今度は混沌に向かうべく活動を行う。創造の種々の形は消耗し、それぞれの有機体も弱いものとなり、老化が進む。それゆえ地球という大きな有機体も自らの墓を見つけざるをえないが、しかるべき時期が来れば、そこからまた新たな形態に向かって立ち上がる。

＊137　拙著『人類最古の文書』第一部。(100)

六　人間史の始まり(101)に関する最古の文字伝承の続き

仮説や粉飾を加えずにそのまま提示されたこの古い伝承の純粋な理念が読者諸賢の気に入ったならば、なおもこの創造絵図の全体に目を向けてから、これらの理念の跡を追うことにしよう。それにしてもこの絵図は、何によって高地のアジア人のあらゆる説話や伝承に対して、かくも比類なく際立っているのか？　それは全体としての統一性と簡素さと真実による。アジア人の説話や伝承は、自然学や歴史の萌芽を非常に多く含んでいるが、それらはみな聖職者や民衆による伝承の引き継ぎに際しての必然、すなわち記録せずに創作してしまうという必然とはいえ、ひどく錯綜しており、あたかも世界創造の始めにおけるような途方もない混沌となっている。しかしこの自然の賢者モーゼはそういった混沌を克服し、その簡素さと結びつきにおいて、秩序豊かな自然それ自体を模倣する一枚の絵図をわれわれに描いてくれる。彼はどのようにしてこの秩序と簡素さに到達したのか？　われわれは彼の語ることを他の民族の寓話と比較しさえすればよい。

そうすれば地球史および人間史に関する彼の純粋な哲学の根拠が見えてくるだろう。

第一に。この自然の賢者は、人間にとって不可解でその視野の外にあるものはみな除外し、われわれが目で見て記憶によって包括しうるものを拠り所とした。たとえば宇宙の年齢や地球と人類の年齢についての問いほど論争を惹き起こしたものがあろうか？　人々はアジアの諸民族をその無限の年代計算によって限りなく賢明であると考える一方で、ここで話題にされているモーゼの伝承を限りなく子どもじみたものと考えてきた。なぜなら、よく言われるように、この伝承はあらゆる理性に反し、それればかりか地球の構造という明白な証拠にも反し、創造を些細な事であるかのように性急に取り扱い、人類をあまりにも若いものにするからである。しかしそれではこの伝承が明らかに不当に扱われているように私には思われる。少なくともモーゼがこの古い伝承の蒐集者であったならば、学識あるエジプト人であった彼に、あの永劫の時代が、すなわちアジアのあらゆる民族と同じようにエジプト民族が世界の歴史を開始した神々や半神の永劫の時代が知られていなかったということはありえない。だとしたらモーゼはなぜこれらの時代を自分の報告に織り込まなかったのか？　なぜ彼はこれらの時代にいわば反抗し、それらを軽視するように、世界の生成をきわめて短い日程の象徴の中に押し込んだのか？　それは言うまでもなく、モーゼが永劫の時代を切り離し、これを無用な寓話として人間の記憶から除去しようとしたからである。私には彼の処置がこの点では賢明だったと思われる。というのも、この完成された地球という枠の彼方（かなた）、つまり人類の誕生とそれに関連する歴史以前には、その名に値するような年代計算法が存在しないからだ。ビュフォンには彼の言う自然の最初の六期に、二万六〇〇〇年、三万五〇〇〇年、一万五〇〇〇――二万年、一万年など好きなだけの大きな数を与えさせておこう(102)。自己の限界を感じとる人間の知性は、たとえそれらの時期の発展自体は本当であると認めても、想像力によるこれらの数を一笑に付す。それに歴史に即した記憶は、そのような数でこれ以上は苦労したいと思わない。前述の諸民族における最古の途方もない年代計算法も、まさにこのビュフォン流なのだ。要するに、彼らの年代計算は神々および世界の諸力が支配していた時代、すなわち、地球形成の時代にまで遡る。そのような年代は、巨大な数を非常に好んだこれらの民族が、天空の変革から、あるいは形象だけによる蒙昧とした最古の伝承の象徴から作り上げたものである(103)。こうしてエジプト人にあっては、世界の創造者ヴルカヌス(104)は無限に永いあいだ統治し、息子の太陽神は三万年、それからサトゥルヌスと他の一二の神々が三九八四年間にわたって統治し、その後に半神たちが、そしてさらに遅れて人間がこれに続いた。これと同じことが高地アジアの創造伝承と年代伝承についても見られる。パールシー教徒のもとでは三〇〇〇年にわたって天の光の軍勢が敵もないまま統治していた。それからさらに三〇〇〇年すると巨大な雄ウシが現れ、その精子から初めて被造物が生れ、そして最後にメスキアとメスキアナ(105)という男女が生れた。ラアが統治していたチベット人の最初の時代は無限で、第二の時代は八万年、第三の時代は四万年、第四の時代は二万年というのがそれぞれ一つの年齢期であり、その後この年齢期は一万年にまで減少し、それから再び八万年にまで次第に増加してゆく。インド人の年代は神々の変身に満ち、中国人の年代は太古の諸王の王位交替に満ちており、それぞれがさらに時代を遡る。モーゼとしては、こうした無限の時間を切り離すことしかできなかった。なぜなら、それらの時間は伝承自身の伝えるところでは、地球の創造には関係があっても、人間史には関わっていないからである。

第二に。したがって、世界が新しいか古いかについて論争すれば、そのどちらもが正しい。地球の岩盤は非常に古く、その外皮ができるまでには長期にわたる変革を必要としたが、これについては異論がない。この点でモーゼは誰にでも好きなように時代を設定させ、カルデア人には**アロルス**王(106)という光、**ウラヌス**という天、**ゲア**という地、**ヘリオス**という太陽その他をして、人々が望むだけの期間にわたって統治させた。モーゼはこの種の時代をまったく数えもせず、さらにそれらを避けるために、相互に関連しあう体系的な絵図をまさに地球変革の最も軽微な循環期の中で描いた。しかしこれらの変革は古ければ古いほど、また長く続いたものであればあるほど、必然的に人類はそれだけいっそう新しいものでなければならない(107)。というのも、あらゆる伝承と事柄の本性自体に従っても、人類は完成した地球の最後の産物としてようやく現れたからである。それゆえ私は、この自然の賢者が太古の寓話を思いきって切り離してくれたことに感謝したい。実際のところ私に理解できる範囲では、ありのままの自然と、現在生きている人間だけで十分なのだから。

人間の創造に際しても、モーゼの伝承はそれが自然に従って起こりうるように起こったと繰り返している[*138]。これを補完する形でさらに伝承はこう語る。「地上に草も木もなかったとき、自然によって地を耕すように定められていた人間は、まだ生きることができなかった。雨もまだ降らなかったが、霧が立ち昇っていた。こうして露(つゆ)で湿った土から人間は形づくられ、生命力の息吹でもって生きた存在たるべく生命を与えられた。」思うに、この簡素な物語は、生理学のあらゆる研究成果に従っても、人間が自らの有機組織化について知りうるすべてのことを語っている。人間の精巧な構造にあっては、土と水と大気がまだ有機的に結びついているが、それらは人間が死ぬと各要素に分解される。しかし動物としての生命が有する内部の家政は、大気という要素における隠された刺激、もしくはバルサムという慰めの香油に左右される。これは血液のいっそう完全な循環を促すばかりか、人間という機械の生命力全体を体内でそれぞれ敵対させる。こうして人間は生きた息吹を通じて現実に活動する魂となる。この息吹によって人間は生命熱を消化する力と、自ら動き、感じ、考える被造物として行動する力を獲得するとともに、それを表現する。最古の哲学はこの点でも最新の知見と一致している。

一つの園（その）が人間の最初の居住地であった。伝承のこうした筆致も、最古の哲学のみが案出しうるものだろう。園での生活は、新しく生れた人類にとっては最も容易なものである。なぜなら、他のどのような生活も、とりわけ農耕はそれだけでもう多様な経験と技術を必要とするからである。また伝承のこうした筆致が示しているのは、われわれの本性の素質全体が証明していることでもある。それはすなわち、人間は野生に向けてではなく、穏やかな生活に向けて創られているということと、自らの創造物の目的を最もよく知っていた創造主は人間を他の存在物と同じく、いわばそれぞれの活動領域の中で、つまり人間に適した生活様式という領域の中で創ったということである。いくつかの民族に見られる野生化はどれもみな退化であり、それは困窮や風土、もしくは習慣となった情念によって余儀なくされたものである。こうした強制がなくなると、諸民族の歴史が証明しているように、人間は地球上のいたるところで穏やかな生活を送るようになる。ただ、動物の血だけが人間を野生化させた。その血とは狩猟、戦争、そして残念ながら市民社会のもたらす多くの圧迫でもある。最初期の世界諸民族における最古の伝承は次のような森の怪人、つまり人間として生れなかった存在として、何千年にもわたって殺戮を行いながら放浪し、それによって自らの本来の使命を果たしたと考えられるような怪人については何一つ言及していない。野生にまつわるこうした伝承が産み出されるのは辺鄙（へんぴ）で荒涼とした地域においてのみであり、しかも人間がひどく道に迷った後のことだ。後世の詩人はこれらの伝承を喜んで脚色し、ついには資料を集めて編纂する歴史記述者[108]がこれに従い、あげくの果てには、この歴史家に、抽象を事とする哲学者までが続いた。しかし抽象は詩人の描くものと同じで、人類の真の根源史を提供することはほとんどない。

ところで、創造主がその温和で無防備な被造物を置いた園はどこにあったのか？ この伝承は西方アジアに由来するため、園は「東の方に上がったところにある高地に設けられ、そこから一つの流れが湧き出て、それが四つの大きな主流に分かれた。」[*139] どの伝承もこれほど公正には語れない。なぜなら、古代のどの民族も自分が人類最初の民族で[109]あり、自分の土地が人類の生誕地だと考えたのに対して、この伝承は、原初の土地を地球の居住可能な最も高い尾根にまで移しているからである。では地球のこの高みはどこにあるのか？　原初の文書が明白に語っているような一つの源泉、もしくは河川から出た四つの流れはどこに発しているのか？　それはわれわれの地誌のどこにもないし、これらの河の名前をあれこれとひねくり出しても無駄である。というのも、世界地図を偏りなく眺めれば分かるように、地球上のどこにおいても、ユーフラテス河が他の三つの流れとともに一つの源泉、もしくは河川から流れ出しているところはないからだ。しかしすべての高地アジア民族の伝承を思い起こすならば、われわれは地上の最も高いところにあるこの楽園が、生命を与えるその源流と世界に実りをもたらす河とともに、それらの伝承すべての中にあることに気がつく。中国人、チベット人、インド人、ペルシア人はこの創造の原山脈のことを語っている。この山脈を取り巻くようにさまざまな土地や海や島嶼が位置しているが、この天の高みから大地に河川が贈られたとされる。自然学なしにこうした伝承はまったくありえない。なぜなら、山脈なしにわれわれの地球は生命を与えるどんな水も持つことはできなかったし、アジアのすべての河川がこの高地から流れていることを地図が示しているからである。またわれわれが説明しているこの伝承は、楽園に由来するこれらの河川の寓話的要素をすべて無視して、アジアの山脈から流れ出る四つの世界的に有名な河川を挙げているにすぎない。もちろん、これらの河川は一つの流れから発しているわけではないが、しかし後にこれらの伝承を蒐集した者にとっては、人間の原居住地が、自分とは遠い東方世界にあったことを示すにはそれで十分であったにちがいない。

しかもこれらの伝承の蒐集者にとっては、この原居住地がインドの山間地方に存在すべきものだったことはおそらく疑いない。彼の言う黄金や宝石に満ちた国というのは、昔からこれらの財宝で有名だったインド以外の国ではほとんどありえない。この国を取り巻いて流れる河は曲がりくねった聖なるガンジス河であり、[*140] インド全体がこれを楽園からの流れと考えている。ギホンという河(110)があのオクソス河(111)であることは明らかだ。アラブ人はそれをまだギホンと呼んでいる。またこの河が取り巻いて流れるとされる国の痕跡は、これに隣接する地域のインド風の名称に少なからず残っている。[*141] 最後に二つの究極の河川、すなわちティグリス河とユーフラテス河は、もちろんずっと遠く西方へ流れている。しかしこれらの伝承の蒐集者はアジアの西端に住んでいたため、これらの地域は必然の結果として彼の視野からすでにはるか彼方へと消えた。それゆえ考えられるのは、彼の言う第三の河が東方のティグリス、つまりインダス河(112)さえも意味するはずだったということだ。[*142] 言い換えれば、移住を繰り返した古代民族は、太古時代の山地の伝承を自分たちの新しい土地の山河に移した。そしてこれらの民族はみなこうした伝承を、その土地固有の神話という形で各民族の伝承とする習慣を有していた。これはメディアの山脈からオリンポスやイダに至る山脈を見れば明らかであろう。こうしてこれらの伝承の蒐集者は、伝承によって提供されるどんなに遠方の地域でも自分がいる位置に従って指し示すことしかできなかった。パロパミズス山脈[113]のインド人、イマウス山脈[114]のペルシア人、コーカサス山脈のイベリア人[115]がこうした例である。これらの伝承の蒐集者は、各自が属する民族の楽園をそれぞれの伝承が示す山地に置くことができた。これに対してモーゼの伝承がそもそも示しているものは最古の伝承である。なぜなら、この伝承は楽園をインドの上方に置いており、他の地域をたんに添え物として挙げているにすぎないからだ。ではどのようにしてか？　もしカシミールのような幸福な谷が、これまで言及された何本もの河川のほとんど中央に位置し、周囲を山々に取り巻かれ、その健康によく元気を回復させる水のみならず豊饒な土地と野獣の害から逃れていることで有名であり、それどころか現在に至るまで、その美しい民族のために楽園中の楽園として称賛されているとしたらどうだろうか？　またこのような谷が、人類の原居住地だったとしたらどうだろうか？　しかし以下での論述が示すように、この種の詮索はみな現在の地球に照らしてみれば無意味なものである。すなわちわれわれの見るところ、この地域はモーゼの伝承が示すように漠然としている。伝承の叙述の糸をさらに追うことにしよう。

アジア全土の伝承が太古時代の楽園におびただしく詰め込んだすべての怪物や異形な存在に比べると、モーゼの伝承は、二本の超自然的な木、すなわち生命の木と善悪の知識の木、それに一匹の物言うヘビと知恵の天使ケルビム以外には何も持っていない。この哲学者は、それらさえも意味深い物語の中に包み込み、他の無数のものは切り離す。唯一禁じられた木が楽園にあり、ヘビの説得力ある話によれば、この木は人間が渇望してやまない神々の叡智という実をつけている。人間はこれ以上に何か高次のものを渇望しえたろうか？　人間は堕罪に際しても、モーゼの伝承以上に高貴なものとされえたろうか？　たとえ寓意としてのみ見るにせよ、この物語を他の諸民族の伝承と比較するがよい。(116) これは最も精巧で素晴らしい伝承であり、人類に昔からすべての禍福をもたらしてきた次のことを象徴的に描いている。それはすなわち、人間が自らに不相応な知恵を、善悪の両義において求めてやまないこと。人間が自らに与えられた自由を貪欲なまでに濫用し誤用すること。そして人間が、自分自身を律する術（すべ）を最初に学ばねばならないくらいに、か弱い被造物に対して道徳上の戒律を通じて是非とも加えられねばならなかった制約を、無思慮に拡大したり踏み越えたりすることである。こうしたことこそが人間を呻吟（しんぎん）させ、かつ今なお人間の生の大部分を循環させている火の車輪なのだ。人間の歴史を語る古の哲学者モーゼは、今日われわれが知っているのと同じように、このことを知っていた。こうして彼はその要点を子ども向きの物語にして示してくれるのだが、その物語とは、人類のほとんどすべての目的を結び合わせるものなのだ。なるほど、インド人もまた不死の食物を掘りあてようとした巨人たちのことを語っているし、チベット人も悪行によって堕落したラアについて語っている。しかし思うに、それらのどれ一つとしてモーゼの伝承が有する純粋な深みと子どものような純朴さには達していない。この伝承に含まれる超自然的なものは、その時代と地域に属するものだけに限られている。これに対して、アジアの山岳地帯に広がる太古の童話世界に登場するあらゆる竜や怪物、すなわちシームルグ[117]、ズー[118]、ラア、デヴェタス[119]、ジンス、ディヴス、ペリス[120]。それにジンニスタン[121]、リギエル、メル、アルボルズ[122]は、無数の物語という形で広く普及したアジア大陸の神話である。これらの奇怪な物語は、文書化されたモーゼの伝承の中ではみな姿を消し、ケルビムだけが楽園の門で見張りをしている。

アジアの物語に対して、この教えに満ちた歴史伝承が語っているのは次のことである。すなわちそれは、最初に創られた人間たちが、教示するエロヒムたち[123]と交流があり、その指導のもとに動物を知ることによって言語と卓越した理性を獲得したことと、そして人間が、禁じられた方法をもって悪を知るという結果になっても、エロヒムたちと同等になりたいと考えたため、損をしてまで悪を知るに至り、それから後は場所を移して、いっそう技術に頼る新たな生活を始めたことである。この伝承のもっぱらの特徴は、寓話による語りという覆いの背後に、人間にまつわる真理を、それも最も早く知られた地域の住民の自然状態に関する壮大な学説が提供するよりも多くの真理を蔵している点にある。これまで見てきたように、人類の長所は、その能力が生来のものとしてあるのみで、実際には教育や言語や伝承や技術によって獲得され受け継がれてきた。人類が形成を通じて自分のものとしたフマニテートのこれらの糸は、あらゆる民族と地域から出て、一つの起源に合流するだけではなく、人類が現在あるものになるためには、最初からただちに技術を通じて結び合わされねばならなかった。子どもが何年ものあいだ放置されたままであれば死んでしまうか堕落するよりほかはないのと同じように、人類もその最初の発芽期のまま放置された状態ではいられなかった。一度オランウータンのように生きることに慣れてしまった人間が、言語のない粗野な動物の状態から独力で克己しながら抜け出して、人間の状態へ移行することは決してないだろう。それゆえ、もし神が人間に理性と先見性を訓練することを欲したのであれば、神は理性と先見性をもって人間の面倒を見ざるをえなかった。教育と技術と文化は、人間にとってその存在の最初の瞬間から不可欠のものだった。このように人間固有の特性自体こそが、人類史に関するこの最古の哲学の真実性をその内面から保証している。*143

*138 「創世記」二、五―七。(124)

＊139　「創世記」二、一〇―一四[125]。

＊140　ピション[126]という言葉は、豊饒をもたらすべく氾濫する河という意味であり、ガンジスの訳語であると思われる。したがって古いギリシアの翻訳はこの河をすでにガンジスと訳したが、アラブ人はナイルと訳し、周囲を河で囲まれた国をインドと訳した。これでは名前を一致させようもなかった。

＊141　カシュガル[127]、カシミール、カージス山脈、コーカサス、カタイ[128]など。

＊142　第三の河は**ヒデケル**と呼ばれ、**オッター**[129]によれば、インダス河はアラブ人にあっては今なお**エテック**と呼ばれ、また古代インド人にあっては**エニデル**と呼ばれている。この単語の語尾自体がインド風であるように思われる。彼らにあって半神を意味するデウェルケルはデウィンの複数形である。しかし伝承蒐集者がデウィンをティグリスと考えたのは本当らしい。というのも、彼はデウィンをアッシリアの向こう側の東方へ置いたからである。それから先の国々は彼にはあまりにも遠くにありすぎた。フラートも別の河であったと思われるが、ここでは普通名詞としてのみ翻訳されて、最も有名な東方の河と呼ばれた。

＊143　しかしエロヒムたちはどのようにして人間の面倒を見たのか？　すなわち、どのようにして教え、警告し、教示したのか？　これについて問うことが、答えることと同じくらい大胆なことでなければ、他の箇所で伝承自体がこれについての説明を与えてくれるはずだ[130]。

七　人間史の始まりに関する最古の文字伝承の結び

この古い伝承が、名称、年数、技術の案出、変革その他についてわれわれのためにとっておいたものの残りはすべて民族説話の反響である。われわれには最初の人間の名前が何であったのかも、また彼がどのような言語を話していたのかも分からない。なぜなら、伝承で語られるこの民族の言葉では、土の男をアダムと称し、生きた女性をエヴァと称するからである。これら両人の名前は、この民族の歴史の象徴であり、他のどの民族も最初の人間を、重要な意味を有する他の名前で呼んでいる。ここで考察の対象とされる案出はもっぱら西方アジアで牧畜と農耕に携わる民族に関わるものだが、それらについて伝承はまたしても名称の記念碑以外には何も語っていない。永続する民族が永続したとか、所有する者が所有したとか、惜しまれた者が殺されたとか言われるだけである。こうした言葉の象形文字という形で、二つの生活様式、すなわち羊飼いと農民、もしくは穴居民の系統樹が書き継がれる。セツ族[131]とカイン族[132]の歴史は根本的には最古の二つの生活様式を書き留めたものにほかならない。ちなみにこれらの生活様式は、アラビア語ではベドゥイン[133]とカビール[134]と呼ばれ[*144]、東洋においては今なお互いに反感をもって別れたままである。この地域の牧畜民族の部族伝承は、こうしたカーストしか書き留めようとしなかった。

いわゆるノアの洪水についても事情は同じである。実際また自然史に即して見ても、人の住んでいた地球が洪水に襲われたことは確実であり、特にアジアにその氾濫の明らかな痕跡をとどめている。しかしそれでもこの伝承を通じてわれわれに伝えられるものは、やはり民族説話以外の何ものでもない。蒐集者はきわめて慎重にいくつもの伝承を寄せ集め[*145]、そのうえ自分の部族がこの恐ろしい変革について所有していた日誌さえも伝えている。また説話の口調も、まったくこの部族の思考様式に合致しているため、説話のまさに信憑性を支えているこうした思考様式の枠外に説話を移すようなことがあれば、それはこの説話の濫用を意味しよう。ほかでもないこの民族の一家族、すなわちノアの家族がその豊かな所帯ともども難を逃れたのと同じように、他の諸民族にあっても、彼らの伝承が証明しているとおり、家族で難を逃れることができた。たとえばカルデアでジウスドゥラ[135]がその一族と何頭かの動物（それらなしには当時の人間は生活できなかった）とともに、ほとんど同じ方法で難を逃れたし[136]、インドではヴィシュヌ自身が船の舵となって、不安におののいている者たちを陸へと運んだ。同様の伝承は、アジア大陸のあらゆる民族に見られ、それぞれ伝えられ方や地域こそ異なるものの、これらの伝承の語る洪水がアジアのいたるところで起きたという点ではきわめて説得力がある。それゆえこれらの伝承は、われわれがつい陥ってしまう偏狭な視野から一瞬にしてわれわれを救い出してくれる。というのも、われわれは一家族の歴史におけるあらゆる状況を、もっぱら世界の歴史の状況と考えたにもかかわらず、それが元来は家族に関わるものにすぎないという理由で、世界の歴史自体からその根拠ある信憑性を奪い、ついにはこうした偏狭な視野に陥るからである。

洪水後におけるこれらの民族の系図も、これと何ら変わるところはない。この系図は彼ら自身の民族誌と地域の枠内にとどまり、それを越えてインドや中国や東タタールその他にまで逸脱することもない。難を逃れた者たちのうち主要な三つの民族とは、明らかに西方アジア山地の両側の諸民族と、これにこの伝承蒐集者に知られていた限りにおいて加えられたアフリカの上部沿岸とヨーロッパの東部沿岸の諸民族である。[*146] この伝承蒐集者は、これらの民族の来歴をできるだけ明らかにし、自分の家系図と結びつけようとする。だからといって彼はそれによって世界全体の地図やすべての民族の系図をわれわれに与えてくれるわけではない。実際また地球の全民族をこの系統樹に従ってヘブライ人の子孫とユダヤ人の異母兄弟にするために費やされた多大な努力は、年代計算法や諸民族の歴史全体とだけでなく、この物語自身の立場とも矛盾し、同様の行きすぎた行為によって、ほとんど物語の信用までをも奪った。世界の原山脈のあるアジアでは、洪水の後にいたるところで種々の民族や言語や領土が、カルデア出身の一族の使節[137]を待たずに形成されている。また人間の原居住地があり、そのため世界で最も居住密度の高かった東方アジアにおいては、今もなお明らかに最古の制度や最古の慣習と言語が存在するが、この西方の系統樹に属する後世の一民族はそれらについて何一つ知らなかったし、知ることもできなかった。したがって次のように問うのはまったく奇異なことなのだ。中国人はカインもしくはアベル、すなわち穴居民なのか遊牧民なのか、あるいは低い階級の農民出身なのか、とか、アメリカ生れのナマケモノはノアの箱舟ではどこにぶらさがっていたのか、と。だが私としてはここでその種の説明に没頭することはできない。それどころか、われわれの歴史にとっての重要な点である人類の年齢の短縮と、前述の大洪水それ自体の探究でさえも別の箇所に譲られねばならない。いずれにしても最大の大陸の確固たる中心点が、つまりアジアの原山脈が人類に最初の居住地を用意するとともに、地球のあらゆる変革の中で自己を保持してきた。人類の原初の地はノアの洪水によって海の底から隆起したのでは決してない。自然史のみならず最古の伝承から見ても、人類のこの原初の地は諸民族の最初の大舞台となった。その教訓に富む景観をこれから見ていくことにしよう。

＊144　カインはアラブ人にあってはカビールと呼ばれている。カビール人のカーストはカベイルと呼ばれている。ベドゥイン人はその名称によれば、迷える牧人で荒野の住人(138)である。同様のことがカイン、ハノッホ、ノド、ヤバル・ユバル・チュバル・カインについても言える。これらはみなカーストおよび生活様式にとっては重要な名称である。

＊145　「創世記」六―八。アイヒホルンによる『旧約聖書入門』第二部、三七〇頁を参照。

＊146　ヤペテ(139)はその名称と祝福とに従うと大きく広がった者である。北方の山岳民族についてもその生活方法や、また一部は名前に従ってさえ同様であった。セムはその名前、すなわち宗教と文字と文化の古い伝承を特に残し、それゆえまた他の民族、なかでもハム族に比べると、文明化された民族の優位を不当に行使した民族を含んでいる。ハムは暑さから名前を得ており、熱帯に属している。それゆえわれわれもノアの三人の息子でもって、彼らがこの伝承の圏内にいるかぎりは、ヨーロッパとアジアとアフリカの三大陸のことしか理解しないのだ。

第三部

古いものに生気を、新奇なものに権威を、平凡なものに光輝を、曖昧なものに明確さを、陳腐なものに魅力を、疑わしいものに確実性を、そしておのおのにその本質を、本質に特性を与えることは困難な仕事であります。したがいまして、たとえわたくしどもが成功しなかったとしても、この試みを決心したことは、立派で輝かしいことであります。

プリニウス(1)

第十一巻

歴史から知られるかぎり、世界最古の王国や国家は壮大なアジア山脈[2]の麓の南方において形成された。他方でアジア大陸の自然史は、それらの王国や国家が、なぜ北方というよりもむしろ南方で形成されることができたかを明らかにしてくれる。地上での自己の存在を全うするために物資を必要とする人間は、太陽の熱の温暖な地域に向かおうとする。なぜなら、この熱がそうした人間のために地上を覆い、草木を有益な果実へと成熟させるにちがいないからである。山脈の向こう側の北アジアでは、大部分の地域はずっと高地にあって寒冷であり、山脈も縦横に入り乱れ、土地が雪嶺や乾燥大草原や砂漠で分断されていることも稀ではない。僅かな河川が土地を潤し、これらの河川は最後には北極海に注ぐ。トナカイやシロクマの棲息するその荒涼とした海岸が、人間を引き寄せて居住へと向かわせることができるようになったのは、ようやく後になってからだった。それゆえ、この高くて寸断された急勾配の土地、すなわち、われわれの古代世界の乾燥大草原および山脈といった地域には、長いあいだ、しかも多くの場所ではおそらくいつもサルマティア人(3)、スキタイ人、モンゴル人、タタール人などの、なかば未開の狩猟民や遊牧民が住んでいたにちがいない。困窮と居住地域が人間を野蛮なものにした。分断され移住を繰り返す部族のあいだでは、そのつもりがなくても一度身についた生活様式が根をおろし、これがただでさえ粗野な習慣の中で、ほとんど永遠に維持される民族性を形作ったため、それによって北アジアのすべての部族は、南方の諸民族から截然(さいぜん)と区別される。これら南方の諸民族の暮らす中間山脈地帯が、永遠に存続するノアの箱舟、つまり北半球におけるほとんどすべての野生種の生きた動物園であるのと同じように、この地帯の居住民も、長いあいだこれらの動物の仲間であるとともに、それらの温和な牧人、もしくは粗暴な飼育者たらざるをえなかった。

アジアが南に向かってなだらかに低くなるところ、すなわち、連山が温暖な谷間を囲み、これを寒冷な北東風から護るところにおいてのみ、そこでは南下する居住民を特に河川が次第に海岸まで導き、彼らを集めて都市や国を造らせた。それとともに快適な気候も彼らを精緻な思想や制度へと目覚めさせた。同時に自然は人間にいっそう多くの余暇を与え、その少なからぬ本能を心地よく刺激したので、人間の心情は情念や放縦へと噴出した。ちなみにそれらは北方の氷や困窮という抑圧のもとでは、このような享楽的な雑草という形では現れえないものだった。こうして南方では、これらの本能を制限する多くの法や施設が必要となった。精神は工夫し、心情は渇望した。人間の情念は互いに荒々しく衝突し、けっきょく自己を抑制することを学ばざるをえなかった。しかし理性のまだ為しえないことは専制政治が行わざるをえないので、そこで南方アジアには政治や宗教の建造物、それも古代世界のピラミッドや神殿と同じように、永遠の伝承となってわれわれに伝えられている建造物が生れた。人類史にとって貴重な記念碑であるこれらの建造物は、どの破片をとってみても、まさに人間の理性を構築するために人類がどれほど多くの犠牲を払ったかをわれわれに教えている。

一　中　国(4)

アジアの東の隅、かの山脈の麓に、自らを年代と文化において世界で第一にして、かつ世界の中心の華と称する国がある。言うまでもなくそれは最も古くて最も注目に値する国の一つ、中国である。ヨーロッパよりも面積は小さいが、人口比ではこの人口豊かな大陸に比べて中国はずっと多くの人口を誇っている。事実そこには租税を払う二五二〇万人以上の農民、一五七二の大小の都市、一一九三の城砦、三一五八の石造の橋、二七九六の寺院、二六〇六の僧院、一万八〇九の古い建築物などが見られる。[*1] これらは毎年みな全国を分割統治する一八の総督職によって山地と河川、兵士と学者、産物と商品ともども長大な目録に記載される。多くの旅行者の見解は、ヨーロッパとおそらく古代エジプトを除けば、中国ほど道路、河川、橋梁、運河はもちろん、人工の山や岩の造営に多大な資力を注ぎ込んだ国はないという点で一致している。これらはどれも、あの大きな長城とともに、人間の手の辛抱強い勤勉さを物語っている。広東から北京の近くまでは船で行けるようにと、山や砂漠で寸断された国土の全体は、道路や運河や河川によって辛うじて結びつけられている。村落や都市は河の上に浮かび、地方間の国内交易はきわめて活発である。農業がこうした地方の体制を支えており、そこでは穀物畑や水田は実り豊かで、砂漠も人工的に灌漑(かんがい)され、荒れた山地まで開墾されているということだ。草木や薬草も利用可能なものが栽培され、利用される。産出されない金を除く他の金属や鉱物についてもこれと同様である。陸には動物が多く棲息し、海や河川は魚が豊富である。カイコ一つで多数の勤勉な人間を養っている。すべての階級や年齢の国民、それに老人や目の見えない人や耳の聞こえない人のためにさえ仕事や生業(なりわい)がある。温厚、従順、愛想よい礼儀、上品な振舞いは中国人が幼少期から身につけ、生涯を通じて不断に実行する処世の基本であり、彼らの政治と立法は規則正しさと厳密に定められた秩序そのものである。階級相互のあらゆる関係と義務から成り立つ国家機構は、すべて崇敬の念の上に築かれ、この崇敬の念は息子が父に対していだくのみならず、臣民全員も国父に対していだくことを義務づけられている。国父はそれぞれの支配機構を通じて臣民を子のように保護し、そして統治する。いったい人間を統治するのに、これ以上に素晴らしい原則がありえようか？　世襲による貴族ではなく功績による貴族のみがすべての階級において重用されるべきであるし、信頼のおける人間が名誉ある地位に就くべきであって、こうした名誉ある地位だけが威厳を与える。臣民はいかなる宗教も強制されず、国家を攻撃しない宗教は、いかなるものであっても迫害されない。孔子、老子、仏陀の教説を信奉する者も、またユダヤ人もイエズス会士でさえも、国家がこれらの者を受け入れるやいなや平和に共存しながら暮らしている。中国人による立法は倫理道徳を、その倫理道徳は祖先の聖典を不変の基盤としている。皇帝が彼らの最高位の祭司であり、天の子であり、古来の慣習の守護者であり、国家という身体のあらゆる部分を統治する魂である。もしこうした状態がそれぞれ実現され、それぞれの原則が生きた形で実行されるならば、いったいこれ以上に完全な国家体制が考えられようか？　そうなれば国全体が有徳で礼儀正しく勤勉で上品で幸福な子どもや兄弟のいる家庭となっているだろう。

周知のように、中国の国家体制のこうした好都合な描写は、特に宣教師たちによってヨーロッパに伝えられ、そこで思弁的な哲学者のみならず、政治家によってさえも政治の理想として称賛された。(5)ところが人間の意見の潮流はとかく相反する方向に進むため、ついには懐疑が目を覚まし、中国人に対してその高度な文化はもちろん、固有の特性すらも認めようとしなくなった。これらヨーロッパからの非難のいくつかは、幸運なことに中国自体に即して、もっともかなり中国寄りではあるが、それに応える返答を得た。*2また中国人の立法制度や道徳規範の基本書の大多数は、この国の膨大な歴史書と若干のたしかに公正な報告とともにわれわれの手元にある。*3それゆえ、誇張された称賛と非難のあいだに位置する中庸の道であるものが、それもおそらく真理の正道であるものが最終的に見出されなければ、それは由々しきことであろう。ちなみにわれわれは太古の中国に関する年代学上の問題にまったく触れる必要はない。なぜなら、地球上のあらゆる国の起源が闇に包まれているのだから、この特別な民族がその国家を形成するのに数千年多く必要としたかとか、あるいは数千年少なくてもよかったかということは、人間史の研究者にとってはまったく問題にはならないからである。ただわれわれとしては、この民族が自ら国家を形成したことを認め、その緩慢な進行の中に、彼らのそれ以上の進展を阻害した要因を看取しさえすればそれで十分なのだ。

これらの阻害要因が中国人の性格と居住地と歴史の中にあることはわれわれの目にも明らかだ。彼らがモンゴル系統の民族であることは、彼らの形姿をはじめ、粗野な、もしくは偏屈な趣味、それればかりか工夫に富んだ技術力や文化の最初の拠点が示しているとおりである。中国北部では彼らの最初の王たちが支配した。ここで半ばタタール的な(6)専制政治の基礎が置かれ、後にそれはきらびやかな道徳上の格言の鍍金(めっき)を被せられ、多様な変革を経て南部の海岸地帯にまで広まった。タタール的な封建制度は何世紀にもわたって臣下を統治者と結びつける絆となったが、臣下たちのあいだで数多くの戦争が起こり、彼らの手によってしばしば王位が覆された。他方また皇帝が宮廷全体を支配することや、高級官吏に操られて摂政政治を行うことも稀ではなかったが、これらでさえも太古からの制度であり、チンギス・カン(7)や満州王朝によって初めてもたらされたものではない。これらすべては中国人がどのような種類の国民で、また発生時に遡るどのような特性を有しているかを明らかにしている。それらは彼らの全体と部分にはっきりと刻印されて現れ、衣服、食物、慣習、家庭での生活様式、技芸や娯楽の種類に至るまで容易に見逃しえないものである。さて人間がそのゲーニウス、つまり部族としての生来の特徴や、肌や目や髪の色といった体質を変えることができないのと同じように、この北東のモンゴル民族はどんな人工的な制度をもってしても、またそれが何千年にわたって続いたとしても、自分の自然形姿を否定することはできない。彼らは地球のこの位置に植え置かれたのであり、磁石の針が中国ではヨーロッパで見られる偏差を示さないのと同じように、この地域の民族からはまた決してギリシア人やローマ人は生れえなかった。中国人はどこまでも中国人であったし、そのことは変わらなかった。すなわち、彼らは小さな目、丸い鼻、平らな額、薄い髭(ひげ)、大きな耳、太った腹を自然から授けられた民族であり、部族である。この有機組織は自分で産み出すことのできたものを産み出した。われわれは何か異なるものをこの有機組織から要求することはできない。*4

すべての報告が一致して語るのは、アジア北東の高地のモンゴル民族は聴覚の鋭敏さで際立っているということである。彼らにおいては、この鋭敏さが他の民族にあってはまったく考えられないくらい簡単に説明できる。中国人の言語は彼らの聴覚の鋭敏さを端的に物語っている。モンゴル人の耳であればこそ三三〇もの音節から一つの言語を形作ることができた。しかもこの言語では、主人と言おうとして極悪人と言ったりして、そのつど滑稽このうえない混乱を起こさないように、どの単語においても五つ、もしくはそれ以上のアクセントを区別しなければならない。したがって、ヨーロッパ人の耳やヨーロッパ人の言語器官が、かくも不自然に作られたこの音節の音楽に慣れるのは非常に困難か、あるいはまったく不可能である。こういう言語のためにわずかの粗末な象形文字を組み合わせて八万という膨大な数の文字を案出し、それをさらに六種類もしくはそれ以上の書法で書き分ける中国人は、地球のあらゆる民族のなかでも傑出している。しかしこのような小さなことのために驚くほど不幸な精緻さを持ち合わせている彼らには、大きなことを行うための案出力がどれほど欠乏していることか！　それゆえ、これにモンゴル人の有機組織が加わらなかったら、中国人は竜や怪物を想像する力にも、奇怪な形を描く際の些細なまでの入念さにも、庭園の蕪雑（ぶざつ）さを眺める楽しみにも、建築物における寂寞とした巨大さや、あるいは緻密な矮小さにも、行列や服装や遊興におけるあの空虚な華麗さ、あの灯籠祭や花火、あの長く伸ばした爪や纏足（てんそく）、あの野蛮な従者群やお辞儀や儀式や差別待遇や礼儀作法にも慣れることはできなかった。これらすべてにあっては真の自然調和に対する美的感覚も、内面の落ち着きをはじめ美しさや品位に対する感情もほとんど見られない。そのため、いつもただ放任された感覚だけが政治に関する文化のこうした歩みに行き着き、徹底してこの歩みに従って自己を作り変えるしかなかった。中国人が金色に輝く紙やワニスや、判読しがたい文字の端正に描かれた筆致、それに美辞麗句の空虚な響きをこよなく愛するのと同じように、彼らの精神の形成も、この金色に輝く紙やワニス、文字や音節の空虚な響きにまったくよく似ている。学問における自由で壮大な案出の才能は、この地域の多くの民族におけるように自然によって拒まれたように見える。これに対して自然は彼らの小さな目に、あの如才ない精神、あの狡猾な勤勉さと精緻さ、それに彼らの貪欲さが有益と見なすすべてのものを模倣する技術を惜しげもなく分け与えた。彼らはきわめて高度な政治形態を持ちながらも、金儲けと勤労のために永遠に動きまわり、また永遠に働きながら東奔西走しているため、移動を繰り返すモンゴル人と常に同一視されかねない。実際、中国人は無数のあらゆる分業を有するにもかかわらず、それでもまだ各人がそれぞれの場所で自分の仕事を見つけることができるような分業、それも業務と落ち着きが結びつく形の分業を学んでいない。彼らの医術は彼らの商業と同じように、緻密ではあるが詐欺まがいの脈拍調べであって、それは次の点、すなわち感覚的には精緻な作業であるが創意や知識がなくてもできる点において彼らの医術の性格全体を物語っている。中国人の特色は、政治に関して高度に促進された文化によって一モンゴル民族が他の民族と混淆(こんこう)することなく成りえたもの、あるいは成りえなかったものを示しているがために、歴史において注目すべき独自のものとなっている。実際また中国人が地球の一隅でユダヤ人と同じように他の民族との混淆から護られていたことは、もしそれが何の意味も持たないとすれば、それだけでもう彼らの自負心が空虚なものであることの証拠なのだ。たしかに彼らは個々の知識をどこからでも思いのままに獲得したかもしれないが、彼らの言語と政体、および制度と思考様式の構造全体は彼らに固有のものである。彼らが樹木の接ぎ木を好まないのと同じように、彼らは他の民族とあれほど多く接触しているにもかかわらず、今なお他の民族との接ぎ木を拒んだままであり、世界の片隅で中国流の隷属文化にまで堕落した一モンゴル部族として存在している。

人間を自然に反して形成することは、もっぱら教育を通じて行われる。中国人の教育方法は、その国民としての性格と共謀して彼らを現在あるものにしたが、それ以上のものにはしなかった。遊牧民としてのモンゴル人の流儀に従えば、親孝行が家庭のみならず国家においてもあらゆる徳行の基盤とされるべきだったので、自ずとまた時とともにあのうわべだけの礼儀正しさや、敵国人さえもが中国人の特性として称賛してやまないあの慇懃な態度が生れざるをえなかった。しかし遊牧民としてのこの立派な原則は、大きな国家においてはどのような結果を生んだのか？　親孝行は国家に適用されると際限がなかった。なぜなら、躾のよくない子どもにのみふさわしい親孝行の義務が、自身も子どもを持ち大人の仕事をしている立派な成人に課されたからである。それどころか親孝行は、たとえ比喩的な意味においてのみにせよ、父を名乗るすべての権力者に対しても、それも快適な自然衝動からではなく、強制と必要から確固と義務づけられた。したがってこうなってしまうと、自然に反して人間の新たな心情を創ろうとしたものの、逆に人間の真の心を偽善へと馴化させること以外に何が生じえたのか、いや生じざるをえなかったのか？　大人がどこまでも子どもじみた従順さを表明しなければならないとしたら、彼は自然によって大人としての年齢にふさわしい義務とされる自己本来の活動力を放棄せざるをえない。空虚な儀礼が真心に取って代わる。息子は父の生きているあいだは母に子どもらしい恭順を捧げたが、父が死んで法律によって母が愛人にすぎないとなると、たちどころに母を蔑ろにする。高級官吏に対する子どもらしい恭順についても事情は同じである。それは自然の所産ではなく、命令の産物なのだ。ただでさえ慣習にすぎないこうした義務が自然に逆らおうとすると、力を奪う誤った慣習となる。中国人の説く国家や道徳がその現実の歴史と一致しないのも、ここに原因がある。この国の子どもたる臣下たちは、自分の父たる王をいったい何度その玉座から追い落としたことか！　父もまた子どもに対してどれほど暴威をふるったことか！　何千もの人民を餓死させた貪欲な高級官吏は、自分たちの犯罪が高位の父なる王の前に露見すると、惨めな鞭打ちの刑によって懲らしめられるのだが、いかんせん子どものように扱われるので何の効果もない。中国の成人男性に男としての力と面目が欠けていることは、英雄や偉人の描写においてさえ認められるが、その原因もここにある。男の面目は子どもにこそふさわしい親孝行の義務となり、男としての力は国家に対する月並みな用心深さへと変質した。仕事に就いているのは駿馬ではなく、飼い馴らされた騾馬であって、これが慣習の中で朝から晩までキツネの役割を演じることも稀ではない。

人間の理性と力と感覚が、このような子どもじみた拘束を受けると、それは必然的に国家の構造全体を弱体化させる方向に作用せざるをえなかった。ひとたび教育が技巧にすぎなくなり、作法や慣習も生のあらゆる状況を縛るのみならず抑圧するようにもなると、国家は何と多くの活力、とりわけ人間の心情と精神という最も高貴な活力を失うことか！　中国の歴史に目を向けたときに、中国人の職務の進行と処理を見て、いかに多くの手続きをもってしてもほとんど何一つ実行されないことに驚かない者があろうか！この国では一人だけで十分に行えることでも、何人も寄り集まって行われる。この国では答えが与えられていても問いが発せられる。人が行き来し、延期し、回避するのも、ただ子どもらしい国家尊厳の儀式的な面を損なわないようにするためなのだ。暖炉にあたって眠り、朝から晩まで温かい飲み物を口にする国民には、勇猛果敢な精神はもちろん、思索する精神も縁がない。踏み固められた道から外れない几帳面さ。私利を固守し、幾千もの狡猾な策略を弄する抜け目なさ。これは行う必要があるかとか、これ以上うまくできないかということを大人のように慎重に吟味もしないで、子どものように四方八方に手を広げること。このような美徳にだけ中国では王道が開かれている。皇帝自身がこの軛にとらわれている。彼は立派な模範例となって率先して進まねばならず、全体の動きを教える兵士のようにすべての動きを誇張して行わねばならない。彼は祭日に祖先の広間において供物を捧げるのみならず、どの政務にあっても、さらには生活のどの瞬間にあっても祖先に供物を捧げなければならない。しかし、いずれにせよ皇帝というものは、どのような称賛をもってしても、またどのような非難をもってしても、おそらく同じように不当な評価を受けるのだ。[*5]

このような国民が学問においては、ヨーロッパの尺度に従えば僅かなものしか案出しなかったからといって、それどころか、彼らが何千年にもわたってまったく進歩しなかったからといって奇異の念をいだくことができようか？　彼らの道徳書や法律書でさえ、いつも同じところをぐるぐる廻るだけであり、しかも何百もの仕方で精密かつ細心に紋切り型の偽善でもって子どもとしての義務についていつも同じことを述べている。占星術や音楽、詩文や兵法、絵画や建築も彼らにあっては何千年前と同じであり、要するに、彼らの永遠の法律と、幼くて変えがたい制度の子どもなのだ。この国はバルサムという慰めの香油を塗られたミイラであり、それは象形文字で彩られ、絹布でぐるぐる巻きにされている。その内部の血液循環は、冬眠している動物の生命におけるそれのようだ。すべての外国人を隔離し、会話を盗み聴きし、入国を妨げるのもここに原因がある。それはまた自尊心の強いこの国民が、自己を自分とだけ比較して、外国のものは知りもしなければ好きにもならないことの原因でもある。彼らは地球上の辺境民族であり、運命によって諸民族の殺到の外に置かれ、そしてまさにそうなるべく、山地や砂漠やほとんど入り江のない海で周囲を固められている。こうした立地条件でなければ、この民族は現在あるようなものではほとんどありえなかっただろう。実際また彼らの体制が満州に対しても維持されてきたことは何よりも次のことを証明している。すなわちそれは、その体制が自分自身の中に基盤を持っていたということと、彼らよりも粗暴な征服者たちは、統治のためにも人民を子どものように奴隷化するこうした安楽椅子が、はなはだ便利なものだと気づいたということである。これら征服者たちは、この安楽椅子に何一つ変更を加える必要もなく、これに腰をおろして支配した。これに対して中国人は、彼ら自身の建造した国家という機械のどの部分にあっても、あたかもその部分がまさにこうした奴隷制のために案出されたかのように唯々諾々と奉仕している。

中国人の言語についてすべての報告が一致して語るのは、この言語が彼らをその自然に反した思考様式へと形成するのに言い尽くせないほど大きく寄与したということである。そもそも地域の言語は、とりわけその民族が中国人のように強く自分の言語に依存し、そこからすべての文化を導き出す場合、それぞれが民族の思想を形作り保持し伝達するための器ではないだろうか？　中国人の言語は道徳、つまり礼儀と立派な作法の辞書であり、そこでは地方や都市だけでなく身分や書物までもが区別されている。したがって、中国の学者による努力の大部分は、もっぱらこの言語という道具に費やされるため、こうした道具によってなおも何かが成し遂げられるということがない。中国人の言語においてはすべてが規則的で些細な点に依存している。この言語が僅かの音で多くのことを言うためには、多くの字画で一つの音を表わす必要がある。しかし結果として、多くの書物で同じことをくどくど描くにとどまっている。その文字を筆で書いたり印刷したりするには何と割に合わない努力が必要とされることか！　しかしこの努力こそが彼らの楽しみであり芸術でもある。というのも、彼らは魅惑的な絵画よりも、美しい書体に喜びを見出し、道徳上の箴言(しんげん)や美辞麗句の空虚な響きを典雅と知恵の総体として愛するからである。中国がこのような大国であることと、中国人の仕事への情熱があればこそ、たとえば開封(かいほう)[*6]という一つの都市だけについて四〇冊もの書物を大判の八巻本にまとめ、この骨の折れる精密さを皇帝のあらゆる勅令[(8)]や頌辞(しょうじ)にまで及ぼすに至ったのである。かのトルグート人の移住についての皇帝の記念碑は、石に刻まれた巨大な書物であり、かくして学問に関する中国人の思考様式の全体は、精巧な国家の象形文字にびっしりと書き込まれている。こうした書法だけをとってみても、それで思惟する人に与える差異は驚くべきものであるにちがいない。この書法は思想を骨抜きにして形象化し、この民族全体の思考様式を絵のような文字にしてしまうか、もしくは虚空に書かれた任意の文字にしてしまう。

中国人の特性をこのように叙述するのは、敵意をもっての軽蔑ということでは決してない。実際これまでの叙述は、その一つ一つが彼らを最も熱心に擁護する者たちによる報告から得られたものであり、その正しさは中国人の諸制度のあらゆる階層からの何百もの実例をもって証明されうるだろう。こうした叙述はまた中国人のような民族を記述する場合の必然の結果でもある。なぜなら、彼らはまさにこのような有機組織と地域において、このような原則に従って、このような太古における状況のもとで、このような補助手段を用いて自己を形成するとともに、運命の通常の歩みに逆らって、他の民族のもとで自らの思考様式をかくも長く保持してきた民族だからである。もし古代エジプトが今なお存在するならば、われわれは相互に共通の起源をあえて夢想しなくとも多くの点で類似性を見出すだろう。こうした類似性は所与のさまざまな伝承に従って、それぞれの地域によってのみ変更が加えられたものにすぎない。このことはかつて文化の同じような段階にあったいくつもの民族についても言えよう。ただ、これらの民族は発展したか、あるいは滅亡したか、または他の民族と混淆した。それに比べて古代中国は、世界の端にあって太古時代の廃墟のように半ばモンゴル風の制度の中で立ち止まったままである。古代中国の文化の根本特徴がギリシア人によってバクトリアから、あるいはタタール人によってバルフからもたらされたものだと言っても、それを証明するのは困難である。古代中国の政治組織はたしかに土着のものであり、この組織に対する他の民族の影響も少なく、したがってそれは容易に見分けられるし、切り離して見ることも可能である。私は中国人と同じく、彼らの王たちをその傑出した原則のゆえに敬うものである。ただ、孔子の名前も私には偉大なものだが、だからといって私は彼が押しつけた束縛、つまり彼自身も担い、最善の意志をもって中国の迷信深い庶民と国家制度全体に対して自分の政治道徳を通じて未来永劫のために押しつけた束縛を見逃しはしない。この束縛によって中国人は地球上の他の多くの民族と同じように、教育のさなかにいわば幼年期で成長が止まった。というのも、この道徳論という機械の駆動装置が精神の自由な進展を永久に阻害し、こうした専制政治の国にあっては第二の孔子が見出されなかったからである。いつかこの巨大な国家が分裂するか、あるいは、より啓蒙された乾隆帝たちが父として次のような決断を、すなわち、自分が養いえない者たちをむしろ植民集団として外に送り出し、慣習の軛を緩め、それに代えて精神と心情のいっそう自由な活動をさまざまな危険を伴ってでも導入するという決断を下すとしても、それでもなお中国人はずっと中国人のままだろう。それはちょうどドイツ人がドイツ人であるのと、そしてまたアジアの東端では古代のギリシア人が生れないのと同じことである。というのも、自然の明らかな意図は、地球上で成長することのできるものはすべて地球上で成長し、まさにこうして生れた多様な産物は創造主を賛美するように、ということだからである。中国人の立法と道徳という仕事は、人間の知性が子どもの試みとして中国において築き上げたものであり、こうした堅固さにおいては地球上のどこにも見出されない。それゆえこの国は、いつかヨーロッパにおいて専制君主に対して子どもらしい従順の念に満ちて閉ざされた中国が生れることのないように、今の場所にずっととどまっていてほしいものだ。(11) 中国人がずっと受けつづける称賛は、彼らの勤勉と鋭敏な感覚、それに無数の実用品に見られる精緻な技巧に対するものである。彼らはヨーロッパ人よりも以前に陶器、絹、火薬、鉛、そしておそらくまた羅針盤、印刷術、架橋術、操船術も他の多くの精緻な操作法や技術とともに知っていた。ただし彼らにはほとんどすべての技術において精神上の進展と改善への欲求が欠けている。それに加えて中国がわれわれヨーロッパ諸国民に対して自己を閉ざし、オランダ人ばかりかロシア人やイエズス会士をも極力制限していることは、彼らの思考様式と完全に一致しているのみならず、彼らが東インド、その諸島、北アジア、および自国内とその周辺でのヨーロッパ人の行動を見ているあいだは、たしかにまた政治的にも正当と認められるべきものである。タタール人の有するような自尊心に陶酔しながら、彼らは自国を離れて到来する商人を軽蔑する一方で、いかがわしい商品を自分にとって最も確実と思われるものと交換する。彼らは銀を受け取り、その代わりにヨーロッパ人を衰弱させる何百万ポンドもの茶を引き渡し、ヨーロッパを堕落へと向かわせる。

＊1　ビュッシング(12)による『歴史学および地理学雑誌』第十四部、四一一頁以下に所収のレオンチエフ(13)による『中国の地理学からの抜粋』。ヘルマン(14)による『自然学論集』(ベルリン、一七八六年)第一部においては、この国の大きさは一一万ドイツ平方マイル、人口は一億四六九万二五四人、一家族は九人と数えられている。

＊2　『北京の宣教師たちによる中国人の歴史、学問、芸術、習俗、慣習についての報告(15)』第二部、三六五頁以下。

＊3　ノエル神父(16)やクプレ(17)らによる中国の古典的著作の比較的古い翻訳数点のほかにも、ド・ギーニュによる『書経』の翻訳(18)、マイヤ(19)による『中国の一般史』、中国人の数点の原書が翻

訳されている前注の報告などは、この民族についての正しい理解を得るための十分な素材を提供している。宣教師による多数の報告のなかでは、特にル・コント神父[20]による『中国の現状についての新報告』(第三巻、八つ折版、パリ、一六九六年)は、その偏りのない評価ゆえに貴重なものである。

＊4　本書第二部、一九頁[21]を参照。

＊5　あの高名な乾隆帝[22]でさえ、その諸州においては最悪の暴君と見なされた。このようなことは、かくも巨大な国のこうした体制からすれば、たとえ皇帝がどのようなことを考えていようとも、つねに起こりうるにちがいない。

＊6　『中国人についての報告[23]』第二部、三七五頁。

＊7　前掲書、第一部、三二九頁。

二　コーチシナ(24)、トンキン、ラオス、朝鮮、東タタール、日本

人類史を見て否定できないのは、或る国が文化の卓越した段階に達すると、一定範囲の隣国にも影響を及ぼしたことである。したがってまた中国人も、たとえ戦争を好まず、その体制がきわめて内向きであるにせよ、それでも周辺諸国に広範囲にわたって影響を及ぼした。その際これらの国が中国に支配されたことがあるのか、または支配されつづけてきたのかどうかは問題ではない。これらの国が中国の制度、言語、宗教、学問、習俗、技芸を分かち持っていたならば、それらは精神の領域でも中国の一地方なのだ。

コーチシナは中国から最も多くのものを受け入れた国であり、いわば中国の政治上の植民地であった。気質や習俗、学問や技芸、宗教、商業、政治制度における両国民の類似性はここに由来している。コーチシナの皇帝は中国の一臣下であり、両国民は商業を通じて緊密に結びついている。勤勉で分別があり温厚なコーチシナ人を、近隣の怠惰なシャムや未開なアラカンなどと比較すれば、コーチシナ人を後者から区別する特性が明

らかになろう。しかし支流が源流より上に位置することがないのと同じように、コーチシナがその手本を凌駕することも期待できない。統治は中国以上に専制政治的であり、宗教や学問は母国の弱い残響を聴かせるにすぎない。

荒々しい山脈に遮られてはいるものの、中国人にいっそう近いトンキン人についても同じことが言える。トンキン人は中国人よりは未開であり、彼らが身につけ、国家をも支えている礼儀正しさをはじめ、手工業、商業、法律、宗教、知識、慣習は中国に由来している。ただ、中国より南方に位置していることと、その国民性のために母国より低い段階にある。

中国がラオスに与えた影響はさらに弱いものである。というのもラオスはあまりにも早く中国から切り離され、シャム人の習俗に慣れ親しんだからだ。しかしそれでも中国の痕跡はなおも認められる。

南洋諸島のなかで中国人は特にジャワ(25)と結びつきを持っている。それどころか中国人はジャワに植民地を設けたようである。しかし彼らの政治制度はこのずっと暑い遠隔の地に根づくことはなかった。なぜなら、中国人の骨の折れる技術は、仕事熱心な民族と温和な風土を必要とするからだ。それゆえ、中国人はこの島を利用したが、その住民を教化することはなかった。

中国の制度は北方にも多くの地歩を獲得した。そのため中国はこの広大な地域の未開民族を鎮静化するのに多分ヨーロッパ人がすべての大陸において行った以上に貢献したことを自慢できる。朝鮮は満州人によって実際は中国人の支配下に置かれている。かつては未開だった朝鮮民族を、その北方の近隣諸民族と比較してみるがよい。部分的には非常に寒冷な地域に住む朝鮮人は温厚で柔和である。彼らは娯楽、葬儀、衣服、家屋、宗教において、また学問へのいくらかの愛情において少なくとも中国人を模倣し、統治機構の整備や若干の手工業の移入に際しても中国人の指導を仰いだ。中国人はなお範囲を広げてモンゴル人にも影響を及ぼした。中国を征服した満州人が、中国人との交流によっていっそう文明化されただけではない。それによって首都の瀋陽(しんよう)も北京と同じように法廷が整備されているのかもしれない。また大部分が中国の支配下にある多数のモンゴル人の群れも、その粗暴な習俗にもかかわらず、中国の影響をまったく受けないというわけにはいかなかった。最近三〇万人強のトルグート人が中国による友好的な保護下に入ったことだけでも人間としての善行であるとするならば、中国はこの広大な地域に対して、かつて征服者が及ぼした影響よりも正当な影響を及ぼした。何度にもわたって中国はチベットにおける騒乱を平定し、比較的古い時代にはカスピ海にまでもその手を広げた。モンゴルやタタールのさまざまな地域で発見された数多くの墳墓は、内容の点で中国との交流の明白な記念碑となっている。かつてこれらの地域に文明化された民族が住んでいたとすれば、彼らはおそらく中国人との密接な交流なしにはいられなかったであろう。

しかし中国人が自分の勤勉に対する最大の競争相手を育て上げたところは、日本という島である。かつて日本人は野蛮人だったが、実際その粗暴で無謀な性格から見れば、たしかに非情で容赦のない野蛮人だった。中国と隣接し、交流関係もあった日本人は、文字や学問、手工業や技芸を中国から学んだのみならず、多くの点で中国と競い、あるいはこれを凌駕さえする国家へと自らを形成した。なるほど日本人の性格からすれば政治も宗教も非情かつ残酷であり、ヨーロッパで営まれている精緻な学問への進展も中国においてと同じように、日本でもほとんど考えられない。しかしこの国の知識と慣習にしても、農業や実用技術における努力にしても、それに商業や航海ばかりか、国家体制の粗野な華麗さと専制的な秩序にしても、それが明らかに文化の一定の段階にあるとすれば、誇り高き日本はもっぱら中国人の手を借りてここまで登りつめたのだ。日本人の年代記は彼らが野蛮人として中国に渡来した時代のことにも言及している。この洗練されていない島はきわめて独自の方法で、しかも中国から離れて文明化を遂行したが、日本人の文化を支えるあらゆる手段や、それればかりか種々の技芸自身に手を加える方法にさえ中国の起源が見てとれる。

日本人がさらに進んでアメリカの文明国、それも日本の方に向いている西海岸にある二つのうちの一つに影響を及ぼしたかどうかは断定しがたいだろう。世界のこの方面から一つの文明化された民族がアメリカに達したとすれば、それは中国人か日本人をおいてほかにはほとんどありえなかっただろう。そもそも残念なのは、中国の歴史がその国の体制に従って、とにかく中国のものとして書かれざるをえなかったことだ。すなわち、中国の歴史はすべての案出を王たちによるものとしている。こうしてこの歴史は自国に心を奪われて世界を忘れたため、遺憾なことにそれほど有益な人間史にはなっていない。

三　チベット

この国はアジアの大きな山脈と砂漠のあいだに聖職者によって築かれたが、この種のものとしてはおそらく世界唯一のものであろう。すなわちそれは、ラマ僧たち[26]の大領土なのだ。なるほど宗教権力と世俗権力は、いくつもの小さな変革において時おり分離されたことはあるが、最終的には常に統合され、その結果、この国では他の地域には見られないほど、政治体制のすべてが大祭司たる大ラマ僧の皇帝としての地位に依存している。輪廻説によれば、大ラマ僧は釈迦もしくは仏陀という神によって生命を与えられ、大ラマ僧が死ぬと、神は新しいラマ僧に乗り移り、この新しいラマ僧を神の似姿へと聖別する。ラマ僧の系列は神聖さの不動の秩序において大ラマ僧から降り下っており、実際また教義や慣習や制度において、チベットの高地で現実に権力を行使しているこうした祭司統治ほど確固としたものは考えられない。世俗の職務の最高管理者も、最高位の祭司たちの代官にすぎず、彼は自分の宗教の原則に従って、神々しい静謐につつまれて、宮殿でもあり寺院でもあるところに住んでいる。ラマ教の語る世界創造についての話は奇怪なものであり、罪悪に対する威嚇的な刑罰や贖罪は身の毛がよだつようだ。またラマ教の目ざす神聖な境地というのも不自然このうえないものであり、それは身体を離脱した心の安静、盲信に近い無念無想、僧院での清らかな生活といったものである。しかしそれでもなお、この宗教ほど地球上で広まった偶像崇拝はない。チベットやタングート人[27]のみならず、モンゴル人の大多数、すなわち満州人やハルハ人[28]やオイラト人[29]なども ラマ僧を崇拝したし、或る者たちは最近になってラマ僧本人の崇拝から遠ざかったにせよ、これらの民族が信仰し礼拝する唯一のものは、釈迦の宗教の一部なのだ。そのうえこの宗教は南方へも広がっている。ソンモナ・コドム、シャクトシャ・トゥバ、サンゴル・ムニ、シゲムニ、ブッド、フォ、シェキアといった名前はみな釈迦と一体である。こうしてラマ僧による神聖なこの教義は、必ずしもいたるところでチベット人の冗長な神話を伴っていたわけではないが、それでもヒンドスタン[30]、セイロン島、シャム、ペグー、トンキンを経て、中国、朝鮮、そして日本にまで及んでいる。中国においてさえ仏陀の教えは本来の民間信仰である。これに対して孔子と老子の教えは、上流階級すなわち知識階級において行われる一種の政治的な宗教かつ哲学であるため、中国の当局にとっては孔子と老子の教えのいずれもどうでもよいものなのだ。したがって当局の関心も、ラマ教の僧侶たちが国家に危害を加えないように、彼らをダライ・ラマ(31)から引き離す程度のことに限られていた。日本もずっと長いあいだ半ばチベットだった。内裏(だいり)が宗教上の支配者で、公方(くぼう)はその世俗での従者だったが、ついには後者が政権を奪い、前者をたんなる影にした。これは事柄の経過のうちに潜む運命であり、きっといつかまたラマ僧の運命ともなろう。ラマ僧がかくも長くその地位を保ってきたのは、ラマ僧の国の位置とモンゴル諸部族の野蛮さによるものだが、しかし最も多くは中国の皇帝の恩寵によるものであった。

ラマ教は決してチベットの寒冷な山地で生れたのではない。この宗教は温暖な風土の産物であり、心身の静寂における無念無想の快感を何よりも愛する人間の所産なのだ。西暦の第一世紀のうちにこの宗教はチベットの荒々しい山地へ、さらには中国にまでも達したが、それはこの宗教がとにかくどの国においてもその国の流儀に従って姿を変えるからである。チベットや日本では苛酷で厳格なものとなり、モンゴル人のもとではほとんど無力な迷信となった。これに比べると、シャムやヒンドスタン、およびこれらに類似した国々は、この宗教を自分たちの温暖な風土の自然産物としてきわめて穏やかに育て上げた。かくも多種多様な形態をとったこの宗教は、自らの栄えたそれぞれの国家に対してもそれぞれ異なる影響を及ぼした。たとえばシャムやヒンドスタンやトンキンなどでは人々の心を眠り込ませるとともに、これを同情的で平和的で忍耐強く温和で怠惰なものにする。タラポワンと呼ばれる贖罪僧は玉座を目ざすことはなく、人間の罪悪を贖うために施し物を求めるだけである。しかし厳寒な風土が無為な祈禱者をそう簡単に養わないチベットにあっては、ラマ教の制度もまた人為的なものにならざるをえず、そこでとうとう宮殿は寺院になった。奇妙なことにチベットでは人間にまつわる事柄が互いに何の関連もない事柄と結びつけられるだけでなく、そのままずっと保持される。もしもチベット人がみなラマ教の掟を遵守し、その最高の徳性を目ざして努力するならば、いずれチベットは滅亡するだろう。この地の人間は互いに接触もせず、寒冷の土地を耕作もせず、商業も事業も行わずに途絶えてしまうだろう。彼らは天国を夢に見ているあいだに餓死し、凍死しているだろう。しかし幸運なことに、人間の本性は自分が奉ずるいかなる狂信よりも強いものなのだ。チベット人男性にとって結婚は罪悪だが、それでも結婚するし、勤勉なチベット人女性は一人以上の夫をさえ持ち、自らも男性より多く働き、現世を維持するためには天国の高い位も喜んで断念する。それゆえ、地球上の一宗教にして奇怪で厭うべきものがあるとすれば、それはチベットにおける宗教である。[*8] これはおそらく完全には否定されないことだろうが、もしこうした宗教のきわめて厳格な教義と儀式の中にキリスト教が移入されていたら、キリスト教はこのチベット山地におけるほど醜悪な形態では現れないだろう。だが幸運にも厳格な僧侶の宗教は国民の欲求や風土を変えることができなかったのと同じように、精神も変えることはできなかった。高山に住むチベット人は罪悪を金で贖い、それで健康で快活なのだ。彼らは輪廻を信じているが、動物を飼育し屠殺する。彼らはまた自分の完全無欠の祭司たちが独身で過ごすにもかかわらず、自分たちは二週間も結婚式に興じる。こうして人間による狂信はどこにあっても需要と折り合ってきたし、何とか我慢のできる和解に達するまで談判もしてきた。それゆえ、諸民族の奉じる信仰に蔓延る(はびこ)あらゆる愚かさが万が一にも広く現実のものとなれば、何と不幸なことだろうか！　しかし大多数の愚かさは信じられこそすれ、遵守されたことはない。そしてこの死んだ信心というどっちつかずのものが、まさに地球上では信仰と呼ばれている。だからカルムイク人がラマ教の小さな偶像を、あるいはラマ僧の神聖な糞便を礼拝しても、彼がチベットにおける完全性という模範に従って暮らしているとはどうか考えないでもらいたい。

しかしラマ僧によるこの厭うべき統治は、無害であったのみならず有益なものですらあった。自らをサルの子孫と考えていた(32)この粗野な異教民族は、これによって明らかに礼儀正しい民族に、しかもいくつかの点では洗練された民族にまでなった。そしてこれには彼らが中国人の隣にいたことが少なからず寄与した。インドで生れた宗教は純粋さを愛するので、チベット人はタタールの乾燥大草原民族のような生活を送るわけにはいかなかった。ラマ僧の賛美する過剰な貞潔でさえチベット人には道徳目標として示されたが、彼らにあって男女両性が誇りとする奥ゆかしさ、禁欲、節制といった徳目は、少なくともその道徳目標への巡礼の一部と見なされるかもしれない。もっとも、この巡礼にあってはそれらの徳目の全部をもってしても道徳目標の半ばにも達しないのではあるが。輪廻信仰は生きものに対する同情を呼び起こすため、山岳地帯の粗野な人間を制御するには、おそらくこの妄信を、そしてまた長い贖罪や地獄の罰への信仰を掻きたてる以外に穏やかな手段は考えられなかった。要するに、チベットの宗教は教皇のような権力者を中心とする宗教の一種なのだ。それはヨーロッパ自身がその暗黒の時代に持っていたものだが、ただしそこにはチベット人やモンゴル人において称賛されるような秩序や倫理性はまったく見られなかった。いずれにせよ釈迦によるこの宗教が一種の学識と文章語をチベット人という山岳民族のみならず、さらに遠くのモンゴル人にまでもたらしたということも人類に対する功績である。それはまた、これらの地域でも成熟する文化の準備であるとともに補助手段でもあろう。

　諸民族のあいだを進む摂理の歩みというものは驚くほど遅い。しかしそれでもこの歩みは自然の純然たる秩序なのだ。裸体の賢者、あるいはタラポワンと呼ばれる贖罪僧のような孤独な瞑想者は、最古の時代から東洋に存在した。彼らを取り巻く風土や自然がこのような生活様式へと彼らを誘ったのだ。静謐を求める彼らは人間界の喧騒から逃れ、豊かな自然が与えてくれる僅かなもので満足して暮らした。東洋人は飲食においても言葉においても真面目で節度がある。彼らは想像力の翼に好んで身を委ねるが、他方この想像力は彼らを普遍的な自然の観照へと導いたのだから、したがってそれはまた彼らに宇宙の生成と万物の消滅と再生について考えさせること以外に何ができたろうか？　東洋人の宇宙生成論や輪廻の教えは、どれも存在するものと生成するものについて、人間の限られた知性および共感する心情が考えることを詩的に表現したものなのだ。「私が生き、そして享受する時間は短いものだ。とすれば、私の傍らにいるものも、どうしてその存在を享受し、私によって害されないで生きてはならないことがあろうか？」こうした考えから生れるタラポワンの道徳は、それゆえ特に次のこと、すなわち万物が虚無であること、世界の諸形相が永遠に変転すること、満たされない欲求によって人間の心が内面から苦しむこと、そして純粋な魂が満足を得ることを、聞く人の心を動かしながら、かつ自己を犠牲にしてまで訴えようとする。ここからまた温和で人間味のある戒律も生れるのだが、それらは東洋人が自分自身と人間社会の他の人々を寛大に赦すために定めたものであり、賛歌や箴言という形で賛美される。それに彼らはこのようなものを自分たちの宇宙生成論の場合と同じように、ギリシアからはほとんど汲み取らなかった。なぜなら、これらはいずれもそれぞれの風土に起因する想像力と知覚方法の産物だからである。それらの戒律にあっては、すべてが最高目標にまで達しようとするため、タラポワンの説く道徳に従えば、インドの隠遁者でなければ生きられない。だからこそすべてが無限の作り話で包み込まれているのであり、たとえ釈迦が生きていたとしても、釈迦は人々が感謝と称賛のうちに釈迦自身の上に積み重ねた多くの特徴の一つにおいてさえも自分をほとんど識別できないだろう。しかしそれでも子どもは最初の知恵と徳目を作り話から学ぶのではないだろうか？　そしてこれらの民族の大部分は、その魂の穏やかな眠りの中では生涯にわたって子どもでいるのではないだろうか？　こうした状況は摂理が人類のために選んだ秩序に従ってそうでしかありえなかったのだから、われわれとしても摂理によるこの処置を大目に見ようではないか。摂理はすべてを伝承と結びつけたので、もはや人間は自分の持っているものと知っているものしか互いに与え合うことができなかった。自然におけるどの事物も、したがってまた仏陀の哲学も、使われ方次第で善くも悪くもなる。この哲学は高尚かつ立派な思想を有しているが、他方ではまた欺瞞と怠惰を呼び覚まし、養いかねないのであり、そうした実例にもまったく事欠かない。どの国でも仏陀の哲学は完全に同じものであり続けたことはない。それでもこの哲学が存在するところでは、粗野な異教よりもつねに一段上にある。すなわちこの哲学は、より純粋な道徳論の最初の曙光であるとともに、世界を包括する真理について子どもが見る最初の夢なのだ。

＊8　ジョルジによる『チベットのアルファベット』(ローマ、一七六二年)を参照。雑然とした学識に満ちた書物ではあるが、それでもパラスによる『北方論集』における報告(第四巻、二七一頁等)[33]およびシュレーツァーの『往復書簡』第五部における論文[34]とならんで、チベットについては現在のところ主要な書物である。

四　ヒンドスタン(35)

バラモンの教義(36)は、チベットから日本に至るまで宗派あるいは統治機構を形成して広く普及した仏教の一分枝であるにもかかわらず、特にその生誕地において考察するに値する。というのも、この教義はその生誕地において世界で最も奇妙にして、かつまたおそらく最も長続きする統治機構を形成したからである。すなわちインド国民は四つかそれ以上の氏族に分けられ、バラモンは第一の氏族として君臨している。ただしバラモンがこの支配権を、他の氏族を奴隷化することによって獲得したというのは本当とは思われない。彼らはインド人にあって王自身も含めてさしあたり支配権だけに固執する好戦的な氏族ではない。また伝承においてさえ彼らは名声を戦争という手段によって築くことはない。彼らが人間を支配するに至った理由は、その出自にある。それによると、彼らはありがたくも梵天(ぼんてん)(37)の頭部から生れ、戦士はその胸から、他の氏族はそれ以外の身体部分から生れたとされる。この頭部にバラモンの掟と国民の制度全体が築かれており、その制度によれば、生れながらの幹であるバラモンは、頭部として国民という身体に属している。階級の種類を氏族によって区分することは、他の地域においても人間社会の最も単純な制度であり、区分という点で自然に従おうとするものであった。実際また自然は樹木を何本かの大枝に分けるとともに、民族をいくつかの氏族と一族に分ける。こうしてエジプトにおける制度はインドのそれと同じく世襲の手工業者や技芸さえも伴っていた。そして賢者と祭司の氏族が第一の氏族に置かれたことは、ずっと多くの民族にも見られる。思うに、文化のこの段階ではこれが事柄の本性なのだ。なぜなら、知恵は武力に勝るため、古代においては祭司の氏族が政治にまつわるほとんどすべての知恵を自分のものとしたからである。祭司の名声が奪われるのは、知識の光があらゆる階級に広がることだけによるものだったので、祭司もまた啓蒙が広く普及することに何度も抵抗した。

インドの歴史についてわれわれは残念ながらまだ多くを知らないが、それでもこの歴史はバラモンの成立に関して明瞭な示唆を与えてくれる。[*9] それによれば、梵天は聡明博学な人物で、多くの技術、とりわけ文字を書く技術を案出し、古代の王の一人であるクリシュナ[(38)]の大臣となった。ちなみにクリシュナの息子が自分の民族を有名な四つの氏族に分けることを掟に定めたとされる。この息子は梵天の息子を第一階級の首位に置き、占星術師と医師と祭司をこの階級に所属させた。その他の貴族は世襲による地方の総督に任命され、ここからインド人の第二階級が生れた。第三階級は農業を、第四階級は技芸を営むべきとされ、しかもこの制度は永遠に続くべきものとされた。彼はまた哲学者たちのためにビハール[39]という都市を建設した。また彼の国の中心部とバラモンの最古の学校は主としてガンジス河畔にあった。ギリシア人やローマ人が彼らのことにほとんど思いを致さない原因はここにある。要するに、ギリシア人やローマ人はインドのこれら奥深い地域のことを知らなかったのだ。というのも、ヘロドトスはインダス河畔とその北側で黄金取引を行う民族のことしか記述しなかったし[40]、アレクサンドロス大王もビアーズ河[41]までしか到達しなかったからである。それゆえ、ギリシア人やローマ人がバラモン、すなわちタラポワンのように暮らす孤独な賢者について入手した報告も、最初はたんに一般的なものにすぎず、彼らがその後もガンジス河畔のサマネーア派やゲルマーン派[42]について、あるいはインド人が四つの階級に区分されていることについて、そして彼らの輪廻の教義などについて怪しげな噂しか耳にしなかったのも不思議ではない。それでもこれらの断片的な伝承も証明しているように、バラモンの制度は古く、しかもガンジス河畔の地方に土着のものだった。このことはまたジャガンナート[*10][43]、ボンベイ[44]、それに半島西側の他の地域における太古の記念碑によっても証明されている。偶像のみならず、これらの偶像寺院の制度全体もバラモンの思考様式や神話に含まれている。バラモンはインドでは彼らの聖なるガンジス河周辺からさらに南部へと広がり、また国民が無知であればあるほど、それだけいっそう多くの尊敬を集めた。バラモンの生誕地としての聖なるガンジス河は、彼らの聖域のうちで最も重要な場所でありつづけた。とはいえ、バラモンはたんに宗教上の集団にとどまらず、元来は政治上の集団であり、それはラマ僧をはじめ、レビと呼ばれるユダヤの祭司やエジプトの祭司などの教団が、いたるところでインドの太古の国家体制に属することからも明らかである。

この教団が何千年にもわたって人々の心情に与えた影響は特に深いものだった。なぜなら、モンゴル人によってかくも長く負わされた軛にもかかわらず、その名声や教義が依然として揺るぎないものだっただけでなく、インド人を支配するに際して他の宗教ではこれほどまでに証明するのが困難だったような力を示したからである。[*11] この民族の性格と生活様式と習俗は、どんなに些細な点に至るまで、そればかりか思想や言葉に至るまで、こうした名声や教義の所産なのだ。バラモンの宗教は多くの点できわめて抑圧的で苦しいものであろうとも、それでもこれは最下層の氏族にとって神の自然法則のように神聖なものであることに変わりはない。外来の宗教を受け入れる者の大部分は犯罪人や極悪人であるか、さもなければ惨めな孤児だけである。インド人がしばしば命さえ奪われかねない困窮のさなかにあって、自分の仕えるヨーロッパ人をじっと見つめるときの高貴な思考様式は、この民族が自分たちの存在しつづけるかぎりは他の民族と決して混淆するつもりはないということの十分な証拠でもある。彼らがこのように類を見ない影響を受けた根底には明らかに風土と国民の性格があった。実際どの民族も魂の忍耐強い落ち着きと温和な従順さという点ではインド人にかなわない。しかし彼らが教義と慣習においてどの外国人にも従うわけでないのは、言うまでもなく次のこと、すなわちバラモンの制度が他の制度を容れる余地のないほど完全に彼らの魂と生活をとらえたことに起因している。そこからまた非常に多くの習俗や祝祭、神々や物語、聖地や立派な仕事も生れるが、それは幼少時からこれらのものが彼らの想像力全体に働きかけ、人生のほとんどあらゆる瞬間において自分が何であるかを思い出させるからなのだ。こうした人心統御に比べればヨーロッパのすべての制度はたんに表面的なものにとどまっていた。思うに、こうした人心統御はインド人が存在するかぎり存続しうるものである。

人間の作り出した制度が善いものか悪いものかという問題は、どんな場合にも複雑多岐にわたっている。バラモンの制度も、それが創設されたときは疑いもなく善い制度だった。さもなければ今日のような広がりも深さも永続性も獲得してはいなかっただろう。人間の心情は自分に害となるものからは出来るだけ早く逃れる。インド人は他の民族などよりも多くを耐え忍ぶことができるが、それでもまさか毒などは好まないだろう。したがって否定できないのは、バラモンがインド人に温順さ、礼儀正しさ、節度、貞潔を植えつけるか少なくともこれらの徳目をしっかりと鍛え上げるかしたために、インド人にはその反動でヨーロッパ人がしばしば不浄な者、泥酔者、乱暴者に見えることである。インド人の身振りや話し振りは無理がなく優雅で、人付き合いも協調的で、身体は清潔で、生活振りも簡素で邪気がない。子どもは寛大に育てられる。しかしインド人が知識に欠けるわけではなく、ましてや落ち着いた勤勉さや緻密に模倣する技術に欠けることもまったくない。より身分の低い氏族でさえ読み書きと計算を習う。またバラモン僧は青少年の教育者であるため、彼らはそれによって数千年来まぎれもなく人類のために貢献してきた。ハレで刊行された宣教師報告(45)を繙いて、反論、質問、応答のみならず振舞い全体におけるバラモンやマラバールたちの健全な知性と温厚な性格に目を向けるがよい。そうすれば誰も宣教師の側につこうとはほとんど思わないだろう。神についてのバラモンの主要理念はきわめて壮大かつ壮麗であり、道徳はきわめて純粋で崇高である。それに彼らの説話は知性の目で精査しても、きわめて上品で愛らしく、そのため私はインドの怪物譚や冒険譚に見られる荒唐無稽さをすべてその作者に帰することはできない。おそらくこれは後世になって初めて庶民による口承のうちに積み重ねられてきたものであろう。イスラム教やキリスト教によるあらゆる弾圧にもかかわらず、バラモンの教団が自分たちの技巧に富む美しい言語[*12]とともに昔からの占星術と年代計算法、法律学と医術の断片をいくらかでも保存してきたことは、彼らが置かれてきた境遇を考えれば価値のないことではない。[*13] 事実またこれらの知識を活用する職人芸的な技法は、彼らの生活範囲では十分なものであり、知識の増加という点で足りないところは彼らの根気強さと実践によって補われる。しかもインド人は迫害を行わず、誰に対してもその宗教や生活方法や知恵を容認する。とすれば、われわれもなぜ彼らの宗教を容認していけないことが、また世襲の伝承が誤りであっても彼らを少なくとも欺かれた善良な者と見なしていけないことがあろうか？　アジアの東側世界を占める仏教のあらゆる宗派と比べてもバラモンの教義はその精華であり、それはどのような僧侶やラマ僧やタラポワンよりも学識があり、人間的で有益で高貴なものなのだ。

ただしそのさい覆い隠されてならないのは、人間の手になるあらゆる体制と同じように、バラモンの体制もまた多くの抑圧的要素を有していることである。言うまでもなく、生活様式をいくつかの世襲氏族に区分することは、技術の自由な改善と完成をことごとく排除するため、束縛もまた必然的に限りなく続くことになる。その結果として特に目につくのは、インド人が最下級の氏族で不可触賤民のパリアを扱う際に示す軽蔑の念である。パリアは最もおぞましい仕事に就くことを強いられ、他の氏族との交際を永久に禁じられているだけでなく、人間としての権利や宗教までも奪われている。実際パリアには何びとも触れてはならず、その姿を目にすることさえバラモンにとっては穢れなのだ。こうした侮蔑についてはさまざまな原因が挙げられ、なかでもパリアが被征服民族らしいことが挙げられるにもかかわらず、それらのどれ一つとして歴史によって十分に実証されているわけではない。少なくともパリアは他のインド人と形姿の点では異なっていない。それゆえ、古い制度における多数の事柄と同じように、この場合も大きな役割を演じたのは最初に確立された苛酷な掟である。おそらくその掟に従って、赤貧に苦しむ者や犯罪者や極悪人がこうした侮蔑を余儀なくされたのであろう。そして不思議なことには彼らの無数の子孫たちが、それも無実の子孫たちがこうした侮蔑に自ら屈している。この制度はひとえに家系を基盤としている点に欠陥があり、そこにあっていくつかの家系は生きるうえできわめて卑賤な運命を担わざるをえず、その苦痛は他の氏族が彼らに示す僭越な潔癖感によって時とともにますます増大した。とすれば、彼らが最終的には天罰によってパリアに生れ、魂の輪廻の教えどおり前世の悪業ゆえにこうした生れを運命から授かった、と考えたのもきわめて当然ではなかったか？　そもそも魂の輪廻の教えは、たとえ最初にこれを考案した者の頭の中ではどれほど偉大な仮説であり、どれほど人類に貢献したにせよ、総じて人間としての限度を超え出るあらゆる妄想と同じように、必然的にまた人類に多くの禍をもたらさざるをえない。すなわち、輪廻の教えは、すべての生きものに対する誤った同情心を呼び起こしたと同時に、われわれ人間の悲惨さに対する真の共感を低下させたのだ。そのため人々は不幸な者たちを前世の悪業に苦しむ罪人と考えたり、あるいは彼らが運命の手のもとで試練を受け、そこで積まれた徳に対して運命が来世の境遇において報いると考えた。ここからまた心の優しいインド人にも共感の欠乏が指摘されるに至った。多分この欠乏は彼らの有機組織から生れたものだろうが、しかし何よりも永遠の運命に対する彼らの深い従順の念から生れたものなのだ。こうした信仰は人間を奈落の底に突き落とし、その活動的な感覚を麻痺させてしまう。夫を火葬にする薪(たきぎ)の山で妻をも焼き殺す(46)のは、輪廻の教えの野蛮な結果の一つである。実際こうした風習が、たとえ最初はどのような理由で導入されたにせよ、それがたとえば妻が夫をはじめとする偉人たちの魂に追いついてそれと競い合うためであれ、あるいはたんに刑罰としてであれ、それでも来世に関するバラモンの教義がこの不自然な風習を美化し、哀れな犠牲者に来世での幸福な境遇という動機を持たせて嬉々として死に赴かせたことは誰の目にも明らかだ。もちろんこの残忍な風習は、夫の生命を妻にとっていっそう大事なものにした。というのも、妻は夫からその死にあっても離れられず、もし生きて残ろうものなら屈辱を受けざるをえなかったからである。しかし、こうした犠牲が暗黙の習慣によってしか強制的な掟とならなかったとすると、はたして妻まで犠牲にする価値があったのか？　最後にざっとではあるが、バラモンの制度における種々の欺瞞や迷信に触れておこう。これらの欺瞞や迷信は、すでに占星術と年代計算法、医術と宗教が口伝によって継承され、一氏族の秘密の学問とされたことで避けがたいものとなった。それがこの国全体に及ぼした致命的な結果は、どのバラモンによる統治でも遅かれ早かれ国民を隷属に向けて育てることであった。戦士の階級は、たちどころに戦争を放棄せざるをえなくなった。なぜなら、この階級の使命が宗教に抵触し、この階級それ自体もあらゆる流血を嫌う上位の階級の下にあったからである。かくも平和を好む民族は征服者から離れて孤島で生活すれば幸福であろうに。しかし人間の顔をした猛獣ともいうべきあの好戦的なモンゴル人の住む連山の麓で、そしてまた貪欲で狡猾なヨーロッパ人の上陸する沿岸地域で、哀れなインド人たちよ、汝らは早晩その平和を求める制度もろとも破滅してしまうだろう。実際インドの体制はこうした経過を辿ってきた。この体制は内外の戦争に敗れ、ついにはヨーロッパ人の来航によって彼らに隷属させられた。その軛のもとで、この体制は最後の力をふりしぼって耐えているのだ。

諸民族の歩む運命とは、何と苛酷なものか！　しかしこうした歩みも、自然の采配にほかならない。地球上の最も美しく実り豊かな地域では、人間は早くから精緻な思想や自然についての広範な想像に、そして温和な習俗や秩序ある制度に自ずと到達した。その一方でこうした地域では人間は骨の折れる仕事を放棄するようになり、それでこのように恵まれた土地を求めていたすべての盗賊の餌食とならざるをえなかった。昔から東インド方面との交易は豊かな交易であった。勤勉で寡欲なこの地の民族は、自分の大陸が有する財宝のうちから多種多様な貴重品を他の民族に海陸を通じてあり余るほど供給しながらも、自らは遠隔の地にあったため比較的平和で落ち着いた生活を続けていた。ところが、どこをも遠いと思わないヨーロッパ人がとうとうやって来て、そこに彼ら自身の王国をそれぞれに建設した。彼らがインドからわれわれに届けてくれる報告や商品のすべてをもってしても、彼らがインド人に加えた罪過を償うことなどできはしない。なぜなら、インド人はヨーロッパ人に対して何一つ害悪を及ぼさなかったのだから。しかしいずれにせよ運命の連鎖がこの地域と一度は結ばれたからには、運命がこれをほどくか、もしくはさらにつなげていくであろう。

＊9　ダウによる『ヒンドスタンの歴史』第一部、一〇頁および一一頁。

＊10　ダンケティーユによる『ゼンド・アヴェスター』第一巻、八一頁以下。(47) ニーブールによ

る『旅行記』第二部、三一頁以下。

＊11　これについてはダウ、ホルウェル、ソヌラ、アレクサンダー・ロス[48]、マッキントッシュの著作、ハレで刊行された『宣教師報告[49]』、『教育書簡[50]』、およびインドの宗教と民族に関する他のあらゆる報告を参照。

＊12　ハルヘッド[51]による『ベンガル語文法』(ベンガルのフーグリーで一七七八年に刊行)を参照。

＊13　ルジャンティーユによる『インド洋航海記』第一部およびハルヘッドによる『ゲントゥー法典集[52]』などを参照。

五　これらの国家についての一般的考察

われわれはこれまでアジアにおけるいくつかの国家体制を考察してきたが、それらは無限に長い年月と最も確固とした持続性を誇っている。これらの国家体制は人類の歴史においてどのような貢献をしたのか？　人間史の哲学者はこれらから何を学ぶのか？

1　歴史は始まりを前提とする。国家と文化の歴史にも当然それぞれ端緒がある。しかしこれまで考察してきたすべての民族においては、この端緒が何と漠然としていることか！　これについて私の述べることが何かの役に立てば幸いである。私としては、聡明かつ謙虚な歴史研究者が私の発するこうした声を適用して、アジアの最も有名な国々と民族に基づいて、この地域における文化の起源の探求に、それも仮説や独断という専制政治を持ち込むことなしに励んでもらいたいと思う。われわれがこれらの民族について有する報告や文化遺産、とりわけ彼らの文字や言語、最古の芸術品や神話、もしくは彼らの数少ない学問にあって今なお使用されている原則や方法を精密に比較対照すること。これらすべてを彼らの住む場所と彼らの携わりえた交易と照合すること。そうすることによって彼らの文明化の過程がきっと明らかにされよう。ちなみにこの文明化における最初の環はおそらくセリンギンスク[53]とも、ギリシアのバクトリアとも結ばれていないと思われる。ド・ギーニュ[54]、バイエル、ガッテラー[55]らによる丹念な論考。バイイ、ド・パウ[56]、ドゥリースレ[57]らによる大胆な仮説。何人もの手になるアジアの言語と文字の蒐集と紹介における種々の有益な努力。これらは一大建造物のための準備作業であり、できれば私もその最初の堅固な礎石が置かれる様子を目にしたいものだ。そして多分この礎石となるのは、プロトガイア[58]と呼ばれる太古の地球の廃墟、すなわち非常に多くの自然遺産という形でわれわれの前に姿を現す地球神殿の廃墟であろう。

2　**民族の文明化**という言葉は、その内容を表現するのも、それについて考えるのも困難だが、それを実行に移すのはさらにむずかしい。土地の新参者が国民全体を啓蒙するとか、王が法律によって文明化を命ずるとかいうことは、多くの付帯状況の助けがあってのみ可能となる。なぜなら、国民の形成はもっぱら教育や教義、および恒久的な模範を通じて行われるからである。そのため、どの民族もただちに手段を講じて、教え育て啓蒙する階級を統治機構に組み込み、他の階級より上位に置くか、中に押し込んだ。こうした作業はまだきわめて不完全な文化の段階であるにしても、しかし人類の幼年時代にとってこの段階は必須のものである。事実このような教育者を持たない民族は永遠に無知と怠惰の中に置かれたままであった。一種のバラモン、マンダリンと呼ばれる中国の高級官吏、タラポワン、ラマ僧などは、それゆえどの国民にとってもその政治上の青年時代には必要なものであった。それどころか、われわれの目にするところでは、まさにこうした種類の人間のみがアジアの隅々にまで人間の技術による文化の種子を運んだのだ。このような人間がいるからこそ、堯帝(ぎょうてい)は臣下の義氏と和氏に対して「星辰の観察に行き、太陽に注目して一年を区分せよ」[*14]と言うことができる。義氏と和氏が占星術師でなければ、堯帝の命令は意味を持たない。

3　学者の文化と庶民の文化のあいだには相違がある。学者が知らねばならない学問とは、彼が国家の利益のために営むことを命じられている学問である。学者はこのような学問を維持し、それを庶民にではなく学者の身分に属する者たちに伝授する。われわれヨーロッパ人にあっても高等数学がこうした種類の学問であり、一般の使用に役立たない他の多くの知識も、それゆえまた庶民にも役立たない。学者の学問は古代の国家体制のいわゆる秘伝の学問であって、僧侶もしくはバラモンが自分の階級のためにだけ保存してきたものである。というのも、彼らはこうした学問を営むために採用されたのであり、国家機構の他の階級にはそれぞれ別の職務があったからだ。ちなみに代数学は今なお秘伝の学問であり、また誰もこの学問を学ぶことを禁じていないにもかかわらず、ヨーロッパでこれを理解するに至る者は少ない。もっともわれわれは無益どころか有害な方法で多くの点において学者文化と庶民文化の範囲を混乱させ、後者をほとんど前者の範囲にまで拡大してきた。古代の国家創設者たちは今よりも人間に即して考えたが、この点でもより賢明な考えを持っていた。すなわち、彼らは庶民の文化を良い習俗や有益な技芸の中に置き、庶民を処世術や宗教においてさえ高級な理論には向かないものと見なしたばかりか、こうしたものが庶民に役立つとも思わなかった。その結果として生れたのが寓話や物語を使った教え方であり、バラモンは今なおこのような形で無学な氏族に教えを説いている。中国においても同じ理由から、一般的な概念における区別も、ほとんど国民の階級ごとに行われており、統治機関はこうした区別を固定し、かつ利口な方法で保持してきた。それゆえ東アジアの国民をヨーロッパの国民と文化の観点において比較しようとするならば、前者が文化をどこに置いているのか、つまりどの階級の人間を問題にしているのかを知っておく必要がある。国民あるいはその階級の一つが良い習俗や技芸を有し、彼らが自分の仕事と生活の十分な安定に足りる知識や特性を持っていれば、たとえ彼ら(59)が月蝕を説明できずに、その代わりよく知られた竜の話でもって月蝕を語ったとしても彼らは十分に啓蒙されている。おそらく彼らの教師は、まさに彼らが太陽や惑星の軌道のことで頭を悩ませて白髪にならずにすむようにと思って彼らに竜の話をしたのだろう。だからこそ私には次のように考えることなどできはしないのだ。すなわち、すべての国民一人ひとりが地球上に存在するのは神についての形而上的な概念を持つためであり、最終的におそらく一つの言葉に基づくこの形而上学を持たなければ、その人は迷信深く未開な人間であるにちがいない、と。日本人が仏陀や阿弥陀についてどのように考えようと、その日本人が賢明で勇敢で器用で有益な人間であれば彼は文明化されている。日本人が諸君に仏陀や阿弥陀の説話を語るならば諸君はそのお返しに別の説話を語ってあげればよいのだ。そうすれば互いに貸し借りなしというわけだ。

4　少なくとも古代の東洋諸国の見解によれば、学者の文化における永遠の進展でさえ、国家の幸福にとって本質的なものではない。ヨーロッパではすべての学者が一つの固有の国家を形作るが、それは何世紀も費やした予備研究の上に築かれ、共通の補助手段と諸国相互の競争心によって人為的に保持される。なぜなら、われわれの目ざす学問の頂点は一般に自然には貢献しないからである。ヨーロッパ全体が一つの学者国であり、そのためこの学者国は、一方では内部の競争によって、他方ではここ数世紀のうちにヨーロッパが地球全土に探し求めた有益な手段によって学者だけが洞察し、政治家だけが利用する理想的な形態を獲得した。それゆえ、われわれはこの一度動き出した歩みの中ではもはや立ち止まれない。われわれは最高の学問と全知識の魅惑的な姿をとらえようとして倦(う)むことがないが、それはなるほど決して到達しえないものではあるものの、しかしヨーロッパの国家体制が存続するかぎりはわれわれを常にその歩みの中に保持してくれるものなのだ。したがってこうした事情は、一度もこのような闘争を経験したことのない諸国にはまったく縁がない。連山の彼方(かなた)にあって丸い形の領土を持つ中国は、単調な閉鎖国家である。どの地方にも様々な民族がいるが、古い国家体制の原則に従って秩序づけられ、互いに競い合うこともまったくなく極端に従順な状態にある。また日本という島国は古代のブリタニア(60)と同じように、すべての外国人を敵視し、荒れ狂う海の岩塊のあいだに自分だけが一つの世界であるかのように存立している。同じことは山地と野蛮な民族に囲まれたチベットについても、また何世紀にもわたって抑圧にあえいでいるバラモンの政治体制についても言える。とすれば、ヨーロッパではどんな岩壁をも突き破って成長をつづける学問の芽は、これらの国ではどのようにしたら育つことができるというのか？　これらの国は自らどうしたら学問という木の果実をヨーロッパ人、それもこれらの国からその周囲にある政治上の安全はおろか土地そのものをも奪うヨーロッパ人の危険な手から受け取ることができるというのか？　実際どのカタツムリも僅かな試みを行っただけで自分の殻に引きこもり、ヘビがどんなに美しいバラを手折(たお)ってくれてもこれを軽蔑したではないのか。[61] これらの国の尊大な学者たちの学問は、彼らの土地を念頭に置いたものなので、中国は世話好きなイエズス会士からさえも自分たちにとって不可欠と思われるもの以外は受け容れなかった。もっとも、中国が困窮状態に陥ったならば、おそらくもっと多くのものを受け容れるだろう。しかし大部分の人間はもとより、さらに大きな国家というものは、きわめて固くて鉄のような動物であり、その旧態依然たる歩みを変えさせるには、まず危険がそれに迫る必要があろう。それゆえ驚異や兆候がなければ、すべては現状のままにとどまる。それにこうした国民に欠けていたのは学問能力ではなく、新しいものを産み出す原動力である。事実また、あらゆる新しいものに抵抗するのは太古からの慣習なのだ。ヨーロッパでさえその最上の技術を学ぶのに、どれほどの年月を要したことか!

5 一国の在りようは、それ自身の内部においてと、他の国との対比において評価されうる。ヨーロッパはこの両方の尺度を用いる必要に迫られているが、アジアの諸国は一つの尺度しか有していない。アジアのいかなる国も他の世界に入って行かなかったので、自らの偉大さの支柱として他の世界を利用することもなかったし、もしくは他の世界が過剰に入ってくることで毒を盛られることもなかった。どの国も自分が持ち合わせているものを利用し、自分の中で充足している。中国は自国の金鉱でさえ採掘を禁じた。

というのも、国力の弱さを感じた中国には金鉱をあえて利用するだけの勇気がなかったからである。中国が他国と行う交易は、異民族をまったく抑圧することなく行われる。この僅かな知恵でもって、これらの地域におけるどの国も次のような利点を、それも他国との交易によって得られたものが少なかった分だけ自国内のものを多く利用して不足分を補わざるをえないという明白な利点を手に入れた。これに対してわれわれヨーロッパ人は商人あるいは盗賊として全世界を歩きまわり、そのために自国に有するものを蔑ろにすることも稀ではない。ブリタニア諸島(62)でさえ、もうずっと日本や中国のようには耕作されていないありさまだ。要するに、われわれの国家は異国のものを善いものであれ悪いものであれ、香辛料と毒、コーヒーと茶、銀と金というふうに飽くことなく呑み込み、高熱の状態でも本当に無理して元気を見せる動物なのだ。ところがアジアの諸国は自分の体内の循環だけに頼っている。それはまるでモルモットのような緩慢とした生活であるが、しかしまさにそれゆえに長く続いてきたのであり、外部の状況がこの眠っている動物を殺さなければ、もっと長く生きられる。周知のように古代人はその文化遺産や国家組織に見られるように、何事においても、より長く続くことを念頭に置いていた。われわれ近代人は活発に働きはするものの、運命によって割り当てられた短い寿命を、おそらくそれだけいっそう慌しく駆け抜けるのだろう。

6　けっきょく人間が地上で関わるあらゆる事物においては場所と時間が重要であるのと同じように、さまざまな国民においてもそれぞれの性格が重要なのであり、それなしではどの国民も何もできない。もしも東アジアがヨーロッパに隣接していれば、とっくに以前の状態ではなくなっているだろう。もしも日本があのとおりの島国でなかったら、現在あるようなものにはならなかっただろう。これらの国々を今ひとまとめにして形成しろと言われても、三〇〇〇年も四〇〇〇年も前に作られたのと同じものを作ることはほとんどできないだろう。われわれがその背の上に住んでいる地球という動物の全体は、今ではさらにもう何千年という歳を数えている。そもそも民族における発生時の精神と、性格にまつわる事柄は不思議で奇異なものである。それは説明できないが、消し去ることもできないし、民族と同じくらい古く、また民族の住んでいた土地と同じくらい古い。バラモンは自分の住む地域に固有のものであり、彼らは他の何びともその神聖な自然のうちに住むに値しないと信じている。中国人も日本人も同じように考えている。彼らは自分の土地以外では、どこであろうと季節はずれに移植された低木なのだ。インドの隠者が自分の神について思いめぐらすものや、中国人が自分の皇帝について考えるのと同じものを、われわれは自分の神や皇帝について考えることはない。われわれが精神の活動や自由として、また男性の名誉や女性の美しさとして尊重するものを、中国人はまったく別個のものと考える。インド人の女性が引きこもることは、インド人には耐えがたいことではないし、マンダリンと呼ばれる中国の高級官吏が見せる空疎な華麗さは、彼ら以外の者にとってはまったく興ざめした見世物としか思われないだろう。多種多様な人間の形から生れたすべての慣習、それればかりか、この丸い地球上でのすべての現象についても同じことが言える。もし人類が漸近線という永遠の過程を辿って完全無欠な一点に、それも人類が知りもせず、タンタロスのどんな苦労をもってしても決して到達しない一点に近づくように定められているとすれば、汝ら中国人と日本人、ラマ僧とバラモンよ、汝らはこの巡礼の途上にあって地球という乗り物のかなり静かな一隅を占めているのだ。汝らは私の言った到達不可能な一点のことなど気にせずに、何千年前からの状態でずっといるがよい(63)。

7　人間について探究する者にとって慰めとなるのは、その者が次のこと、すなわち自然は人類に割り当てたすべての災禍にもかかわらず、必ずどの有機組織にもバルサムという慰めの香油を与え、その傷の痛みを少なくとも和らげるようにしてくれたことに気づかされる時である。人類の厄介な重荷ともいうべきアジアの専制政治は、これに耐えようとする国民、つまりその重圧をそれほど感じない国民のもとでのみ実現される。インド人はたとえ飢餓のどん底にあって、痩せきった体にイヌがつきまとい、倒れたらその餌食になってしまうときでも、諦念とともに自分の運命を待ち受ける。彼はどうにか身を支え、立ったまま死を迎えようとするが、イヌは辛抱強く待ちながら、血の気も失せて死相の現れた彼の顔に見入っている。この諦念はわれわれには理解できないものだが、それでも彼らにあってはこれが情念の強烈な嵐へと変わることも稀ではない。とにかくこれは、彼らの生活様式や風土をさまざまな形で容易にしてくれるものと並んで、かくも多くの害悪を、しかもわれわれにも耐えがたく思われる国家体制の害悪を和らげる解毒剤なのだ。とはいえ、たとえもしわれわれがインドで生活することになっても、われわれはそれらの害悪に耐える必要もないだろう。なぜなら、われわれは同地のひどい体制を変えるのに十分な識見と勇気を持っているからだ。さもなければ、われわれもまた疲弊するか、もしくはあのインド人のように忍耐強くそれらの害悪を我慢するだろう。偉大な母である自然よ、何と些細な事柄に汝は人類の運命を結びつけたことか！人間の頭部と脳の形の変化とともに、そしてまた有機組織と神経の構造において風土と部族の特性と慣習が惹き起こす小さな変化とともに、地球上のいたるところで人類が活動し、また受苦することの総体である世界の運命も変わるのだ。

＊14　ド・ギーニュの版による『書経』の冒頭、六頁。

第十二巻

われわれはティグリスとユーフラテスの河岸にやってきた。しかしこの地域全体では歴史の景観が何と違っていることか！　バベル(1)やニネヴェ(2)、エクバタナ(3)、ペルセポリス、テュロス(4)はもはや存在しない。いくつもの民族や国が次から次へと現れるが、それらの大部分はその名前も含め、かつてあれほど有名であったその文化遺産に至るまで、地球上から姿を消した。バビロニア人(5)、アッシリア人(6)、カルデア人、メディア人(7)、フェニキア人と称する民族も、あるいは彼らの古い政治体制の特徴の痕跡をとどめる民族も今は存在しない。彼らの国や都市は破壊され、人々は名前を変えて、あちこちでひっそりと暮らしている。

アジア諸国の深く刻み込まれた性格とのこうした相違は、どこからくるのか？　中国とインドはたびたびモンゴル人の氾濫に見舞われ、それどころか一部は何世紀にもわたって征服されていたが、それでも北京やベナレス市も、(8) バラモンもラマ僧も地球上から姿を消すことはなかった。思うに、双方の地域の位置や体制の違いに注目すれば、この運命の相違は自ずと明らかになる。地球の大山脈の向こう側にある東アジアにおいては、南方諸民族を脅かす唯一の敵はモンゴル人だった。彼らは何世紀ものあいだ自分たちの乾燥大草原、あるいは谷を穏やかに悠然と移動していた。そして彼らが近隣地域に氾濫したときも、その意図は破壊ではなく、むしろ支配や略奪だった。モンゴル人の統治下にあった多くの民族が、それぞれの体制を何千年にもわたって維持したのはそのためである。ちなみに黒海やカスピ海、さらには地中海に至るまでの地域で群れをなして動き回っていた諸民族は、モンゴル人とはまったく別の集団だった。これらの移動民族を誘導するのに大きな役割を果たしたのがティグリス河とユーフラテス河であった。西方アジアの全域は、早くから遊牧民であふれ、また繁栄する都市や機構の整った国家がこの美しい地域で多く生まれれば生まれるほど、粗野な民族はこのような都市や国家をますます略奪しようという気になった。そうでもしなければ、これらの民族は他の民族を殲滅させる以外に自らの過剰なまでに増大する力を利用する術を知らなかった。東西交易の中心地にあった壮麗無比なあのバビロンでさえ、(9) 何とたびたび侵略され、略奪されたことか！　シドンやテュロス、(10) エルサレム、エクバタナやニネヴェの運命も、これと何ら変わるものではなかった。それゆえわれわれは、この地域全体を荒廃の園と見なしてもよいだろう。なにしろそこでは他国を破壊するか、自国が破壊されるかという状態だったのだから。

したがってまた多くの民族が名も知られず滅亡し、ほとんど痕跡も残さなかったのも不思議ではない。そもそもいったい痕跡を残すことが彼らにできたろうか？　この地域の大部分の民族にあっては、一つの共通する言語(11)が使われており、それがさまざまな方言に分かれているだけであった。彼らが滅亡するに際して、これらの方言は混じり合い、けっきょくカルデア・シリア・アラビア語風の混成語に融合した。この言語は、混淆し(こんこう)た諸民族の個々の特性をほとんど残さないまま、今もなおこの地域で使われている。彼らの国家はいくつもの遊牧民集団から生れ、これといった政治上の刻印を残さないまま元の集団にそれぞれ帰っていった。バアル(12)やセミラーミスなどを讃える記念碑も、ピラミッドの有する永続性を彼らに確保することはなおさらありえなかった。なぜなら、それらの記念碑は太陽もしくは火で焼いた煉瓦だけで造られ、アスファルトでくっつけたものだったので、時の静かな歩みのもとで自ら崩壊しなかったにしても、容易に破壊されうるものだったからである。こうしてニネヴェやバベルを建設した者たちによる壮麗な専制政治もいつのまにか風化し、その結果この世界的に有名な地域で唯一われわれの考察対象となるのは、消滅したこれらの民族が一連の現存する民族の中でかつて用いていた名称である。言うなればわれわれは没落した王家の墓の上を歩くようにして、これらの民族の地上にありし日の活躍の幻影を見るのだ。

しかしその活躍たるや実に壮大なものだったので、エジプトもこの地域に含めて考えるならば、ギリシアとローマは別として、とりわけヨーロッパのために、またヨーロッパを介してこの地域ほど、かくも多くのものを地球の全民族のために案出し、準備した地域はないと言ってよいくらいだ。ヘブライ人による伝承を読むと、すでに最古の時代から、この地域のいくつもの小遊牧民族に共通する技芸や生業(なりわい)のあったことが分かるのみならず[*15]、その数の多さにはわれわれも驚かされる。多種多様な農具を使った農耕、園芸、漁業、狩猟、なかでも牧畜、穀物の製粉、パン焼き、食物の調理、葡萄酒、油、衣服用の羊毛および獣皮の加工、糸紡ぎ、機織り、縫い物、染色、絨毯の製造と刺繍、貨幣の鋳造、印章の彫刻、宝石の琢磨、硝子(ガラス)の製造、珊瑚の採集、鉱業と冶金、金属細工や彫塑や素描や製陶における多彩な技術仕事、彫刻と建築、音楽と舞踊、書字術と詩作術、桝と秤を使った売買、沿岸での航海。また学問では占星術、暦法、地理学、医術、戦争術、算術、幾何学、力学のいくつかの基礎、政治制度における法、裁判、祭式、契約、刑罰および多数の道徳上の慣習。これらすべてのものが西方アジアの諸民族にあっては早くから行われていたことが分かる。それゆえわれわれは、たとえ伝承がそのことをほとんど伝えていないにせよ、この地域の文化全体を、文明化された太古の世界の残滓と見なさざるをえないであろう。アジアの中央から遠く離れて、迷路の中を彷徨していた民族ばかりが野蛮で未開なものとなった。そのため早晩これらの民族は、さまざまな方法で二次的な、つまり外部からの文化に頼らざるをえなかった。

＊15　ゴゲによる『法と技芸と学問の起源についての研究』(レムゴ、一七六〇年)、さらにはガッテラーによる『世界史略解』[13](ゲッティンゲン、一七八五年)を参照。

一　バビロン、アッシリア、カルデア

西方アジアの広大な遊牧民地域にあって、ティグリス河とユーフラテス河の豊饒で美しい沿岸地帯は、たちまち放牧者の大群を引きつけずにはおかなかった。この地帯はまた山地と不毛な砂漠の真ん中にちょうど楽園のように位置していたこともあって、自ら

も進んで彼らを留めておかざるをえなかった。なるほど、この地帯はそのほとんどすべての文化を剝奪され、往来する遊牧民集団による略奪に何百年来さらされてきたため、現在ではその魅力の多くを失っている。しかしそれでもいくつかの地帯は、これらを称賛してやまない古代の著作家たちに共通する証言の正しさを今なお裏づけている。[*16] したがってこの沿岸地帯こそが、われわれの世界史の最初に位置する君主政体の祖国であり、同時にまた有益な技術が早くから実践されていた場所でもあった。

すなわち、移動しながら暮らす遊牧民にあって野心的な族長が当然のように思いついたのは、ユーフラテス河の美しい沿岸地帯を自分のものとし、それを保持するために多くの遊牧民集団を自分の側に引きつけておくことであった。ヘブライ人による伝承はこの族長をニムロドと呼んでおり、[14] バベル、エデッサ、[15] ニシビス、[16] クテシフォン[17] といった都市によって王国を築いたとされる。ちなみに伝承は、その近隣にレーセン、[18] ニネヴェ、アディアバネ、[19] カルフ[20] といった都市によるもう一つの国であるアッシリア王国を対置させている。この両王国の位置はそれらの自然や発生と相俟って、その後も両王国の滅亡に至るまで繰り延ばされた運命の糸全体を結び合わせる。実際この両王国は、いくつもの異なる民族や部族によって築かれ、しかも互いにあまりに近い位置にあったため、この地域を移動する遊牧民集団の気性からして相互に敵対し、何度も一方が他方の支配下に入ったりしているうちに、北方の山岳民族の襲来によって壊滅的に分割されるしかなかった。これはティグリス河とユーフラテス河沿岸に位置した王国の歴史についての短い記述であるが、なにぶん古い時代の、しかもいくつもの民族の口承による断片的伝承ということもあり、混乱があるのもやむをえなかった。しかしこうした年代記や説話の一致している点は、この両王国の起源と精神と体制である。この両王国はどちらも小さな遊牧民族を端緒として生れ、侵略を事とする遊牧民集団の性格もずっと保持されていた。この両王国で台頭した専制政治、そして特にバビロンを有名にした多種多様な技術の知恵でさえも、この地域の精神と、居住民の国民としての性格の中にことごとく内在している。

いったいこれらの世界史上の伝説的な君主たちが築いた最初の都市とは、どのようなものだったのか？　それは防備を固めた遊牧民の大集団であり、この豊饒な地域を享受し、他民族の略奪に出かけた部族の堅固な陣営であった。こうしてバビロンは両大河のあいだにその基礎を置くと、たちまち広大な領地を獲得し、さらには巨大な城壁と塔を築いた。遊牧民の広大な陣営を護るべく築かれた城壁は、焼いた粘土からできた高くて厚い塁壁であり、塔は見張りのためのものであった。随所に庭園を配する都市の全体は、アリストテレスの表現を借りるならば、一つのペロポネソスであった(21)。この地域は遊牧民のこうした建築方法に豊富な素材を提供した。すなわち煉瓦に用いる粘土と、煉瓦が互いにくっつくようにするためのアスファルトである。このようにして自然は人間の作業を容易ならしめた。そして遊牧民のやり方でいったん施設が作られると、彼らはそれらをまさに自分たちのやり方に従って、つまり彼らが集団で遠征し、略奪を行うことによってまた容易に充実かつ壮麗なものにすることができた。

しかしニノス(22)やセミラーミスなどによる名高い征服は、アラブ人やクルド人(23)やトルクメン人が今なお行っているような略奪と何が違うのか？　アッシリア人は民族としての特性からしてさえ略奪を事とする山岳民族であり、実際また征服と略奪を繰り返してきたという特性によってしか後世には伝えられなかった。最古の時代から特にアラブ人はこれらの世界征服者に協力する者として言及される。彼らのこうした生活様式はアラビア砂漠の存続するかぎり永遠に続くことは明らかである。これより遅れて登場するカルデア人(24)は、その民族としての特性や最初の居住地からしても略奪を好むクルド人である。[*17]カルデア人が世界史において際立っているのは、ほかでもなく略奪行為によってであった。なぜなら、学問研究を通じて彼らに与えられたカルデア人という名称は、おそらく彼らがバビロニア王国ともども強奪してきた名誉な添え名にすぎないからである。言うなれば、ティグリス河とユーフラテス河に囲まれたこの美しい地域は、最古の時代はおろか近代においても、移動する遊牧民族、もしくは略奪を繰り返す民族の集合地と見なすことができる。しかしそれらの民族は、ここに確保した場所へと獲物を運んだまではよかったが、けっきょくはこの官能的で温暖な土地それ自身に懐柔され、贅沢のあげく気力も失ううちに他の民族の餌食となった。

セミラーミスはもちろん、ネブカドネザル(25)のような王の誇りとした芸術作品が語っていることも、これとほとんど変わらない。アッシリア人の最も初期の移動はエジプトにまで及んでいた。それに伴い、この平和を好み礼儀正しい民族の芸術作品も、おそらくバベルの都市を美しく飾るにあたって第一の手本となったと思われる。有名で巨大なベルス神殿(26)、それにこの大都市の煉瓦造りの城壁上に並ぶ彫刻は、まったくエジプト風であるように思われる。伝説上の女王セミラーミスがバギスタン(27)の山の背に自分の像を彫らせるためにこの山にまで出向いたことも、たしかにエジプトを模倣したものだった。もっとも、彼女がこの遠方に赴くことを余儀なくされたのは、アッシリアという南方の土地が、エジプトとは違って彼女を永遠に記念するための花崗岩の塊を提供しなかったからである。他方、ネブカドネザルの作り出したものも巨大な彫像、煉瓦造りの宮殿、空中庭園のほかには何もなかった。彼は素材や技術の点で得られなかったものを大きさで凌駕しようとし、貧弱な記念碑には少なくとも快適な庭園によってバビロン的な性格を与えた。それゆえ私としては、これらの巨大な粘土の塊が無に帰したことをさほど遺憾に思わない。実際それらは高次の芸術作品ではなかった。むしろ私にとって願わしいのは、誰かがそれらの瓦礫の山からカルデア文字[28]の書かれた粘土板を探し出してくれることだ。多くの旅行者の証言によれば、たしかにその中に見つかると思われるのだが。[*18]

元来この地域の財産は、その自然状況からも要求されたように、エジプト風の技術ではなく遊牧民族としての技術であり、それは後に交易の技術となる。ユーフラテス河は氾濫するので、より広大な地域の土地がこの河から豊かな実りを得るためにも、いくつもの水路によって水を他所へ引かねばならなかった。こうしてエジプト人の教えを乞わなくとも、水車やポンプ装置は案出された。かつては人も住み豊饒であった地域も、これらの河川からいくらかでも離れると、勤勉な働き手に欠けるため今は窮乏している。牧畜から農耕に転ずるのは、ここでは容易なことだった。というのも、自然自身が定住者を農耕へと誘ったからである。この沿岸地帯の美しい果樹や野菜は自然の途方もない力でもって大地から吹き出し、彼らによる世話の僅かな労苦に豊かな実りで報いるので、ほとんど知らぬ間に牧人を農夫や園丁にした。美しいナツメヤシの森は、不安定な天幕に代えて牧人に住宅用の丸太と食料用の果実を与えた。簡単に焼ける粘土は住宅の造りを改善し、天幕の居住者は知らないうちに粘土造りではあるが、ずっとましな住居に入っていた。この粘土こそが居住者に種々の器とともに家庭生活に無数の便利さをもたらした。彼らはパンを焼き、食物を調理することを覚え、ついには交易を通じてあの贅沢な饗宴や祝祭にまで至り、これによってバビロニア人は非常に古い時代から有名になった。彼らは焼いた粘土で小さな守り神像テラピム(29)を造ると、ただちにまた巨大な彫像を焼いて造ることを覚え、それらの雛型から金属鋳造のさまざまな鋳型へといとも容易に進んだ。彼らは柔らかい粘土に絵や文字を刻み込み、それらを火によって固定した。それによって彼らは、焼かれた煉瓦に以前の時代の知識をそれと知らずに保存することを学ぶとともに、先人による観察をさらに発展させた。天文学でさえ、この地域の遊牧民による幸運な案出だった。牧人は家畜の番をしながら、この地域の広大で美しい平原に腰をおろし、自分の眼前に広がる無限の晴朗な地平線上に星々が煌めきながら昇ったり沈んだりするのを、ゆったりと何をするでもなく見つめた。彼は自分のヒツジに名をつけたように星々にも名をつけ、それらの変化を記憶に書きとめた。バビロンの家々の平らな屋根の上では、人々が昼間の暑さの過ぎた後に気持ちよく休息をとったが、そこでこうした観察は続けられた。そしてついには観察のために特別に設立された教団が、この魅力的であるとともに不可欠な学問を引き受け、天空の年鑑をその後の時代もずっと書きつづけた。こうして自然は自ら人間を知識や学問へと引き寄せた。それゆえ、自然によるこれらの贈り物もまた他の何らかの地球産物と同じように、それぞれの地域が産み出したものなのだ。コーカサス山脈の麓(ふもと)では、自然は石油の一種であるナフサの源泉を通じて人間に火を与えた。したがってプロメテウスの寓話は明らかにこの地方に由来している。ユーフラテス河沿いの心地よいナツメヤシの森では、移動して歩く牧人を、自然がその穏やかな力でもって特定の土地や都市の勤勉な定住者に育て上げた。

　バビロニア人による他の一連の技術も、この地域が昔から東洋と西洋の交易における中心地であった点と、今後もそうだろうという点から生れた。ペルシアの中部では海に注ぐ河川が一つもないため、有名な国家は形成されなかった。これに比べるとインダス河、ガンジス河、そしてここティグリス河とユーフラテス河の沿岸では、地球の何と活発な拠点が形成されたことか！　ここはペルシア湾が近くにあり、そこに早くから集積したインドの商品はまたバビロンを富裕にするとともに、勤勉な交易の母にもした。[*19] 亜麻布、絨毯、刺繍、その他の衣類に見られるバビロンの豪華さは有名である。富は奢侈(しゃし)を産み出した。奢侈と勤勉はアジアの他の地域におけるよりも男女を接近させたが、これには何人かの女王による統治が少なからず寄与していた。要するに、バビロニア人の形成は、ことごとくその地理的位置と生活様式から出発した。それゆえ、世界のまさにこの場所で、このような動因があるにもかかわらず注目すべきものを何一つ産み出さなかったとすれば、それこそ奇蹟であろう。自然は地球上で特に好む場所を持っている。なかでもそれは大河の沿岸と選り抜きの海岸地方であり、これらの場所は人間の活動を覚醒させ、そしてこれに報いる。ナイル河沿いにエジプトが、またガンジス河沿いにインドが生れたのと同じように、ここではニネヴェとバベルが、後にはセレウキア(30)とパルミラ(31)が創られた。ただ、もしアレクサンドロス大王がバベルを起点として世界を統治するという願望を実現していたならば、この魅力的な地域は何世紀にもわたって何と異なった形態を獲得していたことか！

アッシリア人とバビロニア人は文字の案出にも関与している。文字は西方アジアの遊牧民族が、はるか太古の昔から自分たちの長所に数え入れてきた財産である。この傑出した案出がどの民族の手に帰されるべきかは問わないでおこう。[*20] ただ、いずれにせよアラム人(32)のどの部族も太古世界からのこの贈り物を誇ったが、宗教に対する一種の反感もあって象形文字を嫌悪した。それゆえ私も、バビロニア人が象形文字を使用していたと自信をもって言うことはできない。なるほど、彼らの占い師は星、出来事、偶然、夢、秘密(33)の筆跡は占ったが、[*21] 象形文字は扱わなかった。かの贅沢三昧に暮らすベルシャツァル王に現れた運命の文字も音節文字(34)だった。それは図象としてではなく、東方の書法に従って錯綜した筆跡で彼に現れた。セミラーミスが城壁に彫らせたという絵や、彼女が自分の肖像に添えて岩壁に刻み込ませたシリア語の文字でさえ、これらの民族が最古の時代にあっては象形文字と何の関係もなく文字を使用していたことを実証している。バビロニア人が文字で書かれた契約書や自国の年鑑や天体観測の継続報告をこうも早い時期からすでに持つことができたのも、象形文字とは関係のない文字によってのみ可能であった。またこうした文字によってだけでも、彼らは文明化された民族としてそもそも世界の記憶に刻み込まれた。たしかに彼らによる天文学上の記録はまだアリストテレスには送り届けられることができたけれども、彼らの文字も含めて、われわれには何一つ伝えられなかった。しかしそれでも、この民族がこれらのものを所有していただけでも十分称賛に値する。

ところで、カルデア人の知恵といっても、われわれのいう知恵のようなものを考えてはならない。バビロンの持っていた学問は閉鎖的な学者集団に委ねられていたが、彼らはこの国が滅亡するときには卑劣な裏切り者となった。カルデア人が自らカルデア人と称したのは、おそらく彼らがバビロンを支配した時代からであろう。なぜなら、バアルの時代このかた、学者集団は国家教団にして統治者たちの財団であったため、カルデア人は統治者たちの国名を名乗ることによって統治者たちに巧みに取り入ったからである。カルデア人は宮廷哲学者であり、またそのような者として宮廷哲学のあらゆる欺瞞や下劣な技巧へと堕落した。彼らは多分こうした時代においては自分たちの古くからの学問を、中国の政府が行ったほどには増大させなかった。

この美しい地域は幸福であると同時に不幸でもあった。というのも、この地域は山岳地帯の近くに位置し、しかもその山地から非常に多くの未開民族が押し寄せてきたからである。アッシリア人とバビロニア人の国はカルデア人とメディア人によって征服され、カルデア人とメディア人はまたペルシア人によって征服され、ついにはすべてが隷属させられた砂漠となり、国の所在地は北方地域に移った。それゆえ戦争についても国家体制についても、われわれはこれらの国から学ぶべきことはあまりない。彼らの攻撃は粗暴で、征服もたんなる略奪にすぎず、政治体制はこれらの地域の東方諸国においてサトラップ(35)と呼ばれる地方総督によってほとんど例外なく行われていた悲惨なものだった。実際これらの君主政の不安定な形態や、こうした政体に対する度重なる反逆はここから生れ、一つの都市だけを占拠し、一度か二度ほど重要な戦果を挙げれば国全体が崩壊する結果となった。なるほどアルバセス(36)は国が最初に崩壊した後にすぐにも地方総督の連合による一種の貴族政を樹立しようとしたが、これはそもそもメディア人やアラム人のどの部族も専制政治という支配体制しか知らなかったために成功しなかった。彼らは遊牧民の生活から出発していた。したがって家父長および族長としての王の姿は彼らの理解するところだったが、こうした人物が個々の部族の中にもはや存在しなくなると、政治上の自由、あるいは多数による共同支配には何らの余地も与えられなかった。天空で輝く太陽が一つであるのと同じように、地上でも支配者は一人であるべきだった。事実またこの支配者は間もなく太陽の壮麗さ全体に、それどころか地上の神という輝きに包み込まれることとなった。すべては彼の恩寵から流れ出た。彼という人物にすべては依存した。この人物の中に国家は生き、ほとんどの場合この人物とともに滅亡した。諸侯の宮廷はハレムと呼ばれる後宮であった。彼が知っていたのは金銀と男女の召使、牧草地のように所有した土地、絞殺しないまでも自分の思うところへ駆り立てた人間の群れだけであった。何と野蛮な遊牧民政治だろうか！　それはたとえこの政治が稀に産み出す立派な君主のもとで、民族の真の牧人と父を持っていたとしても同じことだ。

＊16　ビュッシングによる『地理学』(37) 第五部、第一節を参照。

＊17　『オリエント文献目録』第八部、一一三頁以下に所収の、シュレーツァーによる『カルデア人について』(38) を参照。

＊18　アルトシェ(39) の廃墟に関するデッラ・ヴァッレ(40) の報告やヒッラの廃墟に関するニーブールの報告(41) などを参照。

＊19　アイヒホルンによる『東インド交易の歴史』一二頁。[42] ガッテラーによる『共時的普遍史序論』[43] 七七頁。

＊20　これについては他の箇所で言及する。[44]

＊21　「ダニエル書」五、五―一二五。

二　メディア人とペルシア人

世界史において戦争と奢侈によって知られているメディア人は、案出あるいは国家の優れた制度によって頭角を現すことは一度もなかった。彼らは北方の、その大部分が荒涼とした土地にあって勇敢な山岳騎馬民族だった。このような民族として彼らは古いアッシリア王国を転覆させた。もっとも、そのときこの国のスルタンたちは後宮で惰眠に耽っていたのだが。メディア人はまた新しいアッシリア王国からもただちに退却した。しかし彼らは同じくらい速やかに自分たちの利口なデイオケス王(45)によって厳格な君主政の支配下に置かれるが、この政体は豪華さと奢侈の点で、結果としてペルシア人よりも一歩先んじるものとなった。ただ最終的にメディア人は偉大なキュロス王(46)のもとで諸民族の大きな流れに、それもペルシアの君主たちを世界の支配者にまで高めた流れに組み込まれてしまう。

もしその人の歴史が文学作品となるように思われる君主がいるとすれば、それはペルシア帝国の創設者キュロス王である。私としても読者諸賢がこの神々の子であるキュロス王、諸民族の征服者にして立法者であるキュロス王についてヘブライ人あるいはペルシア人、ヘロドトスもしくはクセノフォン[47]が記述したものを読んでほしいと願っている。優れた歴史家のクセノフォンがキュロス王に見られるような帝王教育の理念をすでに自分の師ソクラテスから得ていたことは明らかだ。クセノフォンはアジアへの遠征に際してキュロス王に関する真の情報を収集したが、とうの昔にこの王が死んでいたため、それらの情報はアジア的な方法で、すなわちアジアの諸民族が自分たちの王や英雄について記述する際に常に用いる高揚した称賛という調子によってしかキュロス王のことを語れなかった。こうしてクセノフォンはキュロス王に対しては、ホメロスがアキレウスとオデュッセウスに対するのと同じ関係になった。ただ、詩人のホメロスはアキレウスとオデュッセウスのことを語るときには、同時に真の情報にも基礎を置いていた。しかしわれわれにとっては、誰がより真のことを語るのかは問題ではない。キュロス王がアジアを征服し、地中海からインダス河にまで達する国を建設したということで十分である。キュロス王を育てた古代ペルシア人の習俗についてクセノフォンが真のことを語ったとすれば、ドイツ人はこの民族とおそらく近親民族であることを喜ぶかもしれないし、実際ドイツ人のどの王子にもクセノフォンによる『キュロスの教育[48]』を読んでほしいものである。

　だが汝、偉大にして傑出したキュロス王よ、私の声がパサルガダエ(49)の汝の墓にまで届くことがあるなら、その声は汝の塵に、どうして汝はこのような征服者になったのか？と尋ねるだろう。汝は若さにまかせた勝利の過程において次のことを、すなわち、汝の名のもとに束縛された無数の民族や見渡しきれないほど多くの土地が汝とその子孫のいったい何の役に立つのかということをよく考えてみただろうか？　汝の精神は子孫全員に現前し、後世のあらゆる世代に生きて作用を及ぼすことができただろうか？　もしそうでないとしたら、子孫にかくもさまざまなものが縫い込まれた王の緋衣をまとわせる汝は、何という重荷を彼らに負わせるのか？　そうすれば、緋衣の縫い込まれた部分はばらばらになるか、あるいはこれをまとっている者を押しつぶす。実際これがキュロス王の後継者たちのもとでのペルシア帝国の歴史であった。キュロス王の征服精神は後継者たちにひどく高い目標を与えたため、それ以上の領土拡大は不可能だったにもかかわらず、彼らは領土を拡大しようとした。こうして彼らは略奪を重ねながら所かまわず出征し、あげくの果てには憤激した敵の名誉心の犠牲となって自ら悲劇的な最期をとげた。ペルシア帝国は辛うじて二〇〇年続いたが、これだけ続いたのも不思議なくらいだ。なぜなら、この帝国の根はあれほど小さかったのに、その反対に枝が大きすぎたために必然的に倒れざるをえなかったからである。

いつか人類という領域において人間らしさがしかるべき場所を獲得するとしたら、われわれはまず、わずかな世代のあいだに自らを滅亡させずにおかないあの恐ろしい征服精神を、人類の歴史から放棄することを学ぶべきだろう。汝ら、ペルシア帝国を率いる者たちは、人間を家畜の群れのように追い立て、生命のない物質のように結びつけるだけであり、こうした扱いを受ける人間の中にも生きた精神が存在することや、それが汝らの帝国という建造物の最も末端にして最も外側の部分を引きちぎり、汝らを粉砕することを考えもしないのだ。一つの民族からなる国は家族であり、家政にも十分な秩序がある。その国は自分自身を基礎としている。事実その国は自然によって築かれ、ただ時代とともに存立もすれば倒壊もする。一〇〇の民族と一二〇の地方を無理やり寄せ集めた国は怪物であり、とても国家体などと呼べる代物（しろもの）ではない。

ペルシアの君主政は最初からこのようなものだった。しかしそれがいっそう鮮明になったのはキュロス王の時代が終わってすぐのことである。父のキュロス王以上に征服欲に燃えていた不肖の息子は、無謀とも思えるほどエジプトやエチオピアに突進し、砂漠での飢餓によって、ようやく押し戻される有様だった。彼とその国はこれによって何を得たのか？　征服された国々は彼からどのような利益を得たのか？　彼はエジプトを荒廃させ、テーベ(50)の壮麗な神殿と芸術遺産を台無しにした愚かな破壊者なのだ！　殺戮された世代は他の世代によって取って代わられるが、このような芸術作品は二つと同じものがない。それらは今なお探索されず、またほとんど把握もされずに廃墟に埋もれたままになっている。この地を訪れる者はみな、古代世界のこれらの財宝を何の理由も目的もなくわれわれから奪った泥酔者を呪わずにはいられない。

このカンビュセス王(51)が自身による狂暴の罰を受けるか受けないかのうちに賢明なダレイオス王(52)は統治を引き継ぐのだが、それさえも前者の轍を踏むものだった。ダレイオス王はスキタイ人とインド人を襲撃し、トラキア人(53)とマケドニア人(54)を略奪した。しかし彼が全力を注いで無理やり手にしたものは、マケドニアで撒き散らした火の粉だけだった。しかもその火の粉は、いつか彼の名を継ぐ最後の王の頭上に火炎を吹き上げさせることになる。ギリシア人に対する彼の侵攻は成功しなかったし、その後継者であるクセルクセス(55)はもっと不幸な結果に終わった。いずれにしても、これらの暴挙ともいえる遠征に際して、ペルシア世界全体が無謀な侵略者に捧げることを余儀なくされた船舶や諸民族の一覧表をわれわれが読むときに、またユーフラテス河、ナイル河、インダス河、アラス河(56)、ハリュス河(57)沿岸の不当に抑圧された国々が反乱を起こすたびに流される血の海を、それも一度ペルシア領になったものをずっとペルシア領にしておくためにだけ流される血の海を目にするときに、われわれの流す涙は、クセルクセスが自分の罪なき羊たちが屠殺されるのを見やって流した気弱な涙などではなく、諸民族に敵対するかくも愚劣な国がその額にキュロスという名前を戴いていることへの怒りの血涙なのだ。ペルシアから出た略奪者のなかで、自分が破壊したか破壊しようとしたバビロン、テーベ、シドン、ギリシア、アテナイのような国々や都市や文化遺産を、世界のために創設した者がいたろうか？　また創設するだけの力があったろうか？

すべての悪と同じく、いかなる強権も自滅するのは運命の苛酷ではあるが良い法則である。ペルシアの崩壊はキュロス王の死をもって始まった。なるほどペルシア帝国は特にダレイオス王の諸施設によってなお一世紀にわたって外目には栄光を保っていたが、内部には専制国に必ずいる蛆虫が喰い込んでいた。キュロス王は支配権を総督たちに分配したが、同時にまたすべての地方を通じて迅速な連絡網を張りめぐらし、これを監視するとともに、自らの人望によって総督たちを制御した。ダレイオス王は、国あるいは少なくとも宮廷をより精細に区分し、公正で活動的な支配者としてその高い地位に立っていた。しかしその後に専制君主たるべく生れた王たちは間もなく臆病な暴君となった。クセルクセスはギリシアからの屈辱的な敗走の途上ですら、しかもまったく別の事柄に思いを致すべきであったのに、すでにサルディス[58]で醜悪な情事に手を染めていた。彼の後継者たちの大部分も同じような道を辿り、そのためペルシアのその後の歴史が提供する特筆すべき事件といえば、贈収賄、反逆、裏切り、暗殺、不成功に終わった企てなどがほとんどすべてだった。貴族の精神が堕落すると、人民もともに堕落した。最後にはどの支配者の生命といえども安全ではなくなり、玉座は立派な君主たちの足元でも動揺した。そしてついにはアレクサンドロス大王がアジアに遠征し、ほんの数回の戦いでこの内部から不安定になっている国に恐るべき終末をもたらした。しかも不幸なことに、この運命は、もっと恵まれた幸福に与る(あずか)に値した一人の王(59)にふりかかった。彼は罪なくして父祖たちの罪を償いながら、卑劣な裏切りによって命を失った。もし世界の歴史が特筆大書してわれわれに次のことを、すなわち、放縦は自らを堕落させること、際限もなくまたほとんど法則もない権力は最も恐るべき弱点であること、そしてサトラップと呼ばれる地方総督によるいかなる統治もそれが脆弱なものであれば統治者はおろか人民にとっても非常に危険な毒になることを語るとすれば、それはまさにペルシアの歴史の語るところである。

それゆえ、この国は他のどんな国にも有益な影響を与えなかった。事実この国は破壊こそすれ建設はしなかった。この国は地方に強要して、或る地方には王妃の帯に、また或る地方には王妃の髪もしくは首飾りに屈辱的な貢ぎ物を捧げさせた。この国は地方を相互に結びつけたが、それは立派な法や制度によるものではなかった。この国の君主たちが有していたすべての輝き、すべての神々しい壮麗さと恐ろしいほどの崇高さは今や消え去った。サトラップも寵臣も彼らと同じく灰燼(かいじん)に帰し、彼らの強奪した金貨もおそらくまた同様に地中に埋まっていることだろう。この国の君主たちの歴史そのものが作り話であり、しかもそれは東洋人やギリシア人の口承によるまったくまとまりのないものである。古代ペルシアの諸言語もまた生命を失った。しかもそれらの壮麗さの唯一の名残であるペルセポリスの残骸は、その美しい筆跡と巨大な像とともに現在に至るまで謎に包まれた廃墟なのだ。スルタンと呼ばれるこれらの君主たちに運命は復讐した。毒を含む南風シムームによるように彼らは地上から吹き払われた。ギリシア人のもとでのように彼らの思い出が生きているところでは、その思い出が、いっそう名誉に満ちた、そしていっそう素晴らしい偉大さの基礎であるだけに、それは屈辱のうちに生きている。

＊

ペルシア人の精神遺産から、時がわれわれに授けてくれた唯一のものは、それがもし本物と証明されればの話ではあるが、ゾロアスターの一連の書物であろう。[*22] しかしこれらの書物は、この民族の宗教に関する他の多くの報告とほとんど符合していない。またこれらの書物には、明らかにバラモン教徒やキリスト教徒の後世の意見が混入している形跡が見られ、そのため教説の基礎部分だけが純粋にゾロアスターのものと認められる。しかもこうした部分は、容易にその発生の場へと還元しうるものである。すなわち、古代のペルシア人はあらゆる未開の民族、なかでも山地の民族と同じように、世界に生命を与える四大の崇拝者であった。しかし古代のペルシア人はずっと未開のままでいたのではなく、幾多の戦勝を経て、奢侈のほとんど頂点にまで登りつめた。そこで彼らもいきおいアジアの流儀に従って、さらに洗練された宗教の体系、もしくは儀式を手にすることが必要になった。そして実際これを彼らのゾロアスター、ペルシア語でザラスシュトラが、ダレイオス王とヒュスタスペス王の支援を受けて彼らに授けた(60)。言うまでもなく、この体系にあってはペルシアの支配体制における儀式が基礎となっている。たとえば七人の君侯が王の玉座を取り巻いて立っているように、七人の精霊が神の前に立ち、すべての世界を通じて神の命令を遂行する。善い光の存在オルムツド神は、闇の領主アーリマンと絶えず戦わねばならないが、この戦いではすべての善いものがオルムツドに味方する。このオルムツドこそ国家概念であり、これはゼンド・アヴェスターにおいてペルシアの敵の化身、それも一貫してアーリマンの従者、すなわち悪霊として姿を現すペルシアの敵の化身によってさえも十分に明らかにされる。この宗教のあらゆる道徳上の戒律も政治に関わっている。またそれらは心身の純潔と家族の和合や相互的奉仕への情熱とも関連している。それらの戒律が奨励するのは、農耕および有益な樹木の栽培、悪霊の大群が生きた形姿をとって現れる害虫の駆除、礼節の尊重、結婚への早期の決断と多産、子どもの教育、王と臣下への敬意、国家に対する愛である。しかもこれらはみなペルシアの流儀に従って行われる。要するに、この宗教体系の基盤は自ずと政治的宗教として現れるが、その宗教はダレイオスの時代にはペルシアという国以外では考え出されもしなければ、導入もされなかったようなものである。こうした宗教にあっては、必然的に国民としての古くからの観念や迷信による考え方も根底にあるに違いなかった。火の崇拝はその一例である。これはカスピ海沿岸のナフサ油泉のほとりで見られる確かに古い祭式だった。もっとも、ゾロアスターの流儀によって多くの地域で行われる拝火神殿の建設は後の時代のものである。さらに前述の政治的宗教に属するものとしては、身体を浄めることにまつわる数多くの迷信的慣習や、悪霊に対する非常な恐怖心、それも官能に結びつくほとんどあらゆる事物にあってパールシー教徒の祈禱や祈願や献身の根底にもある恐怖心が挙げられる。これらすべてのことは、自らのためにこの宗教を案出した民族が、当時まだいかに低い精神文化の段階にあったかを示している。これはまたわれわれが古代のペルシア人ついて持っている見解とも矛盾しない。けっきょくこの宗教体系にあっては、その一部だけが自然の一般的な理解を目ざしているが、これらの理解はことごとく魔術師たちの教義から得られたもので、それをゾロアスターがこの宗教体系の流儀に従って洗練し、高尚なものにしたにすぎない。彼は創造の両原理である光と闇を、彼が無限の時と呼ぶ永遠の高次な存在に服従させ、いたるところで悪を善によって克服させるとともに、すべてが清浄な光の国に安住するように、最後には善に悪を呑み込ませる。こうした側面から見れば、ゾロアスターの国家的宗教は一種の哲学的な弁神論となる。(61) もちろんそれは、彼の時代およびこの宗教において支配的であった諸観念によってもたらされえたものではあるが。

同時にこうした起源からは、ゾロアスターの宗教が、バラモンあるいはラマ僧の制度のような堅固さに到達できなかった原因も明らかになる。専制政治の国がこの宗教よりもずっと前に創設されていたため、この宗教は教義をバラモンあるいはラマ僧の制度に順応させた一種の僧侶宗教にすぎなかったか、もしくはそのようなものにしかならなかった。ちなみにダレイオス王は、実際にペルシアの有力階級であった魔術師たちを力ずくで弾圧する一方で、王には精神上の束縛しかもたらさないこの宗教を好み、進んで取り入れた。しかしそれでもこのような宗教は、なるほど一世紀間は支配的宗教となったが、やはりたんなる一宗派たらざるをえなかった。一方でゾロアスターの宗教はさらに広く普及し、西方はメディアを越えてカッパドキア[62]にまで及び、そこではストラボン[63]の時代にもなお拝火神殿が立っていた。また東方はインダス河にまで達していた。しかし内部に動乱の生じていたペルシア帝国が、アレクサンドロス大王の戦勝のもとで完全に崩壊したのを機に、この国家宗教も終焉を迎えた。オルムッド神によって創られた七人の精霊アムシャ・スプンタは、もはやオルムッド神に奉仕せず、その神像もペルシアの玉座に置かれることはなかった。すなわち、この宗教は自分の時代以上に生きてしまったので、ユダヤ教が自国外でそうであったように、たんなる影法師にすぎなくなった。ギリシア人はこの宗教に寛容であったが、何といってもイスラム教徒[64]はこれに言語に絶する苛酷な迫害を加えたため、その哀れな残党はインドの片隅に逃れた。彼らはこの地で太古世界の残骸のように、理由も目的もなく自分たちの古くからの、それもペルシアの君主政体でしか認められないような信仰と迷信を維持し、これにおそらく自分自身でも知らないうちに、運命が彼らを投げ込んだ民族の考えを加えていった。こうした増殖の仕方は、事柄と時代による当然の成りゆきなのだ。実際その本来の地盤と環境から切り離された宗教は、どれもそれが生きている現実の世界から影響を受けざるをえない。そのような状況下でも、インドにおけるパールシー教徒の一群は温和で統制のとれた勤勉な人々であり、集団として見ても他の多くの宗教を凌駕している。彼らは仲間に貧しい者がいれば、これを手厚く援助する一方で、不埒で改善の見込みのない者は、ことごとく教団から追放する。[*23]

＊22　ダンケティーユ・デュ・ペロンによる『ゼンド・アヴェスター。ゾロアスターの著作』(パリ、一七七一年)。

＊23　ニーブールによる『旅行記』四八頁以下を参照。

三　ヘブライ人

ペルシア人を見た直後にヘブライ人に目をやると、とても小さく見える。その国は小さく、国内外の世界舞台で演じた役割も、彼らがこの舞台で征服者であったことがほとんどないため貧弱なものだった。それにもかかわらず彼らは運命の意志によって、また原因の明らかな一連の動機によって、アジアのどの民族にもまして他の民族に影響を及ぼした。それどころか、或る意味で彼らはキリスト教のみならず、イスラム教を通じて世界啓蒙の大部分の土台となった。

ヘブライ人がすでに他の民族と際立って異なっているのは、今は啓蒙されている諸民族の大部分がまだ文字を書けなかった時代から、自分たちの出来事を文書にした年代記を持っていたことである。そのため彼らはこれらの報告を敢えて世界の起源にまで遡って書き記そうとする。そのうえ他の民族と比べて彼らをいっそう有利にしているのは、これらの報告が象形文字を利用せずに、また象形文字によって曖昧なものにされたりもせずに、もっぱら部族の系譜に基づいて歴史上の伝承、あるいは歌謡を織り交ぜながら書かれていることである。こうした簡素な形態によって報告の歴史的価値は明らかに増大している。そして何よりもこれらの物語がその重要性を著しく増すのは次の二点に原因がある。一つは、神と直結する民族たるヘブライ人の特権として、これらの物語がほとんど迷信に近い誠実さでもって何千年にもわたって保持されてきたという点であり、もう一つは、それらがキリスト教を通じて諸民族の手に渡され、それらの民族によってユダヤ人の精神よりも自由な精神でもって探究され、論議され、注釈を加えられ、利用されてきたという点である。もちろん他の民族がヘブライ人について記した報告、なかでもエジプト人のマネトン(65)の手になる報告が、ヘブライ人自身の書いた歴史と甚だしく異なるのも奇妙なことではある。しかしそれでもヘブライ人自身の書いた歴史を偏りのない目で考察し、彼らの物語の精神を明らかにできれば、彼らの歴史は、ユダヤ人を軽蔑し敵視する外国人による中傷よりも、確かにずっと多くの信用を得るに値するものである。それゆえ私は、ヘブライ人の歴史を彼らの語るままの形で考察の基礎とすることを恥じるものではない。だがその一方で私としては、彼らの敵対者の語る伝承を軽蔑もしないし、それどころか利用したいとも思っている。

さてヘブライ人の最古の民族伝承によれば、彼らの大祖アブラハムは遊牧民群の族長とで耐え忍ばざるをえなかった屈辱的な抑圧から、何代目のときかは判然としないが、彼らの将来の立法者モーゼによって救い出されてアラビアに逃れるまでのことであった。この民族のなかでも最も偉大な人物であるモーゼは、アラビアの地で仕事を遂行し、同胞たちに掟を与えた。それはなるほど、彼の民族の宗教と生活様式に基づいてはいたものの、エジプトの統治術をも織り込んでいたため、一方ではヘブライ人を遊牧民群から文明化された民族へと引き上げはしたが、他方ではしかし彼らをエジプトから完全に引き離すことにもなった。もっともそれは、彼らがこの漆黒の国土に足を踏み入れる気を二度と起こさせないようにするためであったと思われる。モーゼの掟はどれもみな驚ほどよく考え抜かれている。それはヘブライ人の精神を生活のあらゆる境遇においてとらえ、モーゼもことあるごとに述べているように、永遠の掟となるべく、最も重要な事こともなく牧人としての生活を続けた。[66] しかしそれも彼らが牧人としてエジプト人のも一人の人物の格別な幸運によってエジプトに移り住み、そこで土地の住民と混じり合うる場所だったからである。大祖から三代目のときに、その子孫たちは或る家族から出たしての生活方法を継続し、また祖先の崇拝した神に民族固有の仕方で仕えることのでき土地を見出した。というのも、この土地は彼にとって何の障害もなく祖先以来の牧人ととしてユーフラテス河を越えて、パレスチナにまでやって来た。ここに彼は意に適った柄から最も些細な事柄にまで及んでいる。しかもこの十分に考えられた掟は、与えられた時点で完成する仕事でもなかった。立法者のモーゼは事情の要求するところに従って追加を行い、まだ存命中にヘブライ人全体に、将来の政治体制を遵守することを誓わせた。四〇年にわたって彼は自らの戒律を厳格に重んじた。それどころか多分このせいでヘブライ人もみなずっと長いあいだアラビアの砂漠にとどまらざるをえなくなったのだろう。もっともそれは、モーゼによるこうした慣習のなかで育った新たな世代が、最初の頑固な世代の死後にこれらの慣習に完全に適応したうえで、最終的に父祖たちの土地で生活できるようになれば、と願ってのことであった。しかし残念ながらこの愛国者の願いは叶えられなかった！　年老いたモーゼは念願の土地の境界まで来て亡くなった。彼の後継者がこの土地になだれ込んだときには、この後継者には立法者の構想を完全に遵守するだけの名望も勢いもなかった。ヘブライ人は当然なすべき程度の征服もそれ以上に行わず、あまりにも性急にこの土地を分割し、安住してしまった。いくつかの最も強い部族が最大の地域を独占し、そのため力の弱い同胞はほとんど落ち着く場所も見出せず、そのなかの一族は離散せざるをえなかった。[*24]さらにまた、この土地には多くの少数民族が残っていた。それゆえイスラエルは強力な宿敵を自国内に抱えたまま、国の内外でまとまった安定性を欠いていたために、主によってあらかじめ指示されていた境界を守るのがやっとだった。こうした不完全な状況は不安定な時代を産み出さざるをえず、外から攻め込まれるヘブライ人は、そのためにまったく落ち着く暇もなかった。このような苦境によって目覚めさせられた指導者たちも、たいていは略奪を行う勝者にすぎなかった。それでもヘブライ人はようやく王を立てることができた。しかしそれらの王たちはみな部族に分割されていた自分の領土の統治にあまりにも労力を使ったため、三代目の王がこのばらばらになった国全体の最後の王ということになった。国の六分の五は彼の後継者から離反し、一国を成した。そうすると強大な敵が隣にいながら互いに戦争ばかりしている二つのかくも弱い王国は、いったいどうなったか？　元来イスラエル王国は、掟に従った法体制を持っていなかった。それゆえ、この王国が他国の固有の神々を礼拝したのは、自らの競争相手と、それも古くからの掟に従った土地の神を崇拝する競争相手と一緒にならないようにするためでしかなかった。この民族の語るところによれば、イスラエルに敬神の念の篤い王がいなかったのは、けだし当然のことである。もしそのような王が実際にいたら、その民族はエルサレムに移住し、分裂した統治も終息していただろう。しかし彼らが他国の風俗習慣の不埒きわまりない模倣に憂き身をやつしているうちに、ついにはアッシリアの王がやって来て、この小国をたまたま見つけた鳥の巣のように略奪した。もう一方の王国であるユダ王国(67)は、二人の強大な王による古くからの法体制と堅固な首都を基盤としていたこともあって、イスラエルよりいくらか長続きしたが、しかしそれもいっそう強力な征服者がこの王国を我がものにしたいと思った瞬間までのことだった。すなわち、ネブカドネザルがやって来て国土を荒廃させ、まず力のない王たちから年貢を巻き上げ、彼らが反逆するとその最後の王を奴隷とした。国土を荒らされ、首都を破壊されたユダ王国の民は、イスラエルの民がメディアに連れていかれたのと同じように、バビロンに連れていかれ(68)、屈辱的な隷従を余儀なくされた。それゆえ国家として見るならば、二人の王による統治を除けば、ヘブライ人ほど惨めな姿を歴史の中でさらしている民族はない。

何がその原因だったのか？　私にはこの物語をさらに追っていけば原因が明らかになると思われる。それは、内外ともにこうしたひどい体制にある国が(69)、よりによってこのような場所で繁栄することは不可能だったからである。ダビデ王が、たとえ砂漠地をユーフラテス河に至るまで席捲し、それによって強大な国を刺激して自分の後継者をいっそう激励したとしても、ただでさえ自分の王宮が国のほとんど南端にあったというのに、それでも彼はこの国に欠けていた堅固さを与えることができたろうか？　彼の息子ソロモンは何人もの妻を外国から連れてきただけでなく、商業や奢侈も国内に移し入れた。しかもその国というのが、現在のスイス連邦と同じように牧人と農民しか養えない国であり、現実にきわめて多数のこうした者たちを抱えていた。これに加えてソロモンは商業を自国民にではなく隷属民のエドム人[70]に行わせたため、それがもたらす贅沢は彼の王国にとって有害なものだった。概してモーゼ以降、ヘブライ人には最初から、混乱した国家を時代にふさわしい基本体制に戻せるような立法者が現れなかった。学者階級は間もなく凋落し、国法のために熱心に尽力する者は多弁であったものの、手腕がなかった。王たちも、ほとんどが臆病者か祭司の傀儡だった。その結果、モーゼの企図した精妙な律法政治と、[71]一種の神権君主政治、[72]それも専制政治に満ちたこの地域のあらゆる民族においで支配的だった神権君主政治というきわめて相反する二つのものが争うことになった。そのためモーゼの律法は彼の民族にとって政治上は自由の律法であるべきだったのに、隷属の律法とならざるをえなかった。

時の経過とともに事情は変化したが、改善はされなかった。ユダヤ人がキュロス王によって、少数ではあるが捕虜の境遇から解放されて帰還したとき、彼らは異国で多くのものを学びはしたものの、真の意味での政治体制を学んでいなかった。そもそも彼らは、このようなものをどのようにしてアッシリアやカルデアにおいて学びえたろうか？　彼らは王侯政治と祭司政治のあいだで揺れ動き、神殿も造営したが、それはあたかもこのような神殿によって、モーゼやソロモンの時代をも呼び戻せるかのようであった。彼らの宗教心は今やパリサイ派流のものとなり、学識は思弁や言葉の一音節にまで拘泥するあまり、一冊の書物にかじりつくだけのものとなり、愛国心は昔の誤解された律法に執着する隷属的なものとなった。そのため彼らはすべての近隣諸民族によって軽蔑されるか、あるいは笑いものにされた。彼らはまた唯一の慰めと希望を昔の預言に託したが、それらも同じように誤解されて、彼らに空虚このうえない世界支配を確約するものとなった。こうして彼らは何世紀にもわたってシリアのギリシア人やイドゥメア人(73)やローマ人のもとで苦難に満ちた生活を送った。そしてついには歴史上、他に類例のない憤慨によって、それも博愛にあふれたその征服者自身が心を痛めるような形で、首都どころか国までもが滅ぼされた。今やユダヤ人はローマ支配下のあらゆる国に分散させられたが、まさにこの分散をきっかけとして、彼らは人類に対して影響を及ぼし始めた。それは彼らの狭い国からは、ほとんど考えもできなかったようなものだった。なぜなら、彼らは政治術や戦争術の民族としても、ましてや学問や技芸を案出する民族としても、これらの歴史全体を見ても決して際立っていなかったからである。

ユダヤ国家の滅亡する少し前に、その中心地にキリスト教が生れた。最初この宗教はユダヤ教と切り離されておらず、したがってその聖典を採用したのみならず、また特にこれに基づいて神としての救世主の使命を定めた。こうしてユダヤ人の聖典は、キリスト教を通じてその教義を信じるすべての民族の手に届いた。したがってそれらの聖典もまた、人々の理解や使用の程度に応じて、良くも悪くもキリスト教のあらゆる時代に影響を及ぼした。良い影響としては、聖典におけるモーゼの律法が、唯一の神、すなわち世界創造主の教えをすべての哲学と宗教の基礎にしたことと、聖典に見られる非常に多くの歌謡や教説という形で、人間の手になるどの書物も到達しえないほどの品位と崇高さ、そして帰依と感謝の念をもって、この神について語られていることである。これらの聖典を、たとえば中国人の書経やペルシア人の典範であるサッダー(74)やゼンド・アヴェスターとまでは言わないまでも、比較的新しいコーラン、つまりユダヤ人とキリスト教徒の教義さえをも利用したコーランとだけでも比べてみるがよい。そうすればこれらの民族が古くから有するすべての宗教書に対して、ヘブライの聖典がいかに優れているかが明らかになろう。しかも人間の知識欲にとって快適だったのは、世界の年齢と創造、悪の起源などについて、誰にでも理解できる平易な回答がこれらの聖典から得られたことである。ヘブライ人の教訓に富んだ歴史の全体や、聖典のいくつもの書に集められた純粋な道徳論は言うまでもない。ユダヤ人の暦法がどのようなものであれ、とにかくそれで世界史の出来事を配列できる一般的尺度と基準が得られ、かつ受け容れられている。ただ、文献学、解釈術、弁論術のもたらす他の多くの長所は、もちろんこれらの聖典以外の書物でも習得できるので、特に言及はしない。とにかくこれらすべてのことによって、ヘブライの聖典が人類の歴史に有益な影響を与えたことに異論の余地はない。

しかしこうしたあらゆる利益にもかかわらず、これらの聖典が誤解と濫用によって人間の知性に数多くの不利益を提供したことも歴然としている。しかも神性の威信を借りて人間の知性に影響を与えたため、事態はいっそう深刻である。モーゼの簡素にして崇高な創造の物語から、何と多くの愚にもつかない天地開闢説(てんちかいびゃく)(75)が紡ぎ出されたことか！それはまるでリンゴとヘビの咬み傷から、非常に多くの頑迷な教説や牽強付会の仮説が紡ぎ出されてきたのと同じことだ。ノアの洪水が四〇日間であったということが何世紀にもわたって自然研究者たちにとっての要(かなめ)でありつづけ、これに彼らは地球形成にまつわるすべての現象を結びつけねばならないと考えてきた。そして同じように人類史の記述者も、地球の全民族をこの神の民と一人の預言者の四つの王国(76)についての誤解された夢の中の像(77)に、何世紀にもわたって縛りつけてきた。こうして幾多の歴史が歪められたが、それはヘブライ人という一つの名前からこれらの王国を説明しようとしたからである。人間と地球と太陽の体系全体も切り詰められたが、それもヨシュアの太陽(78)と世界存続の年数を擁護するためのことにすぎなかった。しかし聖典がこのような年数を定義する目的で書かれたはずはないのだ。ユダヤの年代学や黙示録は、何と多くの偉大な人物、それもニュートン(79)のような人物から、その人物が他のもっと有意義な研究に向けたかったような時間を奪ったことか！　そればかりか道徳論や政治制度という見地においてさえも、ヘブライ人の聖典は曲解され悪用されることによって、聖典への信仰を告白した諸国民の精神に対して実際の束縛を与えた。こうした濫用を行った人々は、学問形成のさまざまな時代や段階を区別しないで、ユダヤの宗教精神の厳格さにキリスト教徒の行動指針ともなりうるような規範を求めるべきだと信じた。これらの人々は、個人の自由意志から生れた道徳的なだけのキリスト教を、ユダヤの国家宗教にしようと企てたものの、種々の矛盾が生じたため、それらを正当化するために旧約聖書のいくつかの箇所を拠り所とした。これと同じように否定しがたいことは、礼拝堂におけるヘブライ人の慣習、いや、それのみならず教会で用いられる言葉さえもが、すべてのキリスト教徒による礼拝、説教術、歌謡や連禱に影響を及ぼし、彼らによる崇拝をしばしば東洋風の独特なものにまで形成したことである。モーゼの律法は、どんな風土のもとでも、またそれぞれの民族で異なる政治体制にあっても実行されるべきものであった。それゆえ、立法と国家体制の形成を自らその根底から行ったキリスト教民族は一つもない。最も選りすぐられた長所も、こうしてさまざまに誤って適用されると数々の悪事と紙一重なのだ。事実また自然の神聖な構成要素も破壊要因となったり、最もよく効く薬も知らないうちに毒になったりしないことがあろうか？

ユダヤ民族自身は、各地に分散してからというものは、その存在を通じて地球の諸民族にとって、利用のされ方に応じて有益にもなれば有害にもなった。最初の頃、キリスト教徒はユダヤ人と見なされ、一様に軽蔑され迫害された。というのも、キリスト教徒もまたユダヤ人のように他民族を憎悪し傲慢で迷信深いという非難を背負いこんだからである。しかし後にキリスト教徒が自らユダヤ人を迫害するようになると、それがきっかけとなってユダヤ人は、商売に対する熱心さと各地への離散を通じて、ほとんどいたるところで国内の商業、特に金融業を独占するに至った。そのためヨーロッパのいくつかの未熟な民族は、自ら求めて彼らの高利の奴隷となった。なるほど、両替業を考え出したのはユダヤ人ではないが、これをあっという間に完全なものにしたのは彼らだった。なぜなら、イスラム教徒やキリスト教徒の国々における彼らの不安定さこそが、この仕事を彼らに考え出させずにはいなかったからである。それゆえ、ユダヤ人という利口な高利貸の、かくも広まった共和国のせいで、ヨーロッパの少なからぬ国が自ら商業活動を行ったり、利用したりするのを長いあいだ妨げられてきたことは否定できない。それはヨーロッパ人が、自分はユダヤ人の生業を営むにはあまりにも偉すぎると思い込み、ちょうどスパルタ人が自分たちの奴隷から農業を学ぼうとしなかったのと同じように、神聖なローマ世界の国庫奴隷から、この種の合理的で精緻な実業をほとんど学ぼうとしなかったからである。もしも誰かがユダヤ人の歴史を、彼らの離散先となったすべての国から集めてまとめるならば、それによって自然および政治の出来事として同じくらい注目に値するような人類の一光景が現れるだろう。なぜなら地球のどこを見てもユダヤ人ほど離散した民族はいないし、また彼らほど地球のあらゆる風土においてかくも顕著に、かつ、たくましく自らを維持している民族はないからである。

しかしこうしたことから次のような結論を導き出さないようにしてほしい。すなわち、この民族によって地球の全民族に対していつか惹き起こされるに違いないような変革がまだある、という迷信にも似た結論を。惹き起こされるべきであった変革は、おそらく惹き起こされている。それ以外のものについては、この民族自身の中にも歴史の類比の中にも、そうした素地はまったく現れていない。ユダヤ人の存続は、バラモンやパールシー教徒やロマ(80)の存続とまったく同じように、自然に即したものとして説明される。

それはそうと、運命の手中で、かくも影響をもたらす原動力となった民族に対して、その歴史全体を通じて明瞭に現れる大きな素質を誰も否定しようとはしないであろう。この民族は、他の民族によるどんなにひどい迫害のもとでも、たとえばアラビアの砂漠で四〇年以上も自らを維持できたように、巧妙にして抜け目なく、かつ勤勉に生計を立ててゆく術を心得ていた。この民族にはまた戦闘に対する勇気も欠けていなかった。このことはダビデやマカバイの時代が示しているが、なかでも彼らの国家が最後に滅亡するときの戦慄すべき状況によって、それはいっそう明らかである。ユダヤ人は、かつて自国内では日本人と同じように仕事好きで勤勉な民族であり、むき出しの山地を人工の棚田に変えて頂上まで耕作する技術を有し、また肥沃という点では、やはり決して世界一級の土地ではないその狭い領域全体で信じられないくらい多数の人間を養っていた。[81] もっとも、芸術に関してユダヤ人はエジプト人とフェニキア人のあいだに住んでいたけれども、ずっと未熟なままであった。そのため、彼らのソロモン神殿さえも外国の労働者が建造せざるをえなかった。[82] しかも彼らは一時的に紅海に港を所有し、地中海沿岸にあれほど近く住み、世界との交易にとって最も恵まれた位置にあり、自分の国土には非常な負担となる多くの人口を抱えていたにもかかわらず、それでも決して航海民族にはならなかった。エジプト人がそうであったように、ユダヤ人も海を恐れ、昔からむしろ他民族のもとで暮らした。こうした特徴は、すでにモーゼが力を入れて克服しようとした彼らの国民としての性格の一つである。要するに、彼らは教育に失敗した民族なのだ。というのも、彼らは自分の土地で政治上の文化を成熟させることが決してなく、したがってまた名誉や自由という真の感情にも到達しなかったからである。彼らの傑出した頭脳によって遂行された学問においては、自由な創造精神よりも、むしろ法に従う忠実さと秩序が常に見られ、それがまたそのつど彼らから愛国者としての美徳をほとんど昔からずっと奪ってきた。かつては天が自ら祖国を授けたこの神の民は、何千年来、いや、それどころか、民族として生れて以来、他民族の幹に寄生する植物(83)となっている。彼らは地球のほとんど全土において商談を重ねる狡猾な族(やから)であって、どんな迫害を受けても自らの名誉や住居、それに祖国を渇望することがまったくない。

＊24　ダンという部族(84)は、この土地の北方の西側に一区画を得た。これについては拙著『ヘブライ文学の精神』第二部(85)を参照。

四　フェニキア[86]とカルタゴ[87]

ユダヤ人とまったく異なる方法で世界に貢献したのがフェニキア人である。[88] 人間の有する最も高貴な道具の一つである硝子[89]は彼らの案出になるものであり、歴史はベロス河畔[90]におけるこの案出が偶然の原因によるものだったことを物語っている。彼らは海岸近くに住んでいたので大昔から航海を行っていた。セミラーミス女王はすでに自分の艦船をフェニキア人に造らせていた。彼らは小さな舟から次第に大きな船舶へと進み、星々、とりわけ大熊座に従って帆走することを学び、さらに攻撃を受けると、けっきょくは海戦も学ばざるをえなかった。遠く彼らは地中海もジブラルタル海峡[91]をも越えて、実にブリタニアにまで航行し、また紅海からおそらく一度ならずアフリカも周航していた。しかも彼らはこれを征服者としてではなく、商人ならびに植民市開拓者として行った。海によって隔てられていた国々を、彼らは交易や言語や美術品によって相互に結びつけ、このような交易に役立つものを巧みに案出した。彼らが習得したのは算術、金属の鋳造、それに鋳造した金属を多種多様な器や装飾品に形作ることだった。彼らは真紅色を案出し、シドン産の上等な亜麻布を製造し、ブリタニアから錫(すず)と鉛を、スペインから銀を、プロイセンから琥珀を、アフリカから金を手に入れ、それらをアジア産の商品と交換した。このように地中海全体が彼らの活動領域であり、その沿岸のあちこちに彼らは植民市を置いた。なかでもスペインのタルテッソス(92)は、彼らの三大陸間交易(93)における有名な拠点であった。彼らがヨーロッパ人に伝えた知識の多少にかかわらず、ギリシア人が彼らから学んだ文字という贈り物は、それだけでもすでに他のすべてに匹敵する価値がある。

それではどうしてフェニキア人は、かくも技術に心身を傾注して多くの功績を挙げるに至ったのか？　ひょっとしたら彼らは原初の土地の幸福な一族で、精神力と体力が自然によって等しく有利に賦与されていたのか？　決してそのようなことはない。フェニキア人についてわれわれが有しているあらゆる報告によれば、元来この民族は忌み嫌われ、場合によっては放逐されて、洞窟に住むに至った穴居人か、もしくは地球のこの地域のロマであった。彼らの姿が最初に見られるのは紅海沿岸であり、そこの荒涼とした土地で多分きわめて粗悪な食物で身を養っていたのだろう。実際に彼らが地中海沿岸に移ってからも、彼らは人間のものとは思えない慣習や残忍な宗教を保持し、それどころか住居までも相変わらずカナン[94]の岩山に構えていたのだから。カナンの古い住民についての記述[95]は、誰しもが知っているところであり、それが誇張でないことは、アラビアの穴居人に関するヨブの類似の記述*25だけでなく、カルタゴにさえ長く保存されていた野蛮な偶像崇拝の名残によっても明らかである。フェニキアの船乗りたちの慣習も他の民族からは歓迎されていない。彼らは強奪も窃盗もすれば好色で不実でもあった。そのためフェニキア人の誠実と信心という表現は、裏切りの烙印を押す諺（ことわざ）ともなった[96]。

人間を何にでもする原動力は、ほとんど例外なく困窮と境遇だった。おそらくフェニキア人は魚も採って生活していたが、紅海沿岸の砂漠にあって彼らに海という活動の場を教えたのは飢餓にほかならなかった。それで彼らが地中海沿岸に達したときには、すでに彼らは危険を冒しても、ずっと広大な海へと出ていくことができた。何がオランダ人をはじめとする大多数の航海民族を形成したのか？　困窮と境遇と偶然である*26。フェニキア人はすべてのセム系民族[97]から嫌われ軽蔑された。なぜならどのセム系民族も、このアジアの地域が自分だけに分け与えられたものと信じていたからだ。したがって他所者として侵入したこのハム系民族[98]のフェニキア人には不毛の沿岸と海しか残っていなかった。そこで地中海が多くの島と湾に恵まれている[99]ことに気づいたフェニキア人は次第に陸から陸へ、岸から岸へと、かのヘラクレスの柱を越えて外に出て、ヨーロッパの未開諸民族の中で交易のかくも豊かな収穫にありつくことができた。それはまさに自然が自ら彼らのために創ってくれた幸福な境遇の賜物にほかならなかった。地中海という盆地が太古の時代にピレネーとアルプス、アペニンとアトラスといった山脈のあいだに窪みを造り、その岬や島々が次第に港や拠点として立ち現れたとき、そこにはすでに永遠の運命によってヨーロッパ文化の辿るべき道が示されていた。もしもアジアとアフリカとヨーロッパの三大陸がつながっていたならば、おそらくヨーロッパは、タタールやアフリカ内地と同じようにほとんど文明化されなかったか、あるいは、きっともっとゆっくりと他の道を経て文明化されていただろう。われわれの地球に、フェニキアとギリシア、エトルリア(101)とローマ、スペイン(100)とカルタゴが出現しえたのも、ひとえに地中海のお蔭であり、その海岸の最初の四つの民族によってヨーロッパのすべての文化が生れた。

同じくまた陸に向かってのフェニキアの位置も恵まれたものであった。フェニキアの背後には美しいアジア全体が、その商品や案出品、そしてフェニキア人の登場するずっと以前から始められていた陸上交易とともに控えていた。こうしてフェニキア人は、アジアの人々による努力のみならず、アジア大陸が与えてくれた自然の豊かな賜物と太古の人々の長いあいだの努力をも利用した。彼らがヨーロッパにもたらした文字は、おそらく彼らの案出によるものではないが、ヨーロッパ人のあいだではフェニキア人によるものと見なされていた。同じように機織りについても、エジプト人、バビロニア人、インド人が、すでにシドン人よりも前にこれを営んでいたというのが本当のところであろう。というのも、周知のように旧世界においても新世界においても、商品はその生産地でなく、取引地の名前で呼ばれる習慣になっているからである。フェニキア人の建築術がどのような性質のものであったかは、ソロモンの神殿に見ることができる。ただしこの神殿は、その二本の貧相な柱が不思議なものとして称賛されるほどだから、多分エジプトの神殿とは比較にもならないだろう。フェニキア人の手になる建築物でわれわれに残されている唯一のものは、フェニキアとカナンの巨大な洞窟であり、それらはまさに彼らの穴居人としての美的感覚のみならず起源をも表している。エジプト人と同系統のフェニキア人は、疑いもなくこの地方に山を見つけて喜び、そこに自分たちの住居や墓、貯蔵庫や神殿を造営することができた。それらの洞窟はまだ残っているが、内部は跡形もなく消え去っている。フェニキア人が教養を誇っていた時代に蒐集し、所蔵していた書物も失われた。そのうえ彼らの歴史を記述したギリシア人自身も没落した。

ところで、努力して栄えたこれらの交易都市を、ユーフラテスならびにティグリス両河畔やコーカサスの侵略国家[102]と比較してみると、おそらく誰も躊躇しないのは次のこと、すなわち人類史に関して、どちらの側に優位を認めねばならないかということであろう。

侵略者は自分のために侵略を行うのに対して、交易民族は自分と他民族に奉仕する。後者は財貨と勤勉と学問を世界の一部に共通のものとし、そのため心ならずもフマニテートを促進せざるをえない。したがって繁栄する交易都市を破壊する侵略者ほど、自然の歩みを妨げる者はいない。なぜなら、ほとんどの場合、こうした交易都市の没落は、それらに隣接する地域がただちにそれらに取って代わらなければ、それらの関わる国々と地域全体に勤勉と生業の崩壊を招来するからである。この点でフェニキアの沿岸は幸運だった。それは置かれた位置の本性からして、アジアの交易には欠くべからざるものである。実際ネブカドネザルがシドンを攻略すると、アレクサンドリアが栄えた。とにかくこの地域から交易がまったく遠ざかるということは一度もなかった。カルタゴも豊かなテュロスの破壊を勝手に利用したが、結果としてそれ以前のフェニキアによる交易ほどヨーロッパに利益をもたらすことはできなかった。もはやそのような時代ではなかったのだ。そもそもフェニキア人の国内制度は、アジア的な君主政体から、交易が要求するような一種の共和国へと移行する初期段階の一つと見なすべきものである。(103) 王の専制権力はフェニキア人の国家内部では弱まっていたが、それは彼らが他国の侵略にまったく努力を払わなかったことと呼応している。テュロスではすでにかなりのあいだカルタゴ人の祭司が統治していたが、この統治方法はカルタゴにおいていっそう堅固な形態を獲得した。それによってこれら二つの国家は、われわれの世界史においては大きな交易共和国の最初の模範であり、その植民市はネブカドネザルやカンビュセス王のような人物がもたらしたよりも有益で良質な隷属の最初の実例である。それは人類の文化における偉大な一歩といえよう。昔から交易は産業を目覚めさせてきた。なかでも海は侵略者を制限し抑制したため、心ならずも彼らは他民族を隷属させる盗賊から徐々に平和を好む調停者となった。すなわち相互の欲求、とりわけ遠くの沿岸に新たに来着した者たちの弱い武力が原因となって諸民族は最初からいっそう公正な交流に向かった。それゆえ、後の時代にヨーロッパ人が技術を駆使したきわめて多量の武器を携えて両インドを発見したときの理不尽な挙動は、かの古代のフェニキア人を大いに赤面させるものなのだ。ヨーロッパ人は両インドの先住民を奴隷とし、十字架を伝え説きながら絶滅させたが、フェニキア人はそもそも侵略を行わなかった。彼らは耕作し、植民市を創設し、諸民族の努力を呼び覚ました。一方それらの民族もフェニキア人に欺かれながらも、結局は自分たち固有の財宝を知るに至り、それらを利用することを学んだ。いつの日か、どこかの大陸が、未開のフェニキアからギリシアが受けた恩恵を、技術に富んだヨーロッパから受けることがあるだろうか？

＊

カルタゴがヨーロッパ諸民族に与えた良い影響は、フェニキアのそれに遠く及ばなかった。その原因は、両者の置かれた時代や位置や制度がさまざまの点において変化したことにある。カルタゴがテュロスの一植民市として、遠く離れたアフリカに根をおろすにはひとかたならぬ苦労があった。そのうえまたカルタゴはアフリカの沿岸地域で、いっそう広大な領地を戦い取ることを余儀なくされたため、次第に侵略を好むようになった。それによってカルタゴは今や母国テュロスよりも立派で人工的な形態をとるに至ったが、その形態は人類に対してもこの共和国自身に対しても良い結果をもたらさなかった。すなわち、カルタゴは国家であって民族ではなかったため、国内のどの地域にも真の意味での祖国愛も民族文化も生じえなかった。カルタゴがアフリカで獲得した領土、しかもストラボンによれば第三次ポエニ戦争(104)の初めには三〇〇の都市を数えたその領土は、支配側の国家に本来属する構成員ではなく、この征服国家によって支配権を行使される隷属民から成り立っていた。またそれほど文明化されていなかったアフリカ人も、支配する側になろうと努めなかった。実際カルタゴを敵としたこの戦争においてさえ、アフリカ人は反抗的な奴隷、もしくは傭兵のような奴隷として振舞う。そのためか人間らしい文化は、カルタゴからアフリカ内部へそれほど広がらなかった。というのも、わずかな部族が城壁の中から支配を行うこの国家にとって重要だったのは、フマニテートを広めることではまったくなく、もっぱら財宝を集めることだったからである。ずっと後の時代までカルタゴで広く力を持っていた迷信。戦運に恵まれなかった将軍たちにたとえ敗戦の責任がなくとも一方的に執行された残忍な死刑。それにこの民族が外国で示すあらゆる振舞い。これらすべてが明らかにしているのは、最初から利得とアフリカ人奴隷しか求めていなかったこの貴族政体の国家が、いかに冷酷かつ貪欲であったかということである。

こうした冷酷さはカルタゴの位置や制度から十分に説明がつく。カルタゴ人にはフェニキアのような交易拠点があまりにも不安定に思われたので、それに代えて彼らは城砦を築き上げ、世界の中でもフェニキアに比べて人工的な位置というものを考え、いたるところアフリカであるかのように、すべての沿岸地の支配権を確保しようとした。しかし彼らがこれを行うには、隷属させた野蛮人か傭兵によるしかなく、そのうえほとんどの場合、もう野蛮人としては扱えない民族と戦いを交えたので、こうした戦争は流血と激しい反目を惹き起こすしかなかった。美しいシチリア、なかでもシラクサ[105]は、彼らによって頻繁に、しかも最初はただクセルクセスとの同盟という名目だけを理由に襲撃されたことからも明らかなように、きわめて不当に攻めたてられた。カルタゴ人はギリシア民族に対しては野蛮人の野蛮な味方として登場し、またこの役にふさわしいことも実証した。セリヌス、ヒメラ、アグリジェント(106)、スペインのサグント(107)が、またイタリアでは多くの豊かな地方が彼らによって破壊されるか略奪された。そればかりか、あの美しいシチリアにおいてだけでも多量の血が流されたが、それとてもカルタゴ人の権勢欲にまみれた交易全体から見れば、取るに足らないものだった。たとえアリストテレスが政治的観点から彼らの共和国の制度をどれほど称賛しようとも(108)、この制度は人類史にとってはほとんど価値がない。というのも、この制度にあっては、都市のわずかな氏族が、それも野蛮だが金だけは持っている商人たちが、傭兵を使って利潤の独占を求めて戦い、その獲得に貢献しうる国々を、僭越にもことごとく支配しようとしたからである。この種の組織は、それ自身にとっても何ら得るところはない。したがって、たとえカルタゴ人に対するローマ人のほとんどの戦争がどれほど不当なものであれ、そしてまたハスドルバル(109)、ハミルカル(110)、ハンニバル(111)といった名前がどれほど大きな敬意をわれわれに要求するものであれ、これらの英雄が仕えた商人共和国の内情を考量するならば、われわれとしては、どう見てもカルタゴ人をひいき目に見ることはできない。これらの英雄たちは、この商人共和国によっても十分に苦しめられ、きわめて悪質なやり方で恩を仇で返されることも稀ではなかった。もしハンニバルが逃亡という手段によってこのカルタゴ式の報酬を未然に防いでいなかったなら、彼の祖国は僅かな量の金を節約するために、彼でさえをも、きっとローマ人に引き渡していただろう。

私はどの高尚なカルタゴ人からも、その功績を一つたりとも奪うつもりはない。なぜならこの国家も、たとえ侵略のための利欲という低次の基盤の上に建設されたにせよ、何人もの偉大な人物を産み出し、多くの技芸を自らの中で養ってきたからである。軍人では特にバルカ家(112)が傑出しており、それは彼らの名誉心という炎が、ハンノ家(113)の嫉妬によって消されそうになったときに、その炎がいっそう激しく燃え上がったことからも明らかである。しかしたいていの場合は、カルタゴ人の英雄精神のうちにも或る種の冷酷さが見られ、これに比べれば、ゲロン(114)、ティモレオン(115)、スキピオ(116)などは、奴隷とは異なる自由な人間であるように見える。祖国の不当な領土拡大のために自身を生き埋めにさせたカルタゴの同胞たちの英雄精神も、それだけで野蛮なものだった。それにもっと苛酷な状況、なかでもカルタゴ自体が攻めたてられる状況に陥ると、彼らの勇敢さは、たいてい激しい絶望という形でしか現れない。しかしそれでも確かなことは、特にハンニバルがその巧妙な戦争術において自らの宿敵ローマ人の師であったということである。というのも、ローマ人は世界征服の方法をハンニバルから学んだからである。同じくまた、あらゆる技術がここカルタゴで花開いた。それらはたとえば交易や造船や海戦や利潤獲得に役立ったが、カルタゴ自体は海戦においてローマ人にあっという間に凌駕された。豊かなアフリカにおける農業は、カルタゴ人の交易を促進させた最も優れた技術だった。それゆえ彼らは利潤獲得の豊かな源泉としての農業に多くの改良を加えた。しかし不幸なことに、ローマ人の蛮行のせいで、カルタゴに心酔する者たちの手になる書物は、カルタゴという国家と同じように、すべて灰燼に帰した。われわれがカルタゴ人のことを知るのは、彼らの敵による報告と、かつて海の女神として高名であったこの国家の位置を辛うじて推測させてくれる僅かな廃墟からのみである。世界史上カルタゴが主として異彩を放つのは、残念ながらローマとの関係においてであった。全世界を屈服させるはずだったローマという雌オオカミは、まずこのアフリカのヒョウとの闘いの中で自らを鍛え、そしてついにはこのヒョウを徹底的に叩きのめさざるをえなかった。

＊25　「ヨブ記」三〇、三―八。

＊26　**アイヒホルン**はこのことをゲラ人[117]についても明らかにした（『東インド交易の歴史』一五頁、一六頁を参照）。ヴェネツィア人やマレー人などが示しているように、概して貧困と窮迫が大部分の交易民族を産み出す原因となった。

五　エジプト

さて今われわれが近づこうとしている国は、その古さ、その技術と政治制度のゆえに太古世界の謎として存在し、また探究者の推測術をも十分に鍛錬してくれたエジプトである。この国についてわれわれが有している最も確実な報告は、この国の文化遺産、つまり巨大なピラミッド、オベリスク、地下墓所、それに運河や都市や円柱や神殿の廃墟によって与えられる。これらは象形文字とともに今なお旅行家の驚嘆の的であり、古代世界の奇蹟である。これらの岩塊を掘り抜き、または積み上げ、動物をかたどり、彫造するのみならず、神聖なものとして埋葬し、荒涼たる岩石地を死者の住まいに造り変え、エジプトの祭司の霊を、かくも多様な方法により石という形で永遠のものとするためには、どれほどの人員と、どれほどの技術と組織と、しかしそれ以上に、どれほど独自の思考様式が必要とされたことか！　これらすべての遺物は、神聖なスフィンクスのように説明を要求する大きな難題として、そそり立ち、あるいは横たわっている。

これらの作品の一部は実用に供されるか、もしくはこの地域に不可欠なものだが、そのことは作品自らが明らかにしている。同様のことは、あの驚嘆に値する運河や堤防、それに地下墓所についてもあてはまる。運河はナイル河をエジプトの遠隔地にまで導くのに役立ったが、それらの地域は運河の崩壊によって今や不毛の砂漠と化している。堤防は肥沃な谷に都市を建設するのに貢献したが、その谷はナイル河の氾濫によってエジプトの本来の心臓としてこの国全体を養っている。また地下墓所についても、おそらく否定できないのは、エジプト人がこれと結びつけた宗教上の理念は別として、この墓所がエジプトに健康な空気を与えることに非常に寄与したことと、とかく湿気の多い熱帯地方の災禍となりがちな疾病を予防したことである。しかしそれにしても、これらの洞窟の異様な大きさは何のためなのか？　あの迷宮やオベリスクやピラミッドは、どうして造られ、また何のためにあるのか？　スフィンクスや巨像を、かくも苦労して永遠のものとした驚くべき感覚はどこから来るのか？　エジプト人はナイル河の泥から生れて、世界でも独自の民族となったのか？　それとも、どこか他の地域からやって来たとするならば、どのような誘因や動因によって、彼らは周囲のあらゆる民族とこうも完全に違ったものになったのか？

思うに、エジプト人が土着の始源民族でないことは、彼らの国土の自然史によってすでに示されている。なぜなら、古くからの伝承のみならず、どの合理的な地球発生論も明らかに語っているように、高地エジプトには早くから人が住んでいたが、低地の方は元来もっぱら人間の技術的努力によってナイル河の泥から獲得されたものだからである。すなわち、太古のエジプトはテーベの高地にあり、そこには昔の王たちの都もあった。もしも、この国への入植がスエズ付近の道を通って行われたとすれば、エジプトの太古の王たちがなぜテーベの砂漠を居住地に選んだかが明らかにされないままだろう。これとは逆に、エジプトの入植地をわれわれの眼前にあるとおりに辿るならば、この地に定住した居住民が文化の点からも、なぜかくも傑出した独自の民族になりえたのかが明らかになる。すなわち彼らは、愛すべきチェルケス人[118]ではなく、おそらく南アジアの民族であって、それが西に向かって紅海を越えて、あるいはさらに遠くへとやって来て、エチオピアから次第にエジプト全体に広がったのだろう。そこで彼らはナイル河の氾濫と沼沢地によって、この土地がいわば限定されていることに気づいた。それゆえ、彼らがまず岩山に穴居を築き、しかし時とともに勤勉によってエジプト全体を手中に収め、土地を耕作するとともに、自らをも文化に向けて形成していったことに何の不思議があろうか？　とすれば、エジプト人の起源を南方に求めるディオドロスの報告[119]は、それが考察対象とするエチオピアの多くの寓話と結びつけられているにもかかわらず、信憑性がきわめて高いだけでなく、遠方のいくつかの東アジア民族とエジプト人との不思議な符合を説明する唯一の鍵なのだ。

ディオドロスの仮説はここでは十分に検討できそうにないので、それは別の機会に譲るとしよう。今はエジプト人を人間史の中で考察するために、その仮説から明らかな結果のいくつかを利用するにとどめたい。エジプト人は物静かで勤勉で温厚な民族だった。このことは彼らの制度全体、それに技術と宗教が実証している。エジプトの神殿や彫像はギリシアのそれのような陽気で軽やかな外観を呈していない。芸術のこうした目的をエジプト人は理解もしていなかったし、目ざすこともなかった。ミイラはエジプト人の形姿が美しくなかった(120)ことを示している。すなわち人間の形態は、彼らに見えるままに形成されざるをえなかったのだ。彼らは自らの宗教や政治体制に閉じこもっていたのと同じように、自国に閉じこもっていたこともあって、外国のものを好まなかった。また彼らはその性格からして、模倣に際しては、もっぱら忠実さと精密さを重視していたし、技術全体も手仕事が、それも宗教上の概念を基盤とする部族集団が宗教にまつわるものを扱う手仕事が大部分であった。こうした手仕事にあっては、ギリシアにおけるような美しい理想の国へと逸脱することなどまったく考えられなかった。というのも、美しい理想の国とは、自然という模範がなければ本来たんなる幻影にすぎないからだ。*27 そこでエジプト人は、むしろ堅固なもの、持続するもの、巨大なもの、あるいはきわめて精密な技術努力を伴った完成を目ざした。岩山の多い地帯に住む彼らの神殿は、巨大な洞窟という観念から生れたものであり、そのため建築様式においても必然的に巨大で荘厳なものが好まれた。彼らの彫像はミイラから生れたものだったので、それで両手と両足を引き寄せて立っていた。しかもこの状態は自らすでに持続に耐えるものである。洞窟を支え、墳墓を区分するためには円柱が作られた。エジプト人の建築術は、岩山を掘り抜いて中を穹窿（きゅうりゅう）にすることから出発したが、建造物にあってはは穹窿を造るというわれわれの技術にまでは熟達しなかった。円柱や、時にはまた巨大な立像のようなものが不可欠となったのもそのためである。エジプト人の周りに広がる荒涼とした土地は、彼らの宗教理念からすれば自分を取り巻く死者の国であり、それが彼らの作る彫像をミイラの形にした。これらにあっては動きではなく永遠の静寂こそがその性格であり、彼らはこうした性格に基づいて芸術を作り出した。

エジプト人のピラミッドとオベリスクについても、さほど驚くにあたらないと思われる。世界のどの地域でも、たとえばタヒチ島においてすら、ピラミッドは墓を覆うように造られる。それは魂の不死を示すというよりも、むしろ死後も永遠に死者を追想するためのしるしなのだ。言うまでもなく、ピラミッドはこうした墓の上に岩石を粗雑に積み重ねたことから生れたものだが、それらの岩石は人類が太古の時代からいくつもの民族において死という事柄を忘れないための記念碑として積み上げてきたものである。粗雑に積み重ねられた岩石も、そのためのより安定した形を得るために自ずとピラミッドとなる。人間にとって崇敬された死者を埋葬することほど記念碑を造る身近な動機はないとすれば、そうした人間の技術が、この埋葬という一般的な慣習に加えられたとき、元来おそらく埋葬死体が野生の動物によって掘り出されるのを防ぐべく積み重ねられた岩石は、多少の技術をもってきちんと建立されることで自然にピラミッドもしくは柱状の顕彰碑へと姿を変えた。ちなみにエジプト人がこのような建築において他民族を凌駕していた原因は、彼らの神殿や地下墓所が他民族のそれらよりずっと永続する構造になっていたのとまったく同じ点に求められる。すなわち、エジプトの大部分がそもそも岩地であるため、彼らはこうした記念碑のための石を十分に持っていた。また彼らにはそれらを建築するための十分な人手もあった。というのも、豊饒で人口の多いこの国では、ナイル河が彼らのために土地を肥沃にし、農業にもそれほど労力が必要とされなかったからである。そのうえ古代のエジプト人はきわめて質素な生活を送っていたこともあり、これら記念碑の造営に何世紀にもわたって奴隷のように従事する幾千人もの人間をいとも容易に養えた。したがって、この種の巨大な塊を何の配慮もなく築くに際して重要なのは王の意志のみであった。当時にあって個々の人間の生活は、自分の名前が部族集団や地域の名でしかなかったため、現在とは違った評価のされ方をしていた。当時は今よりも簡単に多くの個人の無益な労苦が一人の支配者の考えの犠牲とされた。しかもその考えとは、こうした石の塊によって支配者が自分自身のために不死を獲得し、現世から離別した魂を自分の宗教の妄想に従ってバルサムという慰めの香油が塗られた遺骸の中で保持しようとするものであった。そしてついに時とともに、この技術は他の多くの無益な技術と同じように競争となった。或る王は他の王を模倣し、あるいは凌駕しようとした。そのあいだにも人のよい民衆は、自らの生涯をこれら記念碑の建造のために犠牲とせざるをえなかった。おそらくこうして出来たのがエジプトのピラミッドであり、オベリスクである。これらが建造されたのは最古の時代だけである。なぜなら、それ以後の時代には、どの国民もいっそう有益な生業を営むことを覚え、もはやピラミッドを造らなかったからだ。それゆえ、ピラミッドが古代エジプトの幸福と真の啓蒙のしるしであったなどというのは真っ赤な嘘であり、あくまでもそれは建造に従事した哀れな人々のみならず、これを命じた野心家の迷信と無思慮の否定しがたい記念碑なのだ(121)。読者諸賢がピラミッドの下の秘密や、オベリスクに隠された叡智を探し求めても無駄である。たとえオベリスクの象形文字が解読されたとしても、忘却の彼方(かなた)にある出来事の年代記とか、建立者を神化するような讃辞以外に、何がそこから読みとられ、あるいは読みとられうるのだろうか？　しかもこれらの石の塊にしても、自然が築いた山に比べれば何だというのか？

そもそも象形文字からはエジプト人の深い叡智はほとんど導き出せないし、それどころか、むしろ逆のことが実証される。象形文字は、自分の考えを表明するための記号を求める人間知性が最初に行った未熟で子どもっぽい試みである。アメリカの最も粗野な未開人でも自分に必要なだけの象形文字を持っていた。だからこそあのメキシコ人たちも、自分たちには前代未聞であった出来事を、すなわちスペイン人の到来さえをも象形文字で伝えることができたのではないか？　しかしエジプト人があれほど長くこの不完全な文字にとどまり、これを何世紀ものあいだ途方もない労力でもって岩や壁に描いていたというのは、思想の何という貧困、知性の何という停滞を示していることか！　またエジプト人が何千年もこれらの鳥の形や線で満足していたとは、彼ら自身および彼らの広範な学者階級が有していた知識の範囲が何と狭いものだったに違いないことか！　文字を案出した彼らの第二のヘルメス(122)は、とても遅れてやって来た。それに彼もまたエジプト人ではなかった。ミイラの表音文字は外来のフェニキア文字(123)に属するものにほかならず、これに象形文字的な記号が交ざったものである。それゆえまた、エジプト人がこうした表音文字を、交易に従事するフェニキア人から学んだことは大いにありうる。中国人でさえエジプト人よりずっと進んでおり、同じような象形文字から現実の思想を描く表語文字を案出した。しかしエジプト人は決してこういうものには到達しなかったように思われる。それゆえわれわれは、貧弱な文字しか持たないけれども決して不器用ではないこの民族が、機械技術において際立っていたことに驚いてよいのだろうか？象形文字はエジプト人が学問研究へと進む道を閉ざしたため、彼らの関心は感覚的な事物にそれだけいっそう向けられざるをえなかった。肥沃なナイルの谷は、彼らの行う耕作を容易なものにした。彼らの幸福を左右する周期的氾濫は、彼らに測量と計算を教えた。一年と四季を彼らは熟知せざるをえなかったが、それは毎年繰り返されて国土の永遠の暦を彼らに提供するこうした唯一の自然の変化に、彼らの生活と健康が左右されていたからである。

したがってまた、われわれも称賛を惜しまないこの古代民族の博物学と天文学も、まさに彼らの居住地帯や天候と同じように自然の産物であった。山と海と砂漠のあいだの狭くて肥沃な谷間では、そこに閉じ込められたすべてのものが自然の一つの出来事に左右されるとともに、それに還元され、また四季と収穫、病気と風、昆虫と鳥もナイル河の氾濫という同一の変革に従った。だからこそ、こうした土地で真面目なエジプト人とその多数の有閑な祭司団が、ついには一種の博物学と天文学の資料を蒐集することになったのではないだろうか？　どの大陸を見ても明らかなように、周囲を取り囲まれて自分の感覚だけに頼らざるをえない民族は、自分の土地について、たとえ書物から学ばなくても、きわめて豊かな生きた知識を持っている。ただエジプト人のもとで象形文字がこのために為しえたことは、学問にとって有益というよりもむしろ有害だった。生気あふれる観察も、象形文字をもってしては曖昧なだけでなく生命をも失った形象となり、人間知性の進展を促すどころか、これを妨げた。象形文字が祭司の秘密を含んでいたかどうかについては何度も議論されてきた。思うに、どの象形文字もその本性からして秘密を含み、閉鎖的な同業集団の保持する一連の秘密は、たとえいたるところで一般大衆に提示されるにしても、これら大衆にとっては必然的に秘密とならざるをえない。専門家でない大衆は、こうした秘密を学び知るべく自らを聖別してもらうこともできない。それは大衆の使命ではないし、大衆自身もこうした秘密の意味を理解することもないだろう。ただこうしたことは、どの国においても、またいわゆる象形文字の叡智を奉ずるどの同業集団においても、祭司あるいはそうでない者がこれを教えるにせよ、啓蒙が普及する場合の必然的な欠陥の原因となる。祭司は自分の用いる象徴を必ずしも誰にでも解き明かすことはできないし、解き明かしもしないだろう。しかもそれ自身によって学びえないものは、残念ながらその本性からして、秘密として保持される。近代における象形文字の叡智は、すべての、より自由な啓蒙にとって頑強な障害なのだ。というのも、近代以前にあってさえ象形文字は常にきわめて不完全な文字にすぎなかったからである。幾千様にも解釈しうる文字だけによって、何かを理解することを学べ、というのは不当な要求であり、任意の記号を、あたかもそれが必然的で永遠のものであるかのように判読することも、徒に労力を消耗させるだけである。こうしてエジプトは知識に関してはずっと子どものままであった。それはエジプトが知識の表現において子どもだったからであり、一方われわれにとってこうした子どもの理念は、おそらく永遠に失われてしまった。

したがってまたエジプト人の宗教や政治についても、これまでわれわれが遠い古代のいくつかの民族において観察してきた段階や、東方アジアの諸民族で一部は今でも観察される段階以外のものを考えることは困難である。それゆえもし次のことが、すなわち、エジプト人の知識の多くが彼らの土地で案出された可能性もほとんどなく、彼らがむしろ自分たちにすでに与えられていた規則や前提と同じように、もっぱらこれらの知識に頼りつづけ、それらを自分たちの土地に適応させたことがまったく本当らしいとされうるならば、エジプト人がこれらすべての知識において子どもの段階にあることはいっそう明白となろう。彼らの王たちとその統治年代の長大な記録簿は、多分このようにして生れたのであり、オシリス、イシス、ホルス、テュフォンなどの多様に解釈される物語(124)をはじめ、神聖な伝説の一大蓄積もこうして生れた。エジプト人の宗教に見られる主要理念は、高地アジアのいくつかの国と共通している。エジプトではその理念がこの国の自然史と国民の性格に従って、象形文字という衣をまとっているにすぎない。彼らの政治制度の根本特徴は、同じ文化段階にある他の諸民族には未知のものではない。ただ、ここエジプトでは美しいナイルの谷間に閉じ込められた民族がそれらをいっそう完成させ、自分たちの仕方で用いただけのことである。*28 もしエジプトがヨーロッパに近い位置になく、また古代文化遺産の廃墟や特にギリシア人の伝承がわれわれにエジプトというものを教えてくれなかったならば、エジプトがその叡智のために享受している高い名声を得ることは困難であったろう。

そしてこの位置こそ、エジプトが諸民族の列においてどのような場所を占めるのかも明らかにしている。エジプトから生れたか、あるいはエジプトによって文明化された民族は多くない。前者の例として私が知っているのはフェニキア人だけであり、後者の例としてはユダヤ人とギリシア人である。アフリカ内部にエジプトの影響がどれほど及んだかは一般に知られていない。哀れなエジプトよ、今の汝は何と変わり果てたことか！

何千年にもわたった絶望によって悲惨で怠惰になったものの、かつてのエジプトは仕事に励み、忍耐強かった。エジプトはファラオの合図一つで紡いでは織り、石を運び、山を掘り抜き、技術に精励し、土地を耕した。エジプトは辛抱強く閉じこもり、労役を分担し、多産で、子どもをつつましく育て、外国人を恐れ、鎖国を享受した。しかしエジプトが開国して以来、というよりはむしろ、カンビュセス王がこの地に至る道を自らの手で開拓して以来、この国は数千年にわたって次々といろんな民族の獲物となった。ペルシア人、ギリシア人、ローマ人、ビザンティウム人[125]、アラブ人、ファーティマ人[126]、クルド人、マムルーク[127]、トルコ人が次から次へとこの国を苦しめた。そしてエジプトは今もなおその美しい地域にあって、アラブ人による略奪やトルコ人による残虐行為の悲しい現場となっている。

＊27　これについては別の箇所で述べたい[128]。
＊28　これについての推測は別の箇所で述べる[129]。

六　人間史の哲学に向けてのさらなる考察

さて、人間界の出来事と諸制度の一大地域をユーフラテス河からナイル河まで、ペルセポリスからカルタゴまで歩き回った後は、ゆっくりと腰をおろして、われわれの旅を回顧してみよう。

歴史のあらゆる大きな現象において認められる主要法則とは、どのようなものか？私には次のことだと思われる。それはすなわち、**われわれの地球上では、地球上で起こりうることがどこでも起こる。それも一部はその場所の位置や要求するものに従って、また一部はその時代の状況や機会に従って、さらにまた一部は諸民族の生来の特性、あるいは自ら産み出す特性に従って起こる**ということである。人間の生きた諸力を地球上におけるその場所と時代の歩みとの一定の関係の中に置いてみるがよい。そうすれば人間史上のあらゆる変化が生じるだろう。王国や国家が次第に明確な形をとる場合もあれば、それらのものが解体されて違った形態をとる場合もある。一方では遊牧民の一群からバビロンが生れ、他方では窮迫した沿岸民族からテュロスが生れる。アフリカではエジプトのような国が形成されるかと思えば、アラビアの荒涼とした土地ではユダヤ人国家のようなものが形成される。しかもこれらすべては、世界の一地域で相互に隣接して生れている。時代と場所と国民としての性格、要するに、生きた諸力がそれぞれ最も特定の個性において、全体として共同で働くことだけが、自然のあらゆる産物と同じように、人間界のすべての出来事を決定する。創造のこうした最高の法則に、それにふさわしい光をあてようではないか。

1　**人間の有する生きた諸力が人間史を動かす原動力である。** 人間は特定の民族から生れ、その中で育つため、形姿や教育や思考様式は自ずとすでにこうした発生に即したものとなる。最古の諸民族に深く刻み込まれている固有の民族性が、地球上における彼らのあらゆる活動に明瞭に現れるのも、こうした理由による。自ら滲み出る土壌から鉱泉が固有の成分や効力や味を獲得するのと同じように、諸民族の古くからの特性は、民族の特徴、風土、生活様式、教育、それに各民族に固有のものとなった昔からの仕事や行動から生れた。祖先の風習は深く根をおろし、その民族を内面から支える模範となった。その一例としてユダヤ人の考え方を挙げてみよう。これは彼らの聖典や実例からわれわれに最もよく知られたものである。彼らは父祖の土地においても、他民族の真っ只中にあっても、ユダヤ人のままだったし、他民族と混淆して数世代を経てもなおユダヤ人である。古代のあらゆる民族、すなわちエジプト人、中国人、アラブ人、インド人などもそうであったし、今でも同じである。どの民族も他民族と隔絶されて暮らすほど、それどころか、迫害されることが多くなればなるほど、特性はいっそう強固なものとなった。それゆえ、もしこれらの民族がそれぞれ自分の場所にとどまっていたならば、この地上は次のような庭園、すなわちあちこちで人間が民族という植物となって固有の形姿や本性において花開き、さまざまな種類の動物が本能と性質に従って、それぞれの仕事を営んでいる庭園と見なされうるだろう。

しかし人間は固く根を張った植物ではない。そのため、時代とともに、あるいは飢餓や地震や戦争といった苛酷な偶然によって何度も生活の場が変化したし、また変化せざるをえなかった。こうして人間は、他の場所でそれまでとは多少とも違った形で生活を立てた。なぜなら、たとえ人間がほとんど動物の本能にも似た頑固さをもって父祖の慣習に固執し、新しい山や河や都市や制度を祖国での名称で呼んだとしても、大気や土地がまったく違えば、すべてが永遠に変わらないということは、とうていありえなかったからだ。移植された民族は、こうして自分自身のためにスズメバチの巣、あるいは蟻塚のようなものを、それぞれの流儀で造った。その構造は、祖国の観念と新たな土地の観念が混ぜ合わされたものとなり、このような造り方は民族の若々しい開花と呼ばれることが多い。こうして、紅海から退いたフェニキア人は地中海沿岸に居を構え、モーゼはユダヤ教徒の国を建てようとした。アジアの少なからぬ民族においても事情は同じであった。なぜなら、地球上のほとんどの民族は、それぞれ遅かれ早かれ、長期であれ短期であれ、少なくとも一度は移住したからである。そのさい次の要素が重要であったことは容易に見てとれる。それはすなわち、移住が行われた時代、移住を惹き起こした状況、移動距離、その民族が移住する以前に置かれていた文化の種類、移住先での適応と不適応、などである。したがってまた、混淆を免れた民族に対する歴史上の評価も、地理的政治的理由からしてすでに非常に錯綜したものとなるので、導きの糸を見失わないようにするためにも何らの仮説にとらわれない精神の持ち主が必要とされる。導きの糸が最も見失われやすいのは諸民族のどれか一つの氏族をひいきにして、そうでない氏族を軽蔑する場合である。人類の歴史を記述する者は、人類の創造主、あるいは地球のゲーニウスであるかのように、公平に観察し、感情にとらわれずに評価を下さねばならない。自然界のすべての事象に通暁し、その分類を行おうとする博物学者にとっては、バラもアザミも、スカンクもナマケモノも、ゾウと同じように愛すべきものなのだ。つまり彼は自分が最も多く学べるものを最もよく研究する。ちなみに自然は、その子である人間に地球全体を与え、そこで場所、時代、力に応じて何とか芽吹くことのできるものだけを芽吹かせた。存在しうるものはみな存在し、生成しうるものはみな生成する。今日でなければ明日にはそうなる。自然の寿命は長く、自然のもたらす植物は、それらを養う四大と同じように多様に育ち、開花する。インド、エジプト、中国で起こったことは地球上の他の地域では決して起こらないだろう。カナン、ギリシア、ローマ、カルタゴにおいても同じである。諸力と場所と時代の組合せから成る必然と適応の法則は、それぞれの地域で異なる果実を産み出すのだから。

2　**或る国が、どの時代と、どの地域において生れ、またどのような部分から成り立ち、どのような外的状況に取り巻かれているか**ということが特に重要であるとすれば、その国の運命の大部分もまた明らかにこれらの特徴の中に含まれている。遊牧民によって作られ、その生活様式を政治の面でも維持している王国はほとんど長続きしないだろう。このような王国は自分自身が破壊されるまで他国を破壊し抑圧することを続けるが、首都が占領されたり、王が死んだりしただけで略奪行為を中止することも稀ではない。バベルやニネヴェ、ペルセポリスやエクバタナがそうだったし、ペルシアでは今でもそうだ。インドのムガル帝国[130]は終焉を迎えたに等しい。トルコ人の国も、彼ら自身がカルデア人のように他国の征服者でありながら、支配についてのいっそう道徳的な根を置かないかぎりは終焉を迎えるだろう。このような木は、たとえ天まで届いて世界全体に陰を投げかけることができたとしても、地中にしっかりと根を張っていなければ、一陣の風によって倒されることも稀ではない。その木は、たった一人の不実な奴隷の奸計、もしくは大胆なサトラップの斧によって切り倒される。古今のアジアの歴史は、こうした変革に満ちあふれている。それゆえ、政治学もこれらから学ぶべき点はほとんどない。玉座から突き落とされる専制君主もいれば、玉座に担ぎ上げられる専制君主もいる。つまり国は、君主の人格と天幕と王冠次第でどうにでもなるのだ。これらを自由にできる者が民族の新たな父、すなわち有力な盗賊団の首領なのだ。ネブカドネザルのような人物は、西アジア全体にとっては恐ろしい人物だったが、二番目の後継者の代にその不安定な国は没落した。巨大なペルシア帝国も、アレクサンドロス大王との三度にわたる戦役で完全に滅びた。

これに対して、自らの根から育ち、自身を土台としている国家は事情がまったく異なる。こうした国家は征服されることはあっても、その民族は存続する。中国がそうだ。この国を征服した者たちが、モンゴル式の理髪方法といった一つの慣習を導入するにおいてさえ、どれほど苦労したかは周知のとおりだ。バラモン教徒やユダヤ教徒についても同じであり、その儀式精神だけが彼らを地球上のあらゆる民族から永久に分け隔てている。同様にエジプト人も長らく他民族との混淆に抵抗した。ただフェニキア人を絶滅させるについては、彼らがこの場所に根ざした民族であっただけに困難をきわめた。もしキュロス王が堯帝(ぎょうてい)やクリシュナやモーゼのように一国を建設することに成功していたなら、たとえ分断されても、その国はすべての成員のうちになおも生きていることだろう。

ここから明らかになるのは、なぜ古代の国家体制は、教育による慣習の形成をかくも重視したかということだ。それはこの慣習という原動力に、国家体制内部の強さ全体が左右されたからである。近代の国家が、財力もしくは血の通わない機械的政策を基盤としているのに比べて、古代の国家は、幼年期以来の国民の思考様式全体の上に建てられていた。それに幼年期にとっては宗教ほど有効な原動力はないため、たいていの古代の国家、なかでもアジアの国家は、多かれ少なかれ神権政治を行っていた。もちろん私としては、この名称がいかに嫌われ、かつ人類を抑圧したあらゆる悪の大部分がこの名称に帰されるかについても十分に承知しているし、ましてこの名称の濫用を弁護するつもりもない。しかし人類の幼年期に見られるこの統治形態が適切なものであったのみならず、必然的なものであったこともまた真実なのだ。そうでなければ、この統治形態はあれほど普及しなかったろうし、長続きもしなかったであろう。エジプトから中国まで、いや、それどころか地球上のほとんどすべての国において、この統治形態が支配した。結果として、立法を宗教から次第に分離させた最初の国となったのはギリシアであった[131]。それでもなお明白なのは、どの宗教もその対象が、つまり神々と英雄がそのすべての行為とともに土着のものであればあるほど、政治的にもそれだけいっそう大きな影響を及ぼしたので、しっかりと根を張った古代国民はみな自分たちの宇宙生成論や神話さえも自らの住む土地に捧げてきた、ということである。ひとりユダヤ教徒だけは、この点においても他のすべての近隣民族と異なり、世界はもちろん、人間の創造も自分たちの土地に帰して創作しなかったことによって異彩を放っている。彼らの立法者モーゼは、啓蒙された外国人であったが、彼らが将来所有すべき土地に辿りつくことはなかった。すなわち、彼らの祖先は異国で暮らし、その律法も国外で与えられたのだ。おそらくユダヤ人はこうした事情のために、他の古代民族にはほとんど為しえなかったくらいに、その後も異国で何とか生活できたのだろう。バラモン教徒やシャム人は自分の国以外のところでは生活できない。またモーゼの率いるユダヤ人は元来パレスチナの産物にすぎないため、パレスチナ以外のところにはもはや存在しないと言ってもよいだろう。

3　われわれが歩き回った地域全体から最後に明らかになるのは、人間の手になるものは、どれも、いかに脆く、さらには最良の制度でさえ、わずか数世代でいかに抑圧的なものになるかということである。植物は花が咲き枯れてゆく。汝ら人間の祖先は死んで、土に帰った。汝らの神殿は崩壊し、汝らに神託を告げる幕屋も戒律の書かれた板も、もはや存在しない。人間を永久に結びつける絆である言語でさえ廃れてしまった。どうしてだろうか？　人間の作った一体制、一政治制度あるいは一宗教制度。自分自身しか土台にできないこうしたものが、いったい永遠に存続し、存続しようということがあるだろうか？　もしそうならば、時の翼に鎖がかけられ、回転する地球は深淵に浮かぶ不活発な氷の塊となってしまうだろう。われわれが今もなおソロモン王が一度の祝宴で二万二〇〇〇頭の雄ウシと一二万匹のヒツジを犠牲にし、シバの女王が難問をもって彼の饗宴を訪ねるのを目にしたら、われわれはどう思うだろうか？　もしもわれわれが華麗きわまりない神殿において雄ウシのアピスと神聖なネコ、それに聖なる雄ヒツジ(132)を見せられたら、エジプト人のあらゆる叡智について何と言うだろうか？　バラモン教徒による抑圧という慣習、パールシー教徒の迷信、ユダヤ人に見られる実体のない傲慢、中国人の理不尽な自尊心、そのほか三〇〇〇年前の人間が作った太古の諸制度に基礎を置くようなものについても、まったく同じである。ゾロアスターの教えは世界の悪を説明し、仲間を光のあらゆる業に向かうように鼓舞するもので、称賛に値する試みであったともいえよう。しかし今やこの弁神論は、イスラム教徒の目にさえどのように映っているだろうか？　バラモン教徒の唱える魂の輪廻[133]は、人間の想像力の青年期の夢とも見なされよう。ちなみにこの夢は、不死の魂を目に見える領域で世話しようとし、この善意ある妄想に道徳観念を結びつける。しかし魂の輪廻とて、それが何千もの慣習や規約を付録に持つ非合理にして神聖な掟としては、どのようなものになったのか？　伝承はそれ自身では素晴らしく、かつ人類にとって不可欠な自然秩序である。しかし伝承も、それが現実の国家施策のみならず、教育においてもあらゆる思考力を拘束し、人間理性のあらゆる進展と新たな環境や時代に応じた改善を阻止するならば、たちどころに国家にとっても宗派にとっても個々の人間にとっても、精神を麻痺させる本物の阿片となる。われわれ人間が居住する地球のあらゆる啓蒙の母であるアジアは、この甘美な毒をたっぷりと味わい、他の地域にも味わわせてきた。寓話によれば聖ヨハネ[134]は自分の墓の中で眠っているが、アジアの諸大国と大宗派も同じようにこの毒の墓で眠っている。聖ヨハネは静かに呼吸こそしているが、ほとんど二〇〇〇年このかた死んだままであり、起こしてくれる者が来るのを、うとうとと眠りながら待ち続けている[135]。

第十三巻

一つの国を十分に知らないまま、後ろ髪を引かれる思いで立ち去らねばならない旅人のように私はアジアを後にする。われわれがアジアについて有する知識は何と乏しいものか！　しかも大部分は後世の不確実な資料によるものだ！　東アジアは、最近ようやく宗教もしくは政治に関わる人々を通じて知られるようになったものの、ヨーロッパにおける学者のさまざまな派閥によって、部分的にはきわめて混乱した形でしか知られていない。そのためわれわれはまだ寓話の国を覗き込むように、東アジアの広大な地域を眺めている。西アジアおよびこれと隣接するエジプトにあっては、古代のものすべてが、われわれの目には廃墟、あるいは過ぎ去った夢のように映る。われわれがいくつもの報告から手にしている知識は、もっぱらギリシア人の口から得られたものである。ただし太古の時代に属するこれらの国家に対して、ギリシア人は若すぎたり、自分たちの思考様式とはあまりにも異なる部分があったり、あるいは自分に関係のあることだけしか理解しなかったため、彼らによる報告も完全なものとは言いがたい。バビロン、フェニキア、カルタゴの文書館は、もはや存在しない。エジプトは、ギリシア人がその中心部に足を踏み入れたときには、ほとんど凋落(ちょうらく)していた。こうしてすべては萎縮して、ほんの数枚の枯葉となり、そこには伝承から生れた伝承、すなわち歴史のさまざまな断片、太古世界の夢が書き込まれているにすぎない。

ギリシアでは朝の光が明るく輝き、われわれも喜んでギリシアへと船を走らせる。この国の住民は、他の諸民族に比べて早くから文字を有するに至り、自分たちの言語を、詩から散文へ、そして散文においては哲学と歴史へと引きおろすための原動力をほとんどの制度の中に見出した。それゆえ、歴史の哲学はギリシアを生誕地と考えており、その美しい青年期をもこの地において満喫した。物語作家のホメロスは、自分の知識の及ぶかぎりで、いくつもの民族の習俗をすでに記述している。今なお余韻を残すアルゴー船物語の歌い手たち(1)は、他の注目に値する地方にまで歌い及んでいる。後にヘロドトスが多くの国を旅して回り、自分が見聞したことを、称賛に値する純粋な好奇心をもってまとめて書きとめたとき、本来の歴史は詩から分離することになった。ヘロドトスより後のギリシアの歴史家は、そもそも自国に限定されてはいたものの、それでもギリシア人が関わった他の国々についても多くのことを報告しなければならなかった。こうしてついには特にアレクサンドロス大王の遠征によって、われわれの世界は次第に広がっていった。ギリシア人はまた歴史の案内者としてのみならず、自ら歴史家としてローマに貢献したが、このローマとともに世界はさらに広がった。そのためすでにシチリアのディオドロスというギリシア人と、トログス(2)というローマ人は、自ら蒐集した資料を思いきって一種の世界史にまとめようとした。かくしてわれわれは喜ばしいことに、ようやく或る一つの民族に辿りつく。その民族の起源は、なるほどまた闇に埋もれ、最初の時代も不確かで、その最も立派な作品も、美術であれ書物であれ、大部分が諸民族の暴威あるいは時代の黴(かび)によって壊滅させられたが、それでもなお素晴らしい文化遺産がこの民族のことをわれわれに語ってくれる。これらの文化遺産は、哲学的精神をもってわれわれに語りかけてくるため、私としてもその精神が有するフマニテートを、これらの文化遺産に関する以下の試みに吹き込もうと悪戦苦闘している。私はできるものならば詩人となって、遠くまで見通すアポロンと、記憶の女神ムネモシュネの娘たちである全知のムーサたちに呼びかけたい(3)。しかしここでは探究の精神を私のアポロンとし、公平な真理を私の教師たるムーサとしたい。

一　ギリシアの位置と住民

これから述べるのは三重の意味、すなわち入江と海岸の国、もしくは島嶼(とうしょ)からなる海峡としてのギリシア(4)である。その位置からしてギリシアは、多くの地域から住民だけでなく文化の萌芽をもただちに手にすることができた。ギリシアのこうした位置、それに早くからの度重なる遠征や変革を通じて、この地域にふさわしく形成された民族性は、国内における諸観念の循環と国外での活動を実現させたが、それは自然が大陸の諸民族には許容しなかったものである。そして最後にギリシア文化の出現した時代とその形成の段階、それも当時の周辺諸民族のみならず人間精神全体が生きていた段階のすべてが一体となってギリシア人を次のような民族に、すなわち、かつてはそうであったが、今はそうでなく、将来も決してそうならないような民族にした。歴史が示すこの素晴らしい問題をさらに詳しく考察することにしよう。それについての資料はとりわけドイツの学者たちの努力(5)によって解明されんばかりになって、われわれの眼前にあるのだから。

海岸からも、他民族との交流からも遠く離れて、山間に局限されて居住する民族は、啓蒙を一つの場所からだけ受け、また早くから取り入れた分だけ、これを鉄の掟によっていっそう堅固なものとした。このような民族は固有の性格を多く持つようになり、その中で自己を長く保持するかもしれない。しかしこのように限定された固有性が、その民族に有益な多面性を、それもギリシア人が他民族との活発な競争によってのみ得ることのできたような多面性を与えることはきわめて困難である。その実例としては、エジプトに加えてアジアのすべての国々が挙げられよう。われわれの地球を造った力が、山や河に別の形態を与えていれば、また諸民族の境界を定めた偉大な運命が、アジアの山地以外の起源を諸民族に与えていれば、そしてまた東アジアが、もっと早くから海上交易を行い、さらには現在の位置からして持っていない地中海を手にしていれば、文化の歩み全体が違ったものになったであろう。文化の歩みは実際には西に向かって下ることになったが、それはこの歩みが、東に進みも広がりもできなかったからである。

世界において島嶼や海峡諸国がどのような状態で、またどこにあるにせよ、これらの歴史を考察して明らかになるのは、次のこと、すなわち、植民が成功すればするほど、またこうした地域でうまく開始できた活動の循環が容易かつ多様であればあるほど、そして最後にこの活動の有効な役割が、より有利な時代あるいは世界情勢に遭遇すればするほど、こうした島嶼や海峡諸国の住民は、平坦な土地の住民よりも、それだけいっそう頭角を現すに至ったということである。(6) 平坦な土地では、生来のあらゆる才能や、獲得されたあらゆる技術にもかかわらず、羊飼いは羊飼いのままであったし、狩人もずっと狩人のままであった。農民や技術者でさえも、植物と同じように狭い土地に縛りつけられていた。イギリスとドイツを比較してみるがよい。(7) イギリス人はドイツ人であるばかりか、ごく最近までドイツ人はいくつものきわめて重要な事柄においてイギリス人のために道を切り拓いてきた。しかしイギリスは島国として、早い時期から普遍精神という大きな活動に少なからず携わるようになったので、(8) この精神は、島国でいっそう完成されるとともに、陸地に取り囲まれたドイツでは拒まれていた持続性に何の妨げも受けずに到達できた。デーン人の島々、(9) イタリアやスペインやフランスの海岸、さらにはオランダや北ドイツの海岸を、(10) ヨーロッパ寄りのスラヴやスキティアの内陸部、(11) それにロシアやポーランドやハンガリーと比較してみると、(12) (13) やはり同じような関係が認められる。どこの海においても旅行者が発見したのは次のこと、すなわち位置に恵まれた島嶼や半島や海岸では、陸地の単調で古い掟の抑圧のもとでは生れえなかった熱心さと自由な文化が産み出されたことである。*29 タヒチやトンガについての記述も読むがよい。(14) この島々は人の住む世界全体から遠く離れているにもかかわらず、そこでは装身から奢侈(しゃし)に至るまで、一種のギリシアが形成されてきた。大洋の少なからぬ島々においてさえも、そこを最初に旅行した者たちは内陸の民族にはまったく見られない穏やかさと愛想よさを経験した。このように、いたるところに人間本性の偉大な法則が見られる。すなわちそれは、活動と休息、社交と隔絶、自発的な勤勉とその享受とがきれいに一体となっているところでは、その民族自身だけでなくこれに近づくすべての民族にも優しい循環もまた促進されるという法則である。人間の健康にとって体液の停滞ほど有害なものはない。古い制度の専制国家にあっては、こうした停滞は避けがたい。それゆえ、このような国家は瞬時に壊滅させられないにしても、たいてい肉体は生きていながら徐々に死を迎える。これに対して、土地の本性からして国家が小さく保たれ、また住民も、たとえば海と陸に効率よく配分された生活から得られる健やかな活気を保持しているところでは、有利な状況がこれに加わるだけで、彼らは形成のゆきとどいた名高い民族となるだろう。こうして、他の地域はともかく、ギリシア人のもとではクレタ島(15)でさえ、大陸のあらゆる共和国の模範として立法を産み出した最初の国となった。それどころか、これらの共和国のうち最も多く、かつ最も有名なもの(16)は、海岸を有する国であった。したがって、古代人が自分の幸福な住居を島に定めたのも理由のないことではない。おそらく古代人は、島にこそ最も多くの自由で幸福な民族を発見したのだろう。

これらすべてのことをギリシアに適用してみると、同地の民族が、いかに高山地域の住人と自然に区別されねばならなかったことか！ トラキアは小さい海峡によって小アジアから分離され、一方この住民の多い肥沃な小アジアは、西側の海岸に沿って島の多い海峡を通じてギリシアと結ばれていた。ヘレスポントス(17)はそのためにだけ突き破られたと言ってもよいだろう。そしてエーゲ海が島々もろとも、そのあいだに投げ込まれたのは、苦労せずに海を渡れるようにするためと、入江の多いギリシアにおいて、移動と循環を恒常的なものにするためだったのだろう。これら海岸民族の多くが最古の時代から海上を移動するのが見られるのも、こうした理由による。クレタ島の住人、リュディア人(18)、ペラスゴイ(19)、トラキア人、ロドス島の住人(20)、フリュギア人(21)、キプロス島の住人(22)、ミレトス人(23)、カリア人(24)、レスボス島の住人(25)、ポカイア人(26)、サモス人(27)、スパルタの住人(28)、ナクソス島の住人(29)、エレトリア人(30)、アイギナ島の住人(31)が、すでにクセルクセスの時代よりも前に海上の支配権をもって次々に登場した。*30 そしてこれら海の強者よりずっと前には、同じ海上に海賊や植民市や冒険家が姿を現していた。それゆえ、ギリシアの民族で一度も移動したことのない民族は、ほとんど存在しない。昔からこの地では、小アジアの海岸からイタリア、シチリア、フランスに至るまで、すべてが動いている。実際どのヨーロッパ民族も、これらのギリシア人ほど広大で美しい地域に植民したことはない(32)。

ギリシア人の美しい風土と言われるとき、われわれの念頭にあるのは、まさにこのような地域なのだ。ただ、水の豊富な谷にあって怠惰を誘う肥沃な居住地とか、氾濫する河川の緑野だけが重要であるならば、他の三つの大陸においても、ずっと恵まれた風土がどれほど多く見つかることだろうか。しかしそのような風土は決してギリシア人を産み出さなかった。[*31] それにイオニア、(33) ギリシア、大ギリシア(34)における一連の海岸ほど、文化の流れにおいて小国家が活動するために恵まれた環境にある海岸は、地球上のどこにも見出されない。

したがってわれわれも、ギリシア人の国に最初に居住した者がどこから来たのかと繰り返し問う必要はないのではないか？　その新参者はペラスゴイと称し、(35) これほど離れていても海の向こう、つまり小アジアに住む諸民族の同胞であると自ら認めたのだから。いずれにせよ、これらの民族がトラキアを経て、あるいはヘレスポントスや海峡を越えて西南の方向に進み、また北方山地の庇護を受けながら次第にギリシア全土に広がるに際して辿った経路をすべて数え上げるのは、徒労に徒労を重ねるだけであろう。他の部族に続く部族もあれば、他の部族を追い払う部族もあった。ヘレネスと呼ばれる古代ギリシア人はペラスゴイに新しい文化を伝えたが、それはギリシアの植民市が再びアジアの海岸に置かれたのと時を同じくしている。ギリシア人にとって大変有利だったのは、彼らが大陸の傍らに、かくも美しい半島を持っていて、しかもその半島ではほとんどの民族が同一の部族に由来するのみならず、早くから文明化が進んでいたことである。*32 これによって彼らの言語は、多くの言語の混淆(こんこう)を通じては決して得られなかった独自性と単一性を手に入れた。また国民自身も自分たちの近くに住む同系統の諸民族と習俗や道徳を共有したり、間もなくこれらの民族と戦争と平和の多様な関係に入ったりもした。それゆえ小アジアは、植民においても最初期の形成の主要特徴においてもギリシアの母なのだ。これに対してギリシアは、自分の母国の海岸に再び人を送って植民市を築き、そこで第二の、より美しい文化を体験した。

しかし残念ながらわれわれは、このアジアの半島の最初期についてほとんど何も知らない。トロイア人(36)の国についてはホメロスからしか知らないし、彼は彼で詩人として自国の同胞をトロイア人よりもはるかに褒(ほ)め上げている。しかしそのホメロスにあってさえ、トロイアの国がいかに繁栄していたかは、技術のみならず華美についての記述にも明瞭に認められる。同様にフリュギア人(37)も古い民族であるが、早くから文明化されており、その宗教と伝承は明らかにギリシア人の最古の神話に影響を及ぼしている。後のカリア人についても同じことが言える。(38)彼らは自らをミュシア人やリュディア人の兄弟と称していたが、ペラスゴイやレレゲス人と同一系統の部族であった。このカリア人は早くから航海に携わっていたが、当時の航海は海賊のそれであった。というのも、彼らより文明化の進んでいたリュディア人は、交易の手段として貨幣の鋳造をもフェニキア人と同時に行っているからだ。それゆえ、ミュシア人やトラキア人の場合と同じように、トロイア人やフリュギア人やカリア人のいずれも、早期の文化を持たないということはなかった。そして立派な植民をすれば、彼らもギリシア人になることができた。

ギリシアのムーサたちが最初に居を定めたのは、トラキアに向かって北東の地域であった。トラキアからやって来たオルフェウス(39)は、この地域で荒廃した生活を送っていたペラスゴイに、まず人間らしい生活をもたらし、それからあの遠くまで広がり、長く行われる宗教儀式を普及させた。ムーサたちが最初に住んだ山は、テッサリアの山々(40)、オリンポス、ヘリコン(41)、パルナッソス(42)、ピンドス(43)であった。ここが(と、ギリシア史の最も優れた研究者は言うが)[*33]、ギリシア人の宗教、世界知(44)、音楽、文芸の発祥地であった。ここにギリシア最初の吟唱詩人が住み、ここに最初の洗練された社交の場が形成された。ここでリュラやキタラといった楽器が最初に案出され、後にギリシア人の精神が創り出したすべてのものに最初の形態が与えられた。テッサリアとボイオティア(45)は、なるほど後世において精神上の仕事によって頭角を現すことこそなかったが、これらの地方の泉や河川や丘や森は、そのほとんどが文芸作品を通じて知られ、文芸作品のなかで永遠化されている。ここにペネイオス[46]は流れ、ここに快適なテムペ[47]があり、ここでアポロンは羊飼いとなって逍遥し、巨人たちが山々を築き上げた[48]。ヘリコンの麓（ふもと）では、ヘシオドスがまだムーサたちの口から同地の伝承を学んでいた[49]。すなわち、ここで最初にギリシア文化がギリシア固有のものとして形成され、またヘレネスと呼ばれる古代ギリシア人の諸部族を通じて幾つかの主だった方言の中で、より純粋なギリシア語が生れた。

こうして時代が進むにつれて、かくも多様な海岸や島嶼において、また、かくも数多くの移動や冒険において他の一連の伝承が生れたのも、そしてこれらの伝承が同じように詩人を通じてギリシアのムーサたちの領域に根づいたのも必然のことだった。どの小さな地域も、どの高名な部族も、ほとんどが祖先あるいは部族の神をムーサたちの領域に持ち込んだ。そこで生じた多様性は、もしわれわれがギリシア神話を一つの教義として扱わねばならないとしたら、見通しがたい森のようなものだろう。しかしこの多様性こそが、諸部族の日々の営みから民族としての思考様式の領域に生命を吹き込んだ。かくも多様な根や芽からのみ、あの美しい園（その）は花開くことができたのであり、しかも立法においてさえ、時とともに、きわめて多種多様な実を結ぶに至った。多くの地域に分けられていたこの国では、谷が庇護した部族もあれば、海岸と島が庇護した部族もある。こうしてさまざまに分散した部族と王国による永続的で若々しい活動から、ギリシアのムーサの偉大で自由な思考様式が育った。すべてを一括して支配する者によってギリシア人は文化を押しつけられたことはない。神聖な儀式や競技や舞踊に伴うリュラの響きによって、自ら案出した学問や技芸によって、そして何よりも自国の部族同士および他民族との多様な交際によって、ギリシア人は自発的にあれこれと道徳や掟を受け入れた。それゆえ、彼らは文化への歩みにおいてもギリシアの自由民であった。これにはテーベにおけるようにフェニキアの植民市が、またアッティカにおけるようにエジプトの植民市が貢献したことは疑いようがない。(50)しかし幸福なことに、ギリシア民族の主要な部族はもちろん、彼らの思考様式と言語は、フェニキア人によっても、エジプト人によっても形成されなかった。ギリシア人は自らの出自と生活様式と自国のムーサのおかげで、エジプト・カナン民族(51)になることはなかった。

＊29　マレー人およびアジアの島々の住民を内陸の住民(52)と比較してみるがよい。さらには日本さえも中国と比較し、千島列島(53)やフォックス諸島の住民をモンゴル人と比較してみるがよい。ファン・フェルナンデス諸島、ソコトラ群島(54)、イースター島(55)、バイロン島(56)、モルディブ諸島(57)などについても同様である。

＊30　ハイネによる「カストール(58)の時代への注釈」(『ゲッティンゲン王立科学協会新論文集』

第一巻および第二巻に所収[59])を参照。

＊31 リーデセル[60]による『レヴァント旅行での観察所見』一一三頁を参照。

＊32 ハイネによる「ギリシア人の起源」(『ゲッティンゲン王立科学協会論文集』(一七六四年)に所収)を参照。

＊33 ハイネによる『ムーサについて』(『ゲッティンゲン学芸時報』一七六六年、二七五頁)を参照。

二　ギリシアの言語と神話と文芸

これから言及する主題は、次第に洗練される人類にあって、すでに数千年にわたってその楽しみであったし、望むらくはずっとそうあってほしいと思うものである。ギリシア語は世界で最もよく形成された言語であり、またギリシア神話は地球上で最も内容豊かで美しいものであり、そして最後にギリシアの文芸は、場所と時代に即して考察するならば、おそらくこの種の最も完成されたものだろう。このかつては粗野だったギリシアの諸部族に、いったい誰がこのような言語や詩歌、比喩の叡智を与えたのか？　それは自然のゲーニウス、つまり彼らの国土、生活様式、時代、部族としての性格であった。

初期段階のギリシア語は粗野なものだったが、そこには実際に後のギリシア語となりえたものの萌芽がすでに含まれていた。ギリシア語は象形文字を継ぎ接ぎして作ったものでもなければ、モンゴル山地の彼方で使用されていた言語のように、ぽつりぽつりと吐き出される単音節が羅列されたものでもなかった。これに比べて、しなやかで軽やかな発音に適した器官は、コーカサスの諸民族のもとで軽快な抑揚を産み出し、さらにこの抑揚は社交手段として音楽を好む傾向のあるギリシア人によって、たちまち形の整ったものに仕上げられることが可能となった。語句はより滑らかに結びつけられ、音節も韻律に合わせて調えられた。言葉は充実した流れとなって溢れ出し、使用される形象は心地よい調和をかもし出すとともに舞踊の諸音にまで高められた。こうして生れたのがギリシア語固有の特性であり、それは声を持たない掟によって絞り出されたものではなく、音楽と舞踊、歌謡や歴史記述を通じて、そして何にもまして、多くの部族や植民市住民の饒舌で自由な交際を通じて、自然の生きた形として生れたものである。ヨーロッパの北方諸民族は言語の形成にあたって、このような幸運に与(あずか)らなかった。彼らには外部からの掟と、歌唱に恵まれない宗教によって外国の習俗が与えられたため、言語までが黙り込んでしまった。たとえばドイツ語は独自の柔軟性や語形変化における明確な表示の多くを、それればかりか、現在よりも恵まれた風土のもとで有していた生きた響きの多くを明らかに失った。かつてドイツ語はギリシア語と類縁関係にあったが、(61)今やこれとはまったく遠く離れた形をしている。ガンジス河の向こう側の言語は、どれもギリシア語の柔軟さと滑らかな流れに欠けるし、ユーフラテス河のこちら側のアラム語はその古い形態においても、こうした滑らかな流れを持たなかった。ギリシア語だけが歌唱を通じて生れたようなのだ。なぜなら歌唱と文芸、それに自由な生活という古くからの慣習が、ギリシア語を世界の詩歌言語へと作り上げたからだ。しかし今となっては、ギリシア人の文化を産み出した当時の諸状況がふたたび出揃うことはまずないだろう。それはちょうど人類が幼年期に立ち戻ってオルフェウスやムサイオスやリノス(62)、あるいはホメロスやヘシオドスを、これらに付随するすべてのものとともに死者たちのもとから連れて帰れないのと同じことだ。そしてまたギリシア語のような言語が、現在という時代においてギリシアという地域のためだけにでも生れることもほとんどありえない。

ギリシア人の神話は、さまざまな地域の伝承が流れ集まったものである。それらの伝承は、人々の信仰や諸部族の祖先にまつわる物語であったり、もしくは思索を始めた人間たちが世界の不思議を明らかにしたり、人間社会に形態を与える最初の試みだった。*34 現存する古代のオルフェウス賛歌が、たとえ偽物で後に作られたものであるにせよ、やはりそれらは自然に対する活発な崇拝や祈り、それもすべての民族が形成の最初の段階で好んで行う崇拝や祈りの残像なのだ。未開の狩人は恐怖の対象であるクマに話しかけるし、*35 黒人は自分にとって神聖な呪物に、またパールシー教徒のモベドと呼ばれる祭司(63)は自然の精霊や四大に、ほとんどオルフェウスのような方法で話しかける。ただ非常に違うところは、オルフェウスの自然賛歌が、もっぱらギリシア語の言葉と形象によってのみ純化され高貴なものにされるという点である。そしてギリシア神話も、きわめて心地よく受け容れやすくなるのだが、それは時とともにギリシア神話がこの賛歌の中でさえも形容詞だけによる束縛を払いのけ、代わりにホメロスの詩歌におけるごとく、神々の伝承を語るようになったからである。宇宙生成論においても、ギリシア人は古くて非情な太古の伝承を次第に縮小させる代わりに、人間のなかの英雄や部族の祖先を歌い上げるとともに、後者を英雄や神々の形姿と密接に結びつけた。幸運なことに、古代における神々の系譜を物語る者たちは、自分の神々や英雄の系譜の中に、とても傑出した美しい寓意を、しかも時として彼らの優美な言語のたった一つの言葉とともに持ち込んだ。そのおかげで後世の賢人たちが、この寓意の意味を手繰(たぐ)りだし、自分たちの精緻な思想をそれに結び合わせようとしさえすれば、新しくて美しい織物が生れることになった。こうして時がたつにつれて、叙事詩の歌い手でさえも神々の誕生、恐れを知らない英雄たち、ヘラクレスの行為などといった使い古された伝承から遠ざかり、その代わりに、より人間に近い対象を選んで、これを人間に適用して歌い上げた。

これらの歌い手のなかでは特にホメロスがそれ以後のあらゆるギリシアの詩人と賢人の父として有名である。ホメロスの散逸した歌は、幸運にも適切な時期に蒐集されたうえで全体として二つにまとめられ、神々と英雄たちの不朽の宮殿のごとく数千年を経た今日でも光り輝いている。人々は自然の奇蹟を解き明かそうとでもするように、ホメロスの生成の軌跡を明らかにしようと努めてきた[*36]。しかしホメロスは自然の寵児以外の何ものでもなく、イオニア海岸の幸運な歌い手だった。彼と部分的には名声を争うことのできた歌い手の多くがたとえ忘却の彼方に去ろうとも、彼は今なお第一人者としてその名声のうちに生きている。人々は彼のために神殿を建立し、人間の姿をとる神として崇拝した。しかしホメロスを最も崇拝せしめるものは、彼が自国民に及ぼし、今なお彼を評価しうるすべての人々に及ぼしている持続的な影響力である。たしかに彼の歌う対象は現在の視点からすれば取るに足らないものであり、登場する神々や英雄はその習俗や感情も含めて、彼の時代とそれ以前の時代の伝承が彼に提供したものにほかならない。それに自然や地球についての彼の知識をはじめ、道徳や政治についての彼の教義も同じように限定されている。しかしそれでも彼が、自分の世界のあらゆる対象を一つの生きた全体へと織り上げるときの迫真性と叡智。その不滅の絵画に登場する各人物の特徴それぞれの確固とした輪郭。まるで神のように自由にすべての人物の性格を見て、その悪徳と美徳および幸不幸を語る穏やかでのびのびとした語り口。そして何よりも、変化に富む壮大な詩の中でたゆまなく唇から流れ出て、どの形象やどの言葉の響きにも息吹を与え、その詩歌とともに永遠の生命を有する音楽。これらこそが人類史においてホメロスを詩壇の第一人者たらしめ、もし地球上で何か不滅のものが存在しうるとしたら、彼こそをその不滅のものに値する存在たらしめている。

ホメロスがギリシア人に対して、われわれに与えうるものとは異なる影響を及ぼしたのは必然のなりゆきだった。実際のところ、彼がわれわれから何度も得た報酬といえば、わざとらしい冷たい称賛か非情な軽蔑でしかなかった。しかしギリシア人のもとでは、こうではなかった。彼らにホメロスは生きた言葉で歌って聞かせ、その言葉は、後の時代に方言と呼ばれたものにはまだ全然拘束されていなかった。彼はギリシア人に祖先の業績を、外国人に敵対する愛国心をもって歌って聞かせた。そのさい彼は、さまざまな部族や体制や地域の名を挙げたが、それらはギリシア人にとっては自分のものとして眼前にあり、一部はまた祖先を誇り、これを回想する気持ちの中に生きていた。それゆえ彼らにとってホメロスは、いろいろな点で神々の使いとして国民の栄誉を伝える存在であり、国民のきわめて多方面にわたる叡智の源泉であった。後世の詩人は彼に従い、悲劇詩人は彼から物語を、教訓詩人は寓意と実例と箴言(しんげん)を引き出した。新しい形式を求める一級の作家はホメロスの作品の技術構造に自分の作品の模範を見てとった。こうしてホメロスはあっという間にギリシア人の美的感覚を示す旗印になるとともに、思考力に恵まれない者にあっては、あらゆる人間的叡智の規矩(きく)となった。ローマの詩人にも彼は影響を及ぼし、アエネイスも彼なしには存在しなかったであろう。さらにホメロスは近代ヨーロッパの諸民族をも野蛮状態から連れ出した。非常に多くの青年が、彼を模範として自己形成する喜びを享受し、手を動かす壮年も、思索する壮年も、美的判断や人間知識の規則を彼から引き出した。しかしどの偉大な人間も、その才能が過度に称賛されることによって濫用されてきたのと同じように、この立派なホメロスも明らかにその弊を免れえなかった。それだから彼が再び現れて、それぞれの時代が自分をどのようなものにしたかを見るならば、最も驚くのはほかならぬ彼自身であろう。ギリシア人の中でホメロスは、彼なしでは多分そうならなかったほど物語を長く堅固に保持した。そしてラプソディスト[64]と呼ばれる吟遊詩人はホメロスをすらすらと吟唱したが、感性の乏しい三文文士は彼の後について真似るだけだった。そしてとうとうギリシア人のあいだでのホメロスに対する熱狂は、彼が他民族のもとでは詩人としてついぞありえなかったような空疎で甘ったるくて、やたらに些事にこだわる体の芸術と化した。文法家の手になるホメロスについての無数の著作はほとんど失われてしまったが、もし保存されていれば、そこにもわれわれは、神がホメロス以後の人類に対して、それぞれの卓越した人物を通じて負わせる悲しむべき労苦を目にすることになろう。実際また近代においても、ホメロスの誤った改作や適用の実例は目にあまるほどではないだろうか？　それでもいつまでも確実なのは、彼のような精神の持ち主は、この精神が生きた時代や集中して貢献した国民にとって、あくまでもその時代や国民による形成の賜物であって、しょせん他の民族が自慢できるようなものではないということだ。東洋のどの民族としてホメロスのような人物を持っていないし、ヨーロッパのどの民族にもその青年期の盛りという適切な時期に彼のような詩人が現れたことはない。オシアンでさえ自らの同胞であるスコットランド人にとっては、そのようなものでなかった。いつの日かまた運命が第二の幸運の賽を振って、新たなギリシアの友情あふれる島嶼の海峡にホメロスのような人物を与え、その人物がこれらの島嶼を、自分の双子の兄がかつて導いたような高みにまで導くかどうか？　それについては運命に尋ねるがよい。

このように、ギリシア人の文化が神話と文芸と音楽から出発したからには、これらを基準とする美的感覚が彼らの性格の主要特徴でありつづけたのみならず、彼らの最も重要な書物や施設の特色となっていることも驚くにはあたらない。われわれの習俗から見て奇異に思えるのは、ギリシア人が教育の主要事項として音楽を挙げる(65)だけでなく、このような音楽を国家の重要な道具として扱い、最も深刻な結果の原因を、音楽の衰退に求めていることである。しかしそれにもましてわれわれにとって異様に見えるのは、詩や叡智の生来の姉妹としての舞踊と物真似と演劇に、ギリシア人がほとんど陶酔に近い感激をもって与える讃辞である。こうした讃辞を読んだ人の多くは、ギリシア人の音楽を、その称賛されている効果がそれまでわれわれにとってまったく縁遠いものであったので、学問体系としての完全性の点でも世界の奇蹟であると考えた。ただギリシア人にあっては、音楽の学問上の完全性にとりわけ目標が定められていたわけでないことは、彼らによる音楽の利用法それ自体が示している。すなわち、彼らは音楽を独自の芸術として扱わず、詩と舞踊と物真似と演劇に役立てただけなのだ。したがって芸術相互のこうした結合の中に、そしてまたギリシア文化の歩み全体の中にこそ、彼らが音楽に求めた作用の中心的要素がある。ギリシア人の文芸は音楽から出発して、喜んで音楽に立ち戻った。高貴な悲劇でさえ、コロスと呼ばれる合唱だけから生れたのは、ちょうど彼らの古い喜劇や公共の娯楽、それに出征の行列や家庭での饗宴の楽しみも、ほとんど音楽と歌唱を伴い、そのうえたいていの遊戯も舞踊を伴っていたのと同じことなのだ。もっとも、この点においては、ギリシアは多くの国家と民族から成り立っていたことから、それぞれの地方は互いに非常に異なっていたし、そのなかで時代はもちろん、文化と奢侈の多様な段階もさらに変化していた。しかし全体として何より動かしがたいのは、これらの芸術を共同して完成させる点にギリシア人が人間活動の最高地点を見出し、これに最大の価値を置いていたことである。現在のわれわれが有する物真似も演劇も、舞踊も詩も音楽も、当時のギリシア人のそれとは別物であると言ってよいだろう。彼らにあってこれらの芸術は、人間精神の一個の作品、一輪の花にすぎなかった。ちなみにそれらの未熟な萌芽は、どのような未開民族においても、彼らが快活で気楽な性格を持ち、恵まれた地域で暮らしているならば、認められるようなものである。そうした時代が一度過ぎ去ってしまったのだから、この若々しい快活な時代に立ち返り、活気のない老人として若者たちといっしょに跳ね回ろうとするのは、きわめて愚かなことであろう。とすれば、この老人が若者たちのことを、彼らが元気に踊っているからといって悪くとる必要がどこにあろうか？　ギリシア人の文化は、こうした若々しい喜びの時代とたまたま遭遇し、この喜びがもたらす種々の芸術から、彼らは自分で出来るすべてのものを作り出した。それによってまた彼らは必然的に影響力も獲得したが、その発現を現在のわれわれは、さまざまな病気や常軌を逸した行動の中で目にすることができないありさまだ。実際に私には、これらの芸術の結合によって十分に探究された最高の地点以上に、人間感情に精緻で感覚的な作用を及ぼす要素が存在するのか疑問だ。しかも当時のギリシア人の感情は、これらの芸術に向けて教育かつ形成され、それらの与える生きた印象の世界で息づいていた。それゆえ、われわれ自身がギリシア人でありえないならば、かつてギリシア人が存在したことと、人間の思考様式の全盛期がいずれもそうであるように、彼らもまた最も素晴らしい発展への場所と時代を見出したことを、少なくとも喜ぼうではないか。

これまで述べてきたことから推論されるのは、現在のわれわれが実際に目にしているギリシア芸術の多くの分野、それも音楽や舞踊や物真似の言語による生きた表象のために作られた多くの分野は、たんなる幻影にすぎないということと、したがってまたどれほど慎重に説明したところで、おそらく思い違いをするだろうということである。アイスキュロス、ソフォクレス、アリストファネス、それにエウリピデスの演劇はわれわれの演劇ではない(66)。ギリシア人独自の演劇は、他の民族がたとえどれほど傑出した作品をギリシア風に作ったとしても、いかなる民族のもとにも二度と姿を現すことはなかった。歌唱はもちろん、ギリシア人が自分たちの競技について有しているあの荘重な表現や高尚な概念がなければ、ピンダロス(67)の頌歌(しょうか)も、われわれには酩酊の発現としか見えないにちがいない。同じように、プラトンの対話でさえも、その一言一句が奏でる音楽や形象と言葉による見事な構成に満ちていながら、まさにその最も技巧の装いを凝らした箇所において大方の非難を招いた。若者たちがギリシア人の作品を読むことを学ばねばならないのは、老人ではそれらを目にすることが稀で、それらの精華を自分のものにしたがらないからである。ギリシア人の想像力がしばしば知性を押さえつけ、また彼らがその充実した形成の本質を置く精緻な感覚性によって、時おり理性や徳性までをも押さえつけたことは不問に付すとしよう。われわれは自らギリシア人になることなしに、彼らを評価することを学びたいと思う。彼らの装いに、思想の美しい節度と輪郭に、生き生きとして自然このうえない感情に、そして何よりも他に類を見ない言語の響き豊かな律動に、われわれは今もなお学ばねばならない。

＊34　ハイネによる『歴史伝承の誤りの源泉と原因』、『伝承の自然的原因』、『ホメロス伝承の起源と根拠』、『ヘシオドスの神統記について』[68]などを参照。

＊35　ゲオルギによる『ロシア帝国の諸民族についての記述』[69]を参照。

＊36　ブラックウエル[70]による『ホメロスの生涯と作品に関する研究』(一七三六年)、および、ウッド[71]による『ホメロスの独創的才能についての試論』(一七六九年)。

三　ギリシア人の芸術

このような心情を有する民族は、生活に関わるあらゆる芸術においても、必要なものから美しいものや快いものへと向上せずにはいなかった。ギリシア人はこれを自分たちの遭遇したすべてのことにおいて、ほとんど最高度にまで実現した。彼らの宗教は彫像と神殿を必要とし、国家体制は記念碑や公共の建物を造り、風土と生活様式と勤勉と奢侈と自尊心などは、彼らに多種多様な芸術品を必要ならしめた。こうして美のゲーニウスは彼らにこのような作品を授与し、それを人間史において比類のない形で完成させる手助けをした。事実また最大の奇蹟とも言うべき彼らの芸術品はとうの昔に破壊されているのに、われわれは今もなおその瓦礫や残骸を賛美し愛惜する。

1　宗教がギリシア人の芸術を大いに促進したことは、パウサニアス(72)やプリニウス(73)における芸術品目録、あるいはこうした芸術品の残滓に言及した何らかの蒐集品目録から見てとれる。この点はまた諸民族および人間の歴史全体とも類似している。人々はどこにあっても、目に見える礼拝の対象を求めた。そしてこのような対象が掟もしくは宗教自身によって禁止されていなければ、これを表現し、造形しようと努めた。黒人の諸民族でさえ呪物の中に自分たちの神を現在させるし、ギリシア人についても、彼らが太古の時代から神々を石や木片に描いて表現することから始めた様子が知られている。しかしこの活動的な民族は、こうした貧弱なものに満足していられなかった。木片は柱像や立像になった。それにギリシア人は多くの小さな氏族や部族に分かれていたので、それぞれが家の神や部族の神を偶像にして飾ろうとしたのも当然であった。昔のダイダロスのような名匠たちによる試みがいくつか成功したことや、おそらくまた隣人の芸術品を実際に目にすることによって、競争心が呼び起こされた。すると間もなく多くの部族や都市では、自分の神、つまり自分の領域における最大の神聖なものを、いっそう見よい形にして眺める者が出てきた。とりわけ神々の像を造ることで最古の芸術は立ち上がり、いわば歩くことを学んだ。[*37] したがってまた、神々を模した像を造ることが禁じられていた民族は、そもそもどれ一つとして造形芸術においてこうした高みに到達することが一度もなかった。

しかしギリシア人にあっては、神々が歌唱と詩を通じて導き入れられるとともに、歌唱と詩の中で立派な形をとって生きていた。とすれば、造形芸術が早い時期から文芸の娘となり、母親である文芸が、造形芸術という娘に神々の偉大な形姿をいわば歌って聞かせたことほど自然なことがあったろうか？　それゆえ造形芸術家は、詩人から神々の物語のみならず、神々を表現する方法をも学ばねばならなかった。最古の芸術が、神々の姿をあえて非常な戦慄を惹き起こす形にしてまで表現したのも、詩人がそのように歌っていたからである。[*38] 時とともに表現も心地よいものになったが、それは文芸自体が、より心地よいものになったからである。こうしてホメロスは、ギリシア人の詩歌をより美しいものに発展させた父であったことから、彼らの芸術をより美しいものへと発展させる父ともなった。ゼウスの立像を造ろうとしていたフェイディアス(74)にホメロスは崇高な理念を与え、その後フェイディアスが造った数々の彫像もこの理念に従っていた。ギリシアの詩人によって語られる神々の血縁関係に従って、いっそう明確な性格や、一族の特徴もまた神々の彫像に刻み込まれた。このような形で受け入れられた詩人の伝承は、ついには芸術の全領域における神々の形姿を定める法典という形をとるに至った。ただ、古代のどの民族もギリシア人の芸術を手にすることができなかった。なぜなら、どの民族もギリシアの神話や文芸を持っていなかったからだけでなく、ギリシア人のような方法で自己の文化に到達していなかったからでもある。このような民族は、これまでも歴史において存在したことがない。だからこそホメロスによる芸術を有するギリシア人は、今なおこれに比肩するもののない存在なのだ。

それゆえ、ギリシア芸術に見られる理想的な創造は、こうした事情から説明される。すなわちそれは、ギリシアの芸術家の深遠な哲学からでも、自然によるギリシア民族の理想的な形成からでもなく、本書がこれまで詳述してきたいくつかの原因から生れたものである。全体として見れば、ギリシア人が美しい形姿の民族であったことは明らかに恵まれた条件であった。もっとも、この形姿は理想的な芸術の形姿としてのものであり、それを個々のギリシア人にまで拡大すべきではなかろう。形の豊富な自然は、どこでもそうであるように、ギリシア人にあっても人間の形態における多様な変化を妨げさせはしなかった。ヒポクラテスによれば、どこでもそうであるように、美しいギリシア人のもとでも奇形を産み出す病気や悪疫が存在した(75)。しかしたとえこれらすべてを認め、また芸術家が美しい青年をアポロンに、あるいは教養ある遊女のフリュネとライスを優美の女神にまで高めることのできたあの種々の甘美な機会さえをも勘定に入れたとしても、それだけでは、芸術家たちによって受け入れられ、規則にまでされた神々の理想を説明するにはまだ不十分である。ゼウスの頭部は、自然の人間ではおそらくほとんど存在しえないものだろう。それはちょうど、われわれの現実世界にホメロスのゼウスが一度も生きていたことがないのと同じである。偉大な解剖学者で、素描家でもあるカンパーがはっきりと実証したのは、ギリシアの芸術家の理想とする形が、いかに考え抜かれた規則に基づいているかということである。[*39] しかしこれらの規則は、詩人による表現と、神聖なものを崇拝するという目的を通じてしか到達されえなかった。それゆえ、もし読者諸賢が新たなギリシアを神々の像という形で産み出したいと思うならば、その対象となる民族に、こうした詩と神話に基づく迷信を、これに属するすべてのものと一緒に、そのまったく自然の素朴さのまま返すがよい。そしてまたギリシアをくまなく旅してまわり、その神殿と洞窟と神聖な森を眺めるがよい。そうすれば読者諸賢もこのような宗教について、すなわち、どの都市、どの地方、どの僻地をも、神聖な伝承の現前によって満たしていた非常に強い迷信について、まったく何一つ知らないこの民族が、ギリシア芸術の高みを望もうとしていたなどとは思いもしなくなるだろう。

2　これまで述べてきたことは、同じようにギリシア人のすべての英雄伝承にもあてはまるが、特にそれが部族の祖先に関わる場合にはなおさらである。なぜなら、これらの伝承もまた詩人の魂を通じて現れ、一部は永遠の歌謡のうちに生きていたからである。こうして英雄の像を造った芸術家は、その部族の誇りと祖先への愛着を満足させるために英雄たちの物語を一種の詩人宗教によって模倣した。これが事実であることは最古の芸術家伝を読んだり、ギリシアの芸術品を概観すれば確認される。墳墓、盾、祭壇、聖地、神殿は、祖先の思い出をつなぎとめてきたし、またそれらこそが最古の時代から多くの部族において芸術家の努力の対象となってきた。世界中の好戦的な民族は、みな自分の盾に彩色と装飾を施したが、ギリシア人はそれ以上に進んでいた。彼らは祖先の思い出を、盾に刻み込むか、鋳込むか、彫り込むかしたのだ。非常に古い時代の詩人たちにおいてヴルカヌスの初期の作品が生まれた(76)のも、またヘシオドスによるヘラクレスの盾がペルセウスの行為とともに描かれるの(77)もこうした理由による。盾とならんでこの種の表現が見られるのは、英雄の祭壇、もしくは家族に残された他の思い出の品である。これはたとえばキュプセロスの櫃(ひつ)に見られ、そこに描かれた模様は、ヘシオドスの盾における趣味そのものだった。こうした内容が浮き彫りにされた作品は、すでにダイダロスの時代に生まれていたし、また神々の神殿の多くは、そもそも墓碑であったことから、*40それらの神殿には祖先や英雄や神々の思い出がきわめて密接に寄り集まり、そのため崇拝もほとんど同じようなものとなることで、芸術にとっては少なくとも一様の原動力となった。このようにして古代の英雄物語の表現が神々の衣裳だけでなく、玉座や祭壇の側面にも見られるようになった。同様に死者の顕彰碑がしばしば都市の市場に建立されるか、墓の上に柱像や円柱が置かれた。さらにこれに次のものを、すなわち、家族や部族や私人による思い出の贈り物を、もしくは感謝の誓いとして神々の神殿に置かれた無数の芸術品を、または受け入れられた慣習に従ってしばしば部族や英雄の物語に見られる表現によって装飾を施された無数の芸術品を加えるならば、ギリシア人以外にどの民族が、きわめて多様な芸術のこうした原動力を自慢できようか？　ギリシア全土が自分たちの神々や英雄といった祖先の伝承や歌謡や聖地に満ちあふれていたのに比べれば、忘れ去られた祖先の像を並べただけのわれわれの追悼の間は、まったくの無に等しい。ギリシア人に見られることは、どれもみな次のような大胆な発想、すなわち神々とは神々に近似した高次の人間であり、英雄とは低次の神々であるという大胆な発想によるものであった。しかしこうした概念を最初に形にしたのはギリシアの詩人たちであった。(78)

芸術をこのように促進したものとして、私は部族や祖国の栄誉に加えてギリシア人の行う競技を挙げたい。これらの競技は、ギリシアの英雄たちによって創始されたものであると同時に、彼らを追憶するための祝祭でもあった。したがってまたそれらは、祭式としての慣習であったばかりか、芸術にも文芸にもきわめて有益な慣習であった。それはたとえば、若者たちが一部は裸で諸種の闘技や妙技の訓練を行い、そのさい芸術家の生きた模範となったというだけではない。むしろそれはこうした訓練を通じて若者たちの肉体が芸術上の模倣に耐えうるものとなり、この若々しい勝利によって若者たちの精神が、一族や祖先や英雄たちの栄誉を運動という形でずっと追憶するようになったということでもある。ピンダロスから、そしてギリシアの歴史からわれわれが知っているのは、この種の勝利がギリシア全体においていかに高く評価され、ギリシア人がどれほどの競争心をもってこれを追い求めたかということだ。優勝者を出した都市全体が尊敬され、優勝者の一族は太古の神々や英雄と肩を並べるに至った。ピンダロスの頌歌に見られる理にかなった構成[79]は、こうした点に基づいており、その頌歌はピンダロスが彫像以上の価値にまで高めた芸術品なのだ。優勝者が墓碑あるいは彫像の形で、ほとんど理想化されて保持することが許された名誉も、こうした点に基づいていた。英雄である祖先を熱心に模倣することに成功した優勝者は、いわば神となり人間を超える存在となった。これと同じ価値と結果を有する競技は、現代にあっていったいどこで可能だろうか?

3 ギリシア人の作った国家体制も芸術を促進した。それはギリシアが自由国家であったからというよりも、むしろこうした自由な国家として行う重要な事業のために芸術家を必要としたからである。ギリシアは多くの国家に分かれていたが、それらが国王あるいは執政官によって統治されるかどうかにかかわらず、芸術はひとしく糧（かて）を得た。芸術家の上に立つ王たちもギリシア人だったので、宗教から、もしくは部族の伝承から生まれた芸術上の要求はすべて王たちの要求であった。しかも彼らは最高位の祭司であることも稀ではなかった。それゆえ、太古の時代から王たちの宮殿の装飾は、すでにホメロスが語っているように(80)、仲間の部族、あるいは英雄の貴重な品々によって傑出していた。しかし時とともにギリシアのいたるところで導入された共和的な体制が、芸術にいっそう広範な場を提供したことは言うまでもない。共和国にあっては、民衆の集会、国家の財宝、公共的な訓練や娯楽のために、さまざまな建物が必要とされ、たとえばアテナイでは、立派な運動競技場、劇場、外壁に沿った柱廊(81)、円形演技場、議事堂、公会堂などが造られた。ギリシアの共和国にあっては、すべてが民衆、もしくは都市の名において行われたため、都市の守護神、あるいはその名を顕彰するために使われたものも決して高価すぎることはなかった。しかもこれに比べて個人は、たとえ最も高位の市民でさえ、粗悪な家屋で満足していた。こうした公共精神、すなわち、万事を少なくとも外見上は全体のために行うという精神こそがギリシア諸国家の魂であった。これは明らかにまたヴィンケルマンが、ギリシアの共和国の自由を、芸術の黄金時代として称賛したとき(82)に念頭に置いていたものである。要するに、これらの国家においては、華麗さと壮大さが近代においてほど分割されておらず、国家に関わるものの中で一体となっていた。ペリクレス(83)はこの種の栄誉理念をもって国民の心をくすぐり、芸術のためにアテナイの王が十人以上まとまってもできなかったことを行った。彼が造ったものは、どれも神々やこの永遠の都市にふさわしい壮大な趣味のものであった。それゆえ、もしギリシアの都市や島々が互いに離れたまま名声を競い合う自由国家でなかったら、このような建築物を造り、このような芸術品を促進する都市や島々は決して多くなかっただろう。それに民主的な共和国においては、国民の指導者は国民に迎合せざるをえなかった。とすれば、この指導者は守護神の気に入ることに加えて、国民の目を楽しませ、多くの人間を養う浪費のほかに何を選んだだろうか?

しかしこの浪費によって、人間として目をそむけたくなるような結果が産み出されたことも疑いのないところだ。アテナイの市民が被征服民族に、それに植民市にさえ加えた残虐な抑圧、ギリシア諸国家がたえず巻き込まれた略奪行為や戦争、市民までもが国家のために果たさなければならなかった苛酷な貢献、そしてさらに他の多くの事柄も、ギリシア諸国家をたしかに最も望ましい国家にはしなかった。しかしこうした難儀な事柄でさえ、公共の芸術に寄与せざるをえなかった。神々の神殿はそのほとんどが敵にとっても神聖なものだったし、変転する運命のさなかで、敵によって破壊された神殿でも灰の中からさらに美しい姿で蘇った。勝利を収めたペルシア人の略奪行為の結果、いっそう美しいアテナイが建設され、勝利に終わったほとんどの戦争にあっても、元々は敗戦国のものだった戦利品の一部が、何らかの芸術のために供せられた。後の時代にあってもなおアテナイは、ローマ人によるあらゆる略奪にもかかわらず、種々の彫像や建築物によってその栄えある名声を保持した。多くの皇帝や王や英雄、それに富裕な私人は、自らがあらゆる良い趣味の母と認めた一都市を維持し、美しいものとすることに競って熱中した。それゆえ、マケドニア帝国のもとでも、ギリシア人の芸術は死に絶えたのではなく、姿を変えただけであることが見てとれる。また遠方にあるギリシア支配下の諸国でも、王はやはりギリシア人であり、ギリシアの芸術を愛好した。こうしてアレクサンドロス大王とその後継者の多くは、アフリカやアジアに壮麗な都市を建設した。ローマや他の諸民族も、自分の祖国に芸術の時代がもはや存在しないことに気づくと、ギリシア人からこれを学んだ。いずれにせよ、地球上のどこを見ても、ギリシアの芸術と建築術が唯一無二のものであった。

4　最後に、ギリシア人の風土も、美のための諸芸術を養い育てた。ただしそれは地域よりも部族に左右される人間の形態を中心としたものではなく、芸術の材料や芸術品の陳列に好都合なそれぞれの地域の位置によるものであった。パロス島産の大理石(84)をはじめとする種々の美しい大理石は、それぞれの土地でギリシア人に芸術の材料を供給した。象牙や青銅、そのほか芸術に必要とされるものは、ギリシア人がその中心にいたこともあって、交易によって提供された。言ってみれば、交易は彼らの芸術それ自体の誕生よりも前に行われていたのだ。というのも、ギリシア人は交易を通じて小アジアやフエニキアその他の国々から、自分の手ではまだ細工できない高価な材料を獲得できたからである。こうした誘因によって、ギリシア人の芸術上の才能は早くから萌していた。それは特にまた小アジアとの近さと大ギリシアにおける植民市などが、奢侈や裕福な生活への欲求を目覚めさせるとともに、この欲求が欲求として芸術を促進させるほかなかったからでもある。ギリシア人の快活な性格にとって、無用なピラミッドに労力を費やすことなど思いもよらなかった。個々の都市や国家も、この巨大なるものの砂漠に決して迷い込まなかった。こうしてギリシア人は、おそらくロドス島の巨像(85)を唯一の例外として、どんなに大きな作品においてさえも崇高と優美が一致する美しい均整を適切に表現した。これにはギリシアの晴朗な空が大きな誘因となった。覆いのない彫像や祭壇や神殿があれほど多く存在するのは、まさにそのためである。なかでも、北方で見られる生気のない壁面に代わって、すらりとした優美さをもって晴朗な空のもとに立つことのできた美しい円柱は、均整と精確さと簡素さの典型である。

これらすべての状況を総合すれば明らかなように、イオニアとギリシアとシチリアにおいては、ギリシア人の欲求に即して造られたすべての作品を特徴づける軽やかで精確な精神が、芸術という点から見ても非常に大きな作用を及ぼすことができた。この精神は規則だけによって習得できるものではないが、しかしそれでも遵奉された規則の中に現れる。そしてこの精神は、元来たとえ幸運なゲーニウスの息吹そのものであったにせよ、不断の訓練を通じて手仕事にさえなることができた。どんなに拙劣なギリシアの芸術家も、その手法からすればギリシア人なのだ。われわれは彼を凌駕することはできる。しかしギリシア芸術がその発生時に有していた様式全体には決して到達できない。こうした時代のゲーニウスは、もういないのだから。

＊37　ヴィンケルマンによる『美術史』第一部第一章、およびハイネによる同書の訂正と補遺(『ゲッティンゲン王立科学協会ドイツ語著作集』第一部、二一一頁以下)を参照。(86)

＊38　ハイネによる『キュプセロスの櫃』などを参照。(87)

＊39　カンパーの『小論文集』(88)一八頁以下を参照。

＊40　たとえばラリサにあるパラス神殿がアクリシオスの墓碑で、アテナイにあるミネルヴァ・ポリス神殿がエリクトニウスの墓碑で、アミュクラスの玉座がヒュアキントスの墓碑であった、というように。(89)

四　ギリシア人の道徳上の叡智と政治上の叡智

ギリシア人の道徳は多様であったが、それはギリシア人の部族や地域や生活方法が彼らの文化の程度に従って、また偶然を通じて彼らが投げ入れられた一連の幸不幸に従って多様であったのと同じことである。(90) アルカディア、アテナイ、イオニア、エピロス、(91) スパルタ、シュバリス(92)の住民は、時代や位置や生活方法の点で互いにまったく異なっていた。そのため私がこれらの住民すべてを一つの全体であるかのように描こうとすれば、それは虚偽だろうし、しかもこうしたものを描く技量さえ私にはない。実際またそのようにして描き出された特性は、パラシオス(93)の描くアテナイの民衆のそれと比べても、矛盾だらけのものとして映るにちがいないだろう。*41 したがってわれわれには、全体としてギリシア人が道徳形成にさいして歩んだ道と、この形成が彼らの国家制度と結びつくに至った様子に目を向ける以外に方法はない。

地球上のあらゆる民族においてと同じように、ギリシア人にあっても最古の道徳文化はとりわけ宗教から出発し、長く宗教の軌道上で保たれた。政治が大きな優位を得る時代に至るまで、種々の秘儀という形で伝えられた祭式の慣習。来客を歓待する神聖な権利と、救いを求める不遇な者を保護する神聖な権利。聖地においてこれらの者の安全を保障すること。故意でない殺人者をも子孫に及ぶまで迫害し、贖われない流血のために国全体を呪詛するような報復の女神たちや刑罰に対する信仰。贖罪の儀式および神々の怒りを鎮める儀式。神託の声。誓言や竈や神殿や墳墓の神聖さ等々。これらのものは粗野な民衆の気持ちを抑え、なかば未開な人間を次第にフマニテートに向けて形成すべく実行に移された考えであり制度だった。[*42] ギリシア人を他の国民と比較してみれば、宗教が自らのこうした仕事を首尾よく果たしたことが分かる。なぜなら、明らかにギリシア人は、これらの制度を通じて哲学と政治文化の入口まで連れて行かれただけでなく、それらの神聖な境地にまで深く導かれたからである。かの唯一無二のデルフォイの神託。これはギリシアにおいて、何と大きな貢献をなしたことか！　そこでの神々の声は、何人もの暴君や悪人をはっきりと指し示し、彼ら一人ひとりにその運命を冷たく告げ知らせた。しかしそれにもましてこの神託は、数多くの不幸な者を救い、途方にくれる多くの者に助言を与え、多くの立派な制度を神の威信でもって強力なものとし、その神殿に捧げられた無数の美術品や文芸作品を広く世に知らせ、道徳格言のみならず政治上の原則をも神聖なものにした。それゆえ、まだ粗さの残る神託の詩句は、後の詩人たちの洗練された詩歌よりも効果があった。それどころか神託は、ギリシアの国家統治者と裁判官および隣保同盟構成員[94]を擁護し、彼らの発言をいわば宗教の掟とすることによってきわめて大きな影響を及ぼした。後の世紀にヨーロッパの永久平和を確立する唯一の手段として提議されたもの、すなわち同盟構成員による裁判[*43]は、ギリシア人のもとにすでに存在していた。しかもそれは叡智と真理の神の玉座近くにあって、その神威を通じて神聖化されるべきものであった。

宗教とならんで、祖先の諸制度から生れ、祖先の思い出が子孫の心から消えないようにした慣習も、すべてこれに含まれる。それらはギリシア人の道徳形成に持続的に影響を及ぼした。こうしてたとえば多種多様な公共の競技は、肉体の鍛錬を教育の主要部分とするとともに、それを通じて獲得された長所を国民全体の目標とすることで、ギリシアの教育にきわめて独自の方向を与えた。ギリシアの優勝者を飾る花冠となったオリーヴとキヅタとトウヒの枝ほど美しい果実をつけたものはない。それは若者たちを美しく健やかで快活にしたのみならず、その四肢に柔軟さと均整と充実をもたらした。この枝はまた若者たちの魂のなかで名声、それも死後の名声に対する愛着心の最初の火花をかきたて、彼らのうちに、自分の都市と国のために公共の存在として生きるという不滅の型枠を刻み込んだ。そして何より評価すべきは、この枝が彼らの心に男性間の交際と男性同士の友情に対する美的感覚を植えつけたことと、それによってギリシア人は他民族とは区別される存在になっていることである。ギリシアにおいて青年が生の全力を傾注して獲得する賞品は女性ではなかった。あの最も美しいヘレナでさえ、たとえ全男性の徳目が彼女を享楽の対象とし獲得することであっても、やはりパリスのような男性しか教育できないだろう。女性はギリシアにおいてそれぞれの徳目の非常に美しい典型を産み出したにもかかわらず、依然として男性の生活の従属的な目標にすぎなかった。高貴な青年たちの思想は、何かいっそう高次のものを目ざした。彼らを相互に、あるいは成熟した男性たちと結びつけた友情の絆は、アスパシア(95)のような女性といえども容易に与えることのできなかった訓練を彼らに施した。こうして生れたのが、多くの国家におけるギリシア人の男性愛、それも競争心や訓育や献身を伴う男性愛なのだ。そしてわれわれは、こうしたものによって産み出される感情や成果を、まるで未知の惑星で書かれた夢物語のようにプラトンの中に読む(96)。男性たちの心は互いに愛と友情の中で結び合わされ、それが死のときに至るまで継続することも稀でなかった。愛する者は相手のどんなに小さな欠点をも見逃すまいと一種の嫉妬をもって相手を追い回した。他方また愛される者は、自分を追い回す者の目を、自分の魂の最も内奥に秘められた愛情を浄化する焔(ほのお)

としてこれを恐れた。今でもわれわれにとって青春時代の友情といえば、最も甘美な感情であり、またわれわれの覚醒しつつある諸力の最も美しい時期に、完成という同じ軌道で互いに鍛え合った者たちとの愛情ほど長続きするものはない。これと同じようにギリシア人にあっても、こうした軌道は運動競技や軍務や政務において公共のものとして定められていたので、かの愛する者たちの神聖な集団はその自然な帰結だった。とはいえ、時とともにこのような制度の濫用から、特に裸体の少年たちが鍛錬する場合に道徳の頽廃（たいはい）が生じた。もちろん私はこのことを隠そうとはまったく思わない。しかしこうした濫用もまた残念ながらギリシア人の性格によるものだった。というのも、彼らの豊富な想像力、それに神々を最高度に享受するために造られたすべての美しいものに対するほとんど狂気に近い愛情が、この種の混乱を避けがたいものにしたからだ。もし少年たちの鍛錬がこっそりと人目を避けて行われていたら、こうした混乱はいっそう頽廃的なものになっていただろう。このことは温暖な地域、もしくは贅沢な文化を有するほとんどすべての民族の歴史によって実証されている。それゆえ、少年の内面で育まれた焔には、公共という名誉を求める目的や制度を通じて、なるほどいっそう自由な空気が与えられはしたものの、しかしそれによってまたこの焔は、ギリシア人が国家のための有効な原動力として用いた法律の監視下で制限されることにもなった。

最後に。両大陸にまたがり、三つの部分からなるギリシアは、多くの部族や国家に分かれていたため、あちらこちらに生れた道徳文化も、発生時からそれぞれの部族に固有のものであり、したがってきわめて多種多様に政治的なものにならざるをえなかった。(97)そこでまさにこうした事情からだけでも、われわれはギリシアにおける道徳形成の幸運な進展を理解できる。ギリシアの諸国家を互いに結びつけていたのは共通の言語と宗教、神託、競技、同盟構成員による裁きなどのきわめて弱い絆であり、あるいは出自や植民市、そして何よりも古代に共同で行った事業の追憶、および詩歌や国家としての栄誉だけであった。いかなる専制君主もこれらの国家をそれ以上に結びつけなかった。なぜなら幸いなことに、それらに共通の危険も、とうの昔に過ぎ去っていたからである。それゆえ問題は、文化の源泉からそれぞれの部族が何を汲み上げ、どのような小川を自分のために引こうとしたのかということである。どの部族もこれをそれぞれの必要事情に従って、しかし特に形成する自然によって自分の部族に授けられた何人かの枢要な人物の考え方に従って実行した。すでにギリシアの諸王のもとには、昔の英雄の気高い息子たちがいた。彼らは時代の変化とともに歩みつづけ、彼らの祖先が栄誉ある勇敢さによって自分たちの民族に有益であったように、今や優れた法律によって有益なものになった。最初期の植民市開拓者を除けば、立法者たる王の中では特にミノス王(98)がこうして頭角を現した。彼は山地の多いクレタ島の好戦的な住民を兵士として訓練し、後のリュクルゴス(99)の模範となった。ミノス王はまた海賊を統御し、エーゲ海の安全を確保するとともに、海陸両面でギリシアの、より普遍的な道徳を確立した最初の人物であった。ギリシアには彼のように数々の優れた制度を定めた王が何人もいたことは、アテナイやシラクサ、および他の王国の歴史が示している。しかし言うまでもなく、政治上の道徳形成における人間の活動は、ギリシアの王国のほとんどが共和国になったとき、従来とは異なる飛躍を遂げた。すなわち革命である。しかもそれは人間史全体において最も注目に値する革命の一つなのだ。こうした革命はギリシアでなければ生じえなかった。というのも、ギリシアでは多数の民族が自らの起源と部族の記憶を、その時々の王のもとでもそれぞれ保持する術を心得ていたからである。どの民族も自己を一個の国家形態と見なし、次のように、すなわち、かつて移住した祖先たちと同じように、この国家は政治的に独立することが許されており、また代々世襲されてきた王たちの意志のもとでも、ギリシアのいかなる部族といえども売り渡されるべきではないと考えていた。もっともこれだけでは、新しい政治の方がましだろうということにはならなかった。実際ほとんどの地域を支配していたのは王ではなく、重要な高い地位にある者たちや、より強い力を持つ者たちだった。そのため多くの都市では混乱がいっそうひどくなり、国民の抑圧も耐えがたいものとなった。しかしそれでもこれによって賽は一度投げられたのであり、人間はちょうど未成年状態から目覚めるように、自分たちの政治体制について自ら熟考することを学んだ。このようにギリシアの共和国の時代は、人間が人間によってどのように統治されるべきかという重要な事項について、人間精神が成年状態へ入る最初の一歩であった。(100) ギリシアの統治形態が示す逸脱や過ちは、どれもみな若者の試みと見なすべきものである。若者はたいてい失敗を通じてのみ賢くなることを学ぶのだから。

こうして、間もなく自由になった多くの部族や植民市の住民からも何人もの賢者が輩出され、国民の後見人となった。彼らは自分の部族が、いかにひどい不幸に苦しんでいるかを目のあたりにし、国家全体の法や道徳の上に築かれるような制度を部族のために工夫した。それゆえ、当然これら古代ギリシアの賢者のほとんどは、公共の職務にあった男性や国民の指導者であるか、もしくは王の助言者や軍の司令官であった。こうした高位の人間からのみ政治上の文化は生れ、そこから下って広く国民にも影響を及ぼすことができた。リュクルゴス、(101) ドラコン、(102) ソロンでさえ、各自の都市における最高位の一族の出身であり、彼らの何人かは自らが公職についていた。この頃には貴族政の弊害が国民の不満とともに頂点に達しており、そのため彼らが改良して提示した制度は、広範囲に受け入れられた。これらの人物が得た次のような称賛は今なお不滅である。すなわちそれは、国民の支持を受けた彼らが自分と一族のために支配権を手にすることを潔しとせず、すべての努力や、人間と世界についてのすべての知識を共和国、つまり公共の制度としての国家に傾注したというものである。もっとも、彼らによるこの種の最初の試みが、人間に関する諸制度の最高にして永遠の模範には程遠いものであるにせよ、そうなることが彼らの意図であったわけでもない。これらの試みは本来それらの導入された地域にしか適合しないものであり、それどころか、ここでもまた部族の習俗や、これに根をおろした悪弊に不本意ながら順応せざるをえないことも稀でなかった。リュクルゴスはソロンよりも自由に手腕を振るったが、あまりにも古い時代にまで遡り、あたかも世界が未熟な青少年期の英雄時代に永遠にとどまっていられるかのように国家の建設を行った。彼は自分の法を、その効果や影響も見定めないまま施行した。実際またギリシアの歴史のあらゆる時代を通じて、自分の法が、一方では濫用によって、他方ではそれがあまりにも長期にわたって効力を保持したために、自分の都市のみならず、場合によってはギリシア全土にもたらした結果を目にすることは、当人の精神にとっておそらく最もこたえる罰であったろう。ソロンの法はこれと違う形で有害なものとなった。つまり法の精神が、彼の存命中にもう古びてしまったのだ。ソロンは自らの国民統治がもたらす種々の弊害を予見しており、それらはアテナイの滅亡を待つまでもなく、この都市の最も賢い者たちや優れた者たちにはきわめて明白なものだった。[*44] しかしこれは人間に関わるすべての制度、なかでも国と人に関わる最も困難な制度の運命なのだ。時と自然はすべてを変化させる。(103) とすれば、人間の生もまた変わらないということがあろうか？　制度や教育がどれほど先祖伝来の古いものであり続けても、世代が替わるごとに新たな考え方が生まれる。新たな欲求や危険に加えて、勝利や富、ますます高まる栄誉、そして増大する人口といった新たな長所でさえもが押し寄せるようにやって来て、こうした変化を助長する。とすれば、いったいどうして今日が昨日のままで、古い掟が永遠の掟のままであり続けることができようか？　たしかに掟は保持される。しかしそれはおそらく外見だけで、残念ながらほとんどが濫用される。しかもそうした濫用の犠牲となることは、利己的で怠惰な人間にとってはあまりにも苛酷だろう。これがリュクルゴス、ソロン、ロムルス、(104) モーゼ、そして時代遅れのすべての法が遭遇した状況であった。

それゆえ、これら立法者自身の声をその晩年において聞くと、われわれも大いに心を動かされる。しかもそのほとんどが嘆息の声なのだ。実際また彼らが長生きしたとしても、そのときにはすでに彼ら自身が時代遅れになっていた。モーゼの声がこのようなものであり、さらにわれわれの所有している僅かな断片に聞かれるソロンの声(105)も同じである。それればかりか、たんなる道徳上の箴言を除いても、ギリシアの賢者たちの省察は、ほとんどみな悲しげな調子を帯びている。彼らは人間の変転する運命と幸福が自然の掟によって狭く限定され、人間自身の振舞いによって恥ずかしいまでに混乱させられる様子を目にして嘆いた。彼らはまた人生と青春の移ろいやすさを嘆く一方で、貧相で病気がちなことも稀でない老境を、それも、いつも弱々しく少しも顧みられない老境を描いた。彼らは厚顔無知な者たちの幸運と善良な者の苦しみを嘆いたが、これと闘う真の武器を自分の世界の市民に流し与え、その心を穏やかに感動させることを忘れてはいなかった。その武器とは、知恵と健全な理性、情念の抑制と無言の勤勉、協調性と、友情あふれる誠意、不屈の精神と鋼鉄の意志、神々に対する畏敬と祖国愛だった。近代に残存するギリシア喜劇においてさえ、穏やかなフマニテートのこうした嘆きの声が今なお谺している。[*45]

だからこそわれわれとしても、たとえ多くのギリシア人国家がヘイローテス[106]やペラスゴイや植民市の住民、それに外国人や敵国人に対してどのような悪行、あるいは場合によっては戦慄すべき悪行を加えたにせよ、ラケダイモン[107]、アテナイ、テーバイ[108]をはじめ、当時のギリシアのいわばどの国家においても生きていた公共心の非常な高貴さを見逃すわけにはいかない。ただしあくまでも真実で確かなことは、この公共心が特定の個人の手になる個別の法から生れたわけでもなければ、それが国家のどの成員にあっても、またいつの時代にも同じものとして生きていたわけではないことである。それでもギリシア人のもとで公共心が生きていたことは、彼らの不当かつ嫉妬心から起こった戦争、苛酷をきわめる弾圧、それに彼らの市民道徳を最もひどく裏切った者たちでさえもが示しているとおりである。テルモピュレの戦いに斃(たお)れたスパルタ人たちの墓碑銘に刻まれた、(109)

旅人よ、スパルタに告げてくれ。われらはスパルタの法を遵奉して
ここに打ち倒されて眠ることを(110)――

という言葉は、いつの時代においても政治道徳の最高原理である。ただ二〇〇〇年後のわれわれが、これについて今もとにかく遺憾に思わざるをえないのは、この原理が、なるほどかつては地球上で僅かしかいないスパルタ住民の遵奉した原理、それも狭隘な国土における貴族の苛酷な法に関する原理ではあったものの、しかし人類全体の純粋な法の原理には決してなりえなかったということである。この原理自体は、人間が自らの幸福と自由のために案出し、実行しうる最高のものである。同様のことはアテナイの憲法についても言えるが、ただこちらの憲法はまったく別の目的に向けられていた。なぜなら、さしあたり国民に属する事柄において、国民を啓蒙することが政治制度の目的であ

ると言えるならば、アテナイはわれわれの知る世界において明らかに最も啓蒙された都市だったからだ。パリもロンドンも、ローマもバビロンも、メンフィス[111]も北京もベナレス[112]も、この点ではアテナイに比肩すらできないだろう。人類のあらゆる道徳文化は、愛国心と啓蒙[113]という両極を中心に動いている。それゆえ、人間がこれらの目的に関して自らの政治術をまず青春の喜びをもって実習したアテナイとスパルタの両方ともが、追憶されるべき偉大な舞台であり続けるだろう。ギリシア人の他のほとんどの国家もこれら二つの偉大な模範に従った。その結果、これに追随したくなかった国家のいくつかは、征服者からアテナイやラケダイモンの国家体制を押しつけられたほどだ。したがって歴史の哲学も、これら二つの地域で、しかもこれらの地域が影響力を持っていた短い期間に非力な人間たちによって現実に行われたことよりも、むしろアテナイとスパルタの制度が有する原理から人類全体のために生じたものに注目する。たとえどのような過失があっても、リュクルゴス[117]、ソロン、ミルティアデス[114]、テミストクレス[115]、アリステイデス[116]、キモン[118]、フォキオン、エパメイノンダス[119]、ペロピダス[120]、アゲシラオス[121]、アギス[122]、クレオメネス[123]、ディオン[124]、ティモレオン[125]などの名前は永遠の栄誉をもって称賛される。これに対してアルキビアデス、コノン[126]、パウサニアス[127]、リュサンドロス[128]はまったく同じように偉大な人物であるにもかかわらず、ギリシアの公共精神[129]を破壊した者、もしくは祖国を裏切った者としてその名が非難される。ソクラテスの分別ある徳でさえ、もしアテナイのような都市が存在しなければ、何人かの弟子によって実現されたように大いに発展することもほとんどありえなかった。なぜなら、ソクラテスはアテナイの一市民にすぎず、彼の叡智はどれもみな彼が親しい対話の形で伝え広めたアテナイ市民の叡智にすぎなかったからである。こうしてわれわれは、市民の啓蒙という点ですべての時代を通じて最も多くのものと最も優れたものを、この唯一無比のアテナイに負っている。

実際の徳目についてはあまり多くを述べることができないので、ここではアテナイの国民統治によってのみ登場しえたもの、すなわち弁論家と演劇について、なお若干の言葉を費やしてもよいだろう。まず法廷に立つ弁論家は、特に国政に関する案件や即決を要する案件を弁ずるときには危険な原動力となる。その種々の弊害はアテナイの歴史においても十分に明らかだ。それでも弁論家は国民の存在を、それも弁論の対象とされた公共の案件において種々の知識を有するか、少なくともそれらの知識を受け入れることのできた国民の存在を前提としている。したがってアテナイの国民は、あらゆる党派に分かれていたにもかかわらず、この点でわれわれの歴史にあって今なお比類のない位置を占めており、これにはさすがのローマの国民といえども、ほとんど太刀打ちできない。軍司令官を選ぶこと、もしくは弾劾することと、戦争と平和、生と死、それに一切の国務について語ること自体は、たしかに騒がしい群衆の関与すべき問題ではなかった。しかしこれらの仕事について公共の場で論ずることによって、そしてこれに用いられるあらゆる技術によって、粗野な群衆でさえ、こうした議論に耳を傾けるようになった。さらにこのような群衆には、アジアのいかなる国民も知らないような精神、つまり政治談義を好む啓蒙された精神が与えられた。これとともに国民の耳に訴える雄弁は、ギリシアとローマでしか持ちえなかった高みに到達した。ちなみにこのような高みには、およそ国民の雄弁が、真に普遍的な啓蒙とならないかぎり到達するのは困難だろうし、実際また到達もできない。それゆえ、雄弁の目的とするところは、たとえアテナイにおいてはそのための手段が目的にふさわしいものでなかったにせよ、明らかに偉大なものである。アテナイの演劇についても事情は同じであった。この演劇は国民のために書かれたものを、それも国民に適した崇高で機知に富んだものを内容としていた。しかしその歴史はアテナイとともに終わった。なぜなら、国民に影響を及ぼすといっても、その話や情熱や意図が特定の狭い範囲だけのものだったので、これらのものは、他の部族や統治体制が混在する群衆の中では、もはや二度と実現不可能だからである。われわれとしてはギリシア人の道徳形成を、彼らの国家の歴史においても、弁論家や劇詩人においても、決して抽象的な道徳尺度で測ってはならない。というのも、これらのどれ一つとして、こうした尺度を根底に持っていないからである。[*46] 歴史が示しているのは次のこと、すなわち、ギリシア人がどの時代にあっても、いかにすべてその境遇に従って善いものでもありえたか、また悪いものでもありえたかということである。弁論家は自分が論戦において相手の党派をどのように見ていたかということと、これを論戦の目的に応じてどのように描かざるをえなかったかということを示す。そして最後に劇詩人は、さまざまな登場人物を太古の時代が自分に提供してくれたような形で、あるいは職業柄ほかならぬ眼前の観客に見せたいと思うような形で劇中に登場させた。ただ、いずれにせよ、これらの事柄からギリシア国民全体の道徳性もしくは不道徳性についての結論を導くことは無理だろう。しかしギリシア人を或る特定の時期および都市において、それも当時の彼らの眼前にあった種々の問題の範囲に従って見るならば、彼らが当時の世界にあって最も手際がよく、最も俊敏で、最も啓蒙された国民であったことは誰も疑わないだろう。アテナイの市民は、自分たちの教育や嗜好や選択の欲するままに、あるいは運命や偶然の欲するままに、軍司令官と弁論家と詭弁家と裁判官と政治家と芸術家を輩出させた。そしてまた一人のギリシア人の中に、善良さと高貴さの最も優れた長所がいくつも兼ね備わっていることも稀ではなかった。

＊41　「パラシオスはアテナイの民衆を機知あふれる方法で描いた。すなわち彼の意図は、アテナイの民衆を移り気で、執念深く、公正でなく、気まぐれで、同時にまた寛容で、慈悲深く、同情的で、横柄で、功名心が強く、気後れし、乱暴で、横道に逸れる、というように、そのすべての特性を描くことだった」（プリニウス『博物誌』第三十五巻、六九）[130]。

＊42　ハイネによる『ギリシアの最初の立法者が人間生活の最初期に慣習を和らげるために講じた賢明ないくつかの措置』（『アカデミー作品集』所収）第一部、二〇七頁を参照[131]。

＊43　サン・ピエール[132]の『著作集』第一巻（パリ、一七三〇年）および彼の全著作のほとんどすべての箇所を参照。

＊44　アテナイ人の共和国に関するクセノフォン、それにプラトンやアリストテレス[133]なども参照。

＊45　これについては別の箇所で[134]。

＊46　ギリーズ[135]による『リュシアスとイソクラテスの演説』の序論、およびギリシアを弁論家、もしくは詩人の観点から評価した他の類書を参照。

五　ギリシア人の習得した学問

地球上のいかなる国民に対しても、他国の学問の理想を押しつける権利など誰にもない。しかし実際にはこうしたことがアジアの多くの国民だけでなく、ギリシア人に対しても行われ、そのため彼らには時として不当な称賛や非難が繰り返し浴びせられた。たとえば神や人間の魂についての思弁的な教義学などは、ギリシア人の何ら関知するところではなかった。これらについての研究は、ギリシアの哲学者が自国の祭式の慣習を考察していたかぎりにおいては、そしてまたその考察がどこかの政治的党派によって妨害されさえしなければ、あくまでも私人としての自由な意見表明であった。この点に関して人間精神はギリシアにおいても、他のあらゆる国の場合と同じように、奮闘努力して自らの活動領域を獲得しなければならなかった。そしてこの活動領域を人間精神はついに自ら勝ち取った。

ギリシア人の世界知は古い神話と神統記から生れたが、この国民の精緻な精神がそれらについて紡ぎ出してきたものは際立って豊かなものである。神々の誕生や四大の闘争や被造物相互の愛憎を歌った詩作品は、種々の学派によってきわめて多方面に発展させられたため、ギリシア人は、現在のわれわれが自然史の助けを借りずに世界の生成について詩作するのと同じ程度にまで達していたと言ってもよいほどだ。それどころか、或る点では彼らの方がわれわれよりも進んでいた。なぜなら、彼らはわれわれよりも自由にものを考えたし、またどのような既存の仮説も、彼らに対して何らの目標も前もって設定しなかったからである。ピュタゴラス[136]や他の哲学者の数論でさえ、人間の魂の最も純粋な概念、すなわち明晰に理解された量という概念を、事象の学問と結びつけようとする大胆な試みなのだ。しかし当時は自然科学も数学もまだ幼年期にあったので、こうした試みはあまりにも時期尚早であった。それでもこの試みが他の多くのギリシアの哲学者による体系と同じように、今もわれわれに一種の尊敬の念を呼び起こしてやまないのは、これらの体系のどれもが、それぞれの観点から深く考え抜かれ、広大な思索の範囲を有しているからである。その多くのものの根底には種々の真理と省察が横たわっていたのだが、爾来(じらい)われわれはこれらの真理や省察を視界から見失った。それはおそらくわれわれが、真理や省察は学問上の利益にならないだろうと考えたからである。

たとえば、古代の哲学者の誰一人として神を世界の外の存在、もしくは自然をはるかに超えたモナドとは考えないで、皆そろって世界霊(137)の概念を保持していたことは、人間の哲学の幼年期にとって、まったく適切なことだったし、多分ずっとそうあり続けるだろう。残念なのは、われわれがこれらのきわめて大胆な哲学者の見解を、原著から体系的に知るのではなく、切り刻まれて歪められた情報からしか知りえないことである。しかしそれ以上に遺憾なのは、われわれが彼らの時代の中に自ら身を置こうとせず、むしろ彼らをわれわれの思考様式に適合させようとしていることである。どの国民も普遍的な概念については自ら固有の見方を持っており、しかもたいていの場合、その根拠はさまざまな形の表現の中に、すなわち伝承の中にある。元来ギリシア人にあって哲学は詩や寓意から生れ、これらは彼らの使う抽象概念にも独自の特徴を、それも彼らには曖昧でない特徴を与えた。プラトンの用いる寓意でさえも、たんなる装飾などではない。そこに描き出されているのは、太古の時代の規範的箴言のごとく、古代の詩人によって伝承されてきたものを、さらに精緻に発展させたものなのだ。

しかしギリシア人の探究精神は、とりわけ人間と道徳を考察する哲学に向けられていた。というのも、彼らの時代と政治体制が、もっぱらこうした方向へと彼らを導いたからである。博物学や自然学や数学は当時まだ十分に開拓されておらず、近代におけるような新しい発見に至るには道具が案出されていなかった。これに対してギリシアではすべての注意が人間の本性と道徳に向けられ、それはギリシアの文芸や歴史記述や国家制度の基調でもあった。どの市民も、自分と同じ都市に住む市民のことを知り、時にはまた公務にも従事しなければならなかった。しかもこうした公務は忌避することができなかった。人間の情熱や活力は今よりもずっと自由な活動の場を有していた。閑暇をもてあます哲学者でさえ、明らかにこうした情熱や活力から逃れられなかった。人間を統治するか、あるいは社会の生きた一員として活動することは、向上を求めて努力するギリシア精神すべてに見られる主要な特徴であった。それゆえ、抽象的な思考をする者たちの哲学が、結果として道徳もしくは国家の形成を導いたのも不思議なことではない。それはピュタゴラスやプラトン、さらにはアリストテレスさえもが実証しているとおりである。ちなみに彼らの職務は市民として国家の制度を整えることではなかった。ピュタゴラスはリュクルゴスやソロンその他の場合と同じように、いずれの状況にあっても統治者や執政官ではなかった。それにピュタゴラスの哲学もその大部分がほとんど迷信に近いような思弁であった。ただそれでも彼の学派は、大ギリシアの諸国家に非常に大きな影響力を持つ人々を惹きつけた。こうしたピュタゴラスの弟子たちの結社は、もしそれが運命によって長続きさせられていれば、おそらく世界改善のための最も活動的で、しかもきっと純粋このうえない原動力となっていただろう。[*47] しかしまた時代をはるかに超えていたピュタゴラスのこうした歩みは、あまりに時期尚早なものだった。すなわち、大ギリシアの富裕にして享楽にふける諸都市とその暴君は、こういった道徳監視者を好ましく思わなかったため、ピュタゴラス学派の人々は殺害された。

人間を愛したソクラテスこそが哲学を天上から地上へと呼びおろし、これを人間の道徳生活に親しいものとしたという讃辞(138)は、なるほどしばしば繰り返されてきたものだが、私には誇張のように思われる。ただ少なくともこの讃辞はソクラテス自身の人格と彼の狭い生活範囲にだけはあてはまる。ソクラテスよりずっと以前にも、人間のために道徳および実践という観点から思索を重ねた哲学者は存在したし、かの伝説的なオルフェウス以来、こうした活動はまさにギリシア文化の著しい特徴であった。ピュタゴラスもまた自らの学派を通じて、ソクラテスが自分の全友人を通じて実際に作りたいと考えたものよりずっと広範な素地を人間道徳の形成のために作った。ソクラテスが高度の抽象論を好まなかったのは、彼の身分や知識の範囲、そして何よりも彼の時代と生き方に起因していた。想像力の諸体系は、自然について何らの経験を伴わないで疲弊していたし、ギリシアの叡智はソフィストたちによる幻術まがいの饒舌と化した。こうして、それ以上凌駕されるべきでないものを軽蔑し除外するには大した努力を要さなかった。ソフィストたちの幻惑的な気風からソクラテスを護ったのは、彼のデーモン(139)と生来の実直さ、そして市民として歩む彼の生き方だった。この生き方は同時にまた彼の哲学に対して、人間であることの本来の目的を定めたが、それは彼と交流のあったほとんどすべての人に本当に素晴らしい結果をもたらした。ただし、こうした効果をあげるには時代と場所、それにソクラテスが生活を共にした人々の集まりが必要であったことは言うまでもない。もし彼がアテナイ以外のどこかで暮らしていたならば、この市民としての賢者は、おそらくその名前も知られないまま、一人の啓蒙された高潔な人間で終わっていただろう。なぜならソクラテスは、実に彼らしいことではあるが、いかなる新しい案出も、またいかなる新しい教説も、その時々の書物に記録しなかったからである。彼が世界にとっての師表となったのは、もっぱら彼の用いた方法と生き方、自分自身に与え、他人にも与えようとした道徳上の教化、そして何にもまして彼独特の死に方に起因する。ソクラテスのような人間となるには多くのことが必要とされよう。なかでも欠乏に耐える素晴らしい才能と、道徳上の美点に対する精緻な感覚が不可欠であろう。ちなみに後者は彼が自身において一種の本能にまで高めたように見える。しかしそれでもわれわれは、この謙虚で高貴な人物を、摂理が自ら彼に定めた活動領域を超えて持ち上げるようなことをしてはならない。彼は自分にふさわしい弟子を僅かしか育てなかった。ほかでもなくそれは、彼の叡智がいわば彼自身の生活道具の一部にすぎなかったからであり、また彼の卓抜な方法も、たとえ彼に最も近い弟子たちの口にかかったとしても、反語的で皮肉な問いの立て方をするその弟子がソクラテスの精神や感情を自分の性格として持っていなければ、たちまちいとも簡単に嘲笑や詭弁に堕してしまいかねないものだったからである。彼の最も優秀な弟子であるクセノフォンとプラトンの二人を公平に比べてみるがよい。そうすれば彼がこの二人にあって(彼自身の好んだ控え目な表現を用いるならば)彼らの精神がそれぞれ固有の形態を得るのを助ける産婆にすぎなかったことが分かるだろう。そのためソクラテス自身も、二人の描くものの中ではまったく違って見える。両者の著作で最も傑出した部分は、明らかに彼ら自身の考え方に由来している。しかし彼らは道徳者としてのソクラテスの姿を確立することによって、自分たちの愛する師に最高の感謝を捧げることができた。もちろん、それ以降もソクラテスの弟子たちを通じて師の精神がギリシアのあらゆる法律と国家体制に浸透していれば大変望ましいことであったろうが、実際にそうならなかったことはギリシアの歴史が証明するところである。ソクラテスの生きた時代はアテナイ文化の絶頂期にあたっていたが、それはまたギリシア諸国家の関係がきわめて緊張していた時期でもあった。不幸な時代と道徳の頽廃しか引き寄せられなかったこれら二つのことは、間もなくギリシアの自由の没落を招く直接の引き鉄(ひきがね)となった。これに対してソクラテスの叡智は、ギリシアの自由を護らなかった。

というのも、この叡智はあまりにも純粋で精緻にすぎて、とても国民の運命を決定できるようなものではなかったからである。また政治家で軍司令官でもあったクセノフォンの描く国家体制も劣悪なものだったため、体制を変えることなどできなかった。プラトンは理想国家を創出したが、それはどこにおいても、なかでもシラクサの僭主(せんしゅ)ディオニュシオス二世の宮廷では最も実現しえないものだった。要するに、ソクラテスの哲学は、ギリシアよりも人類にずっと貢献したのであって、そのことは疑いもなく彼の哲学のいっそう立派な名誉でもある。

アリストテレスの精神は、これとまったく異なるものであった。それはかつて筆をふるった最も明敏で堅固で、おそらく最も冷静な精神であった。もちろん、彼の哲学は生活一般の哲学というよりも学派の哲学であり、特にそのことは現在まで残されている彼の著作やその利用のされ方に見てとれる。しかしそれだけいっそう多くの純粋な理性と学問が彼を通じて獲得され、こうして彼はこの領域ではいつの時代にも王者として君臨している。ただ中世のスコラ哲学者たちがもっぱら彼の形而上学のみに注意を向けたのは、彼らの責任であって、アリストテレスのせいではない。だが人間の理性はこのような形而上学によっても、信じられないほど研ぎすまされた。異国民の手に渡った彼の形而上学は、まず空想や伝承の蒙昧とした夢想的部分を詭弁に変える道具と化し、それによってこうした夢想的部分は次第に自滅するに至った。(140) しかし彼の良著である博物誌や自然学、倫理学や道徳学、政治学、詩学、それに弁論術は今なお多くの幸福な適用のされ方を待ち望んでいる。嘆かわしいのは、歴史に関する著作が消失したことと、博物誌も抜粋でしか残されていないことである。それでも純粋な学問に対するギリシア人の精神を認めようとしない者は、まさにそのギリシア人のアリストテレスやエウクレイデス(141)を読むがよい。彼らは純粋な学問に対する精神において決して凌駕されなかった著作家なのだ。事実またプラトンやアリストテレスの功績は、自然科学と数学の精神を覚醒させた点にある。しかもその精神はいっさいの道徳化を超えて壮大なものを目ざし、あらゆる時代に作用を及ぼしている。彼らの弟子の多くは天文学、植物学、解剖学やその他の学問の促進者だった。実際それはアリストテレス自身が博物誌だけによって置いたこうした学問体系の基礎の上に、さらに何世紀にもわたって構築が行われるということである。学問において知られうるすべてのもののための基礎は、美しい形をしたものすべてに対する基礎と同じように、ギリシアで築かれた。しかし何とも残念なことに、運命はわれわれにギリシアの最も根源的な賢者たちの著作をほんの僅かしか残してくれなかった。なるほど現存する著作も素晴らしいものだが、最も傑出したものはおそらく失われてしまった。

ただここで私に期待しないでもらいたいのは、数学や医学や自然科学および芸術全体における個々の学問を通覧することと、これらの学問の案出者あるいは促進者として後のあらゆる時代の基礎作りに貢献した一連の人物の名を挙げることである。周知のように、アジアやエジプトは、そもそもわれわれに何らかの技術もしくは学説において学問の真の形を与えてはくれなかった。この形をわれわれはひとえにギリシア人の精緻で秩序立てる精神に感謝しなければならない。ちなみに認識の一定の形式とは、まさに認識の拡大あるいは改善を後の時代において惹き起こすものであるがゆえに、われわれは今日のほとんどあらゆる学問の基礎をギリシア人に負っている。ギリシア人は外国の思想を自ら好きなだけ取り入れたのかもしれないが、それこそかえってわれわれにはいっそう好都合なのだ。要するに、彼らはそれらの思想を整理し、明晰な認識に至るべく努めた。この点においてギリシア人の作った多様な学派は、彼らの国家機構における多くの共和国と同じ役割を、すなわち、共同して向上に努め、相互に切磋琢磨する諸力の役割を果たした。事実、ギリシアがこのように分かれていなかったなら、学問においてもこれほど多くの区分は生じていなかっただろう。イオニア学派[142]やイタリア学派[143]やアテナイ学派[144]は、言葉が共通であったにもかかわらず、陸や海によって互いに分け隔てられていた。だからこそどの学派も独力で根を張ることができたし、また移植され接ぎ木されると、いっそう素晴らしい実をつけることもできた。昔の賢者は誰一人として国家から、ましてや自分の弟子から報酬を受け取らなかった。賢者はひとり思索にふけり、学問への愛情、あるいは名誉心から学説を案出した。彼が教えたのは子どもではなく青年、もしくは一人前の大人であり、それも国家の最も重要な職務に携わる大人であることも稀ではなかった。毎年開かれる学術交流の市《いち》のために執筆することは当時まだ行われていなかった。しかし賢者はその分だけ長く、かつ深く思索ができた。なかでも節度ある哲学者は、種々の心配ごとに煩わされずに思索ができた。というのも、ギリシアの美しい風土にあって生計を維持するには、些少の物資で事足りたからである。

　しかしこの点でもわれわれは共和国のみならず、君主政にもそれにふさわしい讃辞を呈しないわけにはいかない。実際アレクサンドロス大王が師のアリストテレスの博物誌のために与えることのできた援助[145]を、ギリシアのいわゆる自由国家のどれ一つとしてアリストテレスに与えることはできなかっただろう。ましてやプトレマイオス朝[146]の諸施設がなければ、時間あるいは費用を要する学問、たとえば数学や天文学などはアレクサンドリアにおいて見られたような発展を遂げることもなかっただろう。これらの学問の基礎をわれわれはエウクレイデス、エラトステネス、アポロニオス・ペルゲウス、プトレマイオスらに負っている[147]。そして彼らの築いた諸学問の土台の上に、現在の知識体系のみならず、或る程度までは今日の世界統治全体の体系も据えられている。したがって、ギリシアの弁論術と市民哲学の時代がその共和国とともに終焉を迎えたことにもそれなりの効用があり、この時代はそれなりに実を結んでもいたのだ。しかし人間精神にとってはギリシア人の魂からさらに別の萌芽が学問に関して生れることが必要だった。だからわれわれとしても、エジプトのアレクサンドリアが拙劣な詩人を産み出したことを喜んで赦そうではないか[*48]。その代わりにアレクサンドリアはわれわれに立派な天文学者と数学者を与えてくれた。詩人は自ずと生れるが、完全な天文学者には努力と訓練を通じてしかなれないのだ。

とりわけギリシアの哲学が行った先駆的な作業は、他のどのような土地でもこれほど恵まれた仕事場はほとんど見つからないような三つの対象についてのものだった。それは言語と芸術と歴史である。ギリシア人の言語は詩人と弁論家と哲学者によって多方面から豊かに、かつ美しく形成されたので、この言語という道具自体は、それがもはや公共の場での燦然たる目的のために適用されえなくなってから後も、研究者たちの注意を惹きつけた。こうして生れたのが文法家たちの技術だが、彼らの一部は本当の哲学者であった。なるほど、これら著作家の作品の大部分は、時というものによってわれわれから奪われたが、いずれにせよこうした損失も他のもっと重要な事柄に比べれば諦めることもできよう。しかし、だからといって彼らの影響が消滅させられたわけではない。なぜなら、ギリシア語の研究が導火線となって、ラテン語の研究は言うに及ばず、総じて地球上のあらゆる言語哲学の研究に火がつけられたからである。また西方アジアのオリエント諸言語の研究も、ギリシア語があって初めて生れたものである。事実、人々はヘブライ語にせよ、アラビア語にせよ、他の言語にせよ、もっぱらギリシア語を通じて規則化することを学んだ。同様に芸術の哲学という発想も、ギリシア以外の土地では得られなかった。というのも、学者が美を分析して規則にまとめる前に、詩人と芸術家が、自然の恵み豊かな原動力と、美的感覚に富む確実な目で物を見る習慣によって、自ら美の哲学を営んでいたからである。こうして叙事詩や劇作品や公共の場での弁論における激しい競争心を通じて、現在の批評がほとんど及びもしない批評が時とともに必然的に形成されざるをえなかった。もっともこれについてもアリストテレスの著作を別にすれば、われわれには後代のごく僅かな断片しか残されていない。しかしそれでもこれらの断片は、今なおギリシアの批評家たちのきわめて精緻で鋭い洞察力を実証している。最後に、歴史の哲学は特にギリシアを生誕地としている(148)。なぜなら、元来ギリシア人だけが歴史記述を有しているからだ。東洋人は部族の系図か説話を、北方民族は伝承を、その他の民族は歌謡を持っているが、ギリシア人は伝承と歌謡と説話と部族の系図から、時とともに物語という健全な身体を、それもこれらすべての部位がその中で生きている身体を作り上げた。この物語という身体にあっても、古代からの文芸伝承が生きていた。というのも、叙事詩が説話を語るのに比べると、説話が叙事詩を気持ちよく語ることは容易でないからだ。ラプソディと呼ばれる吟唱叙事詩の形で題材を配置することが機縁となって、同様の配置が歴史記述においても行われるようになった。やがて間もなくヘクサメータと呼ばれる六歩格の長い韻律詩は、散文による歴史記述においても快い響きを作り出すことができた。こうしてヘロドトスはホメロスの後継者となり(149)、また後の共和国の歴史家たちは自らの語りの中に共和国の色彩、すなわち共和国特有の弁論家精神を取り入れた。そのとき、ギリシア人による歴史記述はトゥキュディデスとクセノフォン(150)とともにアテナイから始まり、しかも記述者は政治家と軍司令官であった。そのため彼らの手になる歴史記述は、たとえ彼らがこれに実用的な形態を与えようとしなくても実用的なものにならざるをえなかった。公共の場での弁論、ギリシアに関わる重要案件の絡み合い、種々の事件とその動機の生々しい姿が、彼らにこうした形態を提供した。したがってわれわれも、ギリシアの共和国がなければ、この世に実用的な歴史記述など存在しないだろうと大胆に主張できるのだ。後に政治術と戦争術がいよいよ発展するにつれて、歴史記述の実用的精神もそれだけいっそう技巧を凝らしたものとなり、ついにポリュビオス[151]に至って歴史記述は、ほとんど戦争と政治の学問そのものとなった。この種の模範から、後世の研究者たちは注釈のための豊富な素材を手に入れた。だからこそディオニュシオス[152]のような歴史家たちは歴史記述術の黎明期にあって、中国人やユダヤ人、あるいはローマ人にすらできなかったほど豊富な訓練を積むことができたのだ。

このように、ギリシア人は文芸、弁論、哲学、科学、歴史記述の諸作品によって、精神をそれぞれとても豊かに、かつ幸福に鍛錬できた。おお、時代の運命よ、それなのに汝はいったいどうしてこれらの多くをわれわれに与えてくれなかったのか？　ホメロスの手になるアマゾニア、彼のテーバイスとエイレシオネ、彼のイアンベン、彼のマルギテスといった作品[153]はどこにあるのか？　アルキロコス、シモニデス、アルカイオス[154]、ピンダロスの多くの失われた作品。アイスキュロスの八三篇の悲劇やソフォクレスの一〇八篇の悲劇。それに悲劇作家、喜劇作家、抒情詩人、最大の哲学者、最も不可欠な歴史記述者、最も注目すべき数学者や自然学者その他の無数の失われた作品はどこにあるのか？　デモクリトス[155]、アリストテレス、テオフラストス、ポリュビオス[156]、エウクレイデスの著作。アイスキュロス、ソフォクレス、その他多くの作家による悲劇作品。アリストファネス、フィレモン、メナンドロス[157]の喜劇作品。アルカイオス、もしくはサッフォーの頌歌。アリストテレスの失われた博物誌と国制史。あるいはポリュビオスの三五冊の書物。たとえ一冊でもこうした著作のためならば、近代の著作の山を、それもまず自分の著作をアレクサンドリアの多くの風呂を丸一年も沸かすほどの分量であっても喜んで提供しない者があろうか？[158] しかし鉄の足を持つ運命は、学問や芸術について個々の人間が書いた著作の不死性などまったく顧慮しないかのように歩み続ける。アテナイの壮大なプロピュライアの門、神々のすべての神殿、それに古代が永遠のために創った壮麗な宮殿、城壁、巨像、装飾円柱、玉座、水道設備、道路、祭壇も破壊者の憤怒によって消滅してしまった。とすれば、人間の熟考と勤勉から生れた思想の弱々しい頁の何枚かでも、こうした消滅を免れるということがいったいありえようか？ むしろ驚くべきは、われわれがそれらの頁をまだ非常に多く有していることなのだ。それどころか、こうした頁をそれにふさわしい形ですべて使用するには、むしろまだ多すぎるくらいだ。とにかく今は、これまで個々にわたって考察してきたことを明らかにするためにも、ギリシアの歴史全体に目を向けることにしよう。この歴史は自らの哲学、すなわち歴史の哲学を、一歩一歩われわれに教える形で携えているのだから。

＊47 マイナース『ギリシアとローマにおける学問の歴史』[159]第一部「この結社の歴史」を参照。
＊48 ハイネ『プトレマイオス朝時代の精神について』[160]第一巻、七六頁以下を参照。

六　ギリシアの変革史

ギリシアの歴史はきわめて変革に富み、錯綜もしているが、それらの変革を貫く何本もの糸は少数の主要点に帰着し、その自然法則も以下のように明瞭なものである。

1　島嶼と半島を有し、地続きになっている三つの陸地から成るギリシアにおいて、多くの部族や外国人集団が海上に向かって山地から降り下り、あちらこちらと移動した後に定住して相互に排斥しあうことは、同じような事情の海や陸をもつ古代世界の歴史にあって、いたるところで見られる現象である。ただギリシアでは、移動が他の地域よりも活発だった。というのも、人口の多い北方の山地と大アジア(161)が近くにあっただけでなく、伝承の語る一連の偶然を通じて、冒険の精神がとても生き生きと保持されたからだ。これがおよそ七〇〇年にわたるギリシアの歴史である。

2　これら諸部族のもとに文化が、それもさまざまな方面から、さまざまな程度において到達せざるをえなかったことは、文化それ自体のみならず、ギリシアという地域の本性でもある。北方から南方へと広がった文化は、近隣の開化された諸民族の住むさまざまな地域からこれら諸部族のもとに到達し、あちらこちらできわめて多様な形で定着した。その中でも優勢だったヘレネスと呼ばれる古代ギリシア人がついに全体を統一し、ギリシア人の言語と思考様式に基本的な方向を与えた。とはいえ、小アジア、ギリシア、大ギリシアにおいては、それぞれに与えられた文化の萌芽は、非常に異なるさまざまな形で育たざるをえなかった。しかしこの多様性こそが競争心や移植によってギリシア精神の発達を促した。なぜなら植物および動物の博物学において知られるように、同一の種子は同一の地域で永久に繁栄することはないが、適切な時期に移植されると、新鮮で力にあふれた実をつけるからである。

3　個々の国家は初期の小さな君主政から時とともに貴族政に進み、また或るものは民主政体に移行した。貴族政も民主政も、旧に帰って一人の支配者の意のままになるという危険にしばしば陥ったが、それは後者にいっそう頻繁に見られた。しかしこれもまた人間による制度の青年期初期における自然の歩みなのだ。部族の最も高貴な者たちは、王の意志から逃れることが許されると考えた。国民は自分たちだけでは統率がとれなかったので、高貴な者たちがその指導者となった。国民はその生業（なりわい）や精神や制度にそれぞれ応じて、こうした指導者のもとにとどまるか、あるいは闘って参政権を獲得したかのいずれかである。ラケダイモン、つまりスパルタは前者で、アテナイは後者だった。どちらの場合も原因はそれぞれの都市の状況や体制にあった。スパルタでは統治者たちが互いを厳しく監視していたため、いかなる暴君も頭を擡(もた)げることはできなかった。アテナイでは国民が巧みに欺かれ、一度ならず有名無名の暴政のもとに陥った。両都市とも、それぞれの産み出したすべてのものとともに、自然による産出と変わらないくらいに、自らの位置と時代と制度と状況の自然な産物なのだ。

4　共通の事業や国境、あるいは異なる利害、そして何よりも好戦的精神と名誉愛によって、多くの共和国が多かれ少なかれ、いわば一本の競争路に置かれ、間もなく紛争の原因を見出すことになる。その中でまず優勢な国々が自分の味方にできるものを引き入れ、ついには一つの共和国が支配権を獲得する。これがギリシアの諸国家、とりわけラケダイモンとアテナイとのあいだで、そして最後にはテーバイとのあいだで起こった長期にわたる青年期の戦争の実態であった。これらの戦争は苛酷で烈しく、それどころか残虐であることも稀でなかった。それは、すべての市民と兵士が全体に参加する戦争にあっては避けられないことだろう。ほとんどの場合これらの戦争は、もめごとが原因で若者のあいだに決闘が起こるのと同じように、些細なことや面目上の事柄が原因で惹き起こされた。実際には不思議でも何でもないが、しかしそれでも不思議に思えるのは、戦争に勝ったどの国家も、特にラケダイモンのように、自国の法律と制度を、敗れた側の国家に押しつけ、あたかもそれによって、後者に敗北のしるしが消しがたく残るかのようにしたことだ。なぜなら、貴族政は暴君政治ならびに民衆政治にとって不倶戴天の敵だからである。

5　しかしギリシア人の戦争は、その行われ方から見ても、未開人のたんなる侵寇(しんこう)ではなかった。むしろこれらの戦争のうちに、時の流れとともに国家精神および好戦精神がすでに全体として発展し、それがやがて世界のさまざまな出来事の歯車を回した。*49 ギリシア人もまた、国家が必要とするものと、国家の力および豊かさの源泉が何であるかを知っており、それらをしばしば、乱暴なやり方ではあったが、手に入れようとした。彼らはまた共和国間および階級相互間の権力の均衡が何であるか、秘密の同盟と公然の同盟が何であるか、戦略や機先を制することや見切りをつけることなどが何であるかを知っていた。こうしてローマ時代と近代の最も経験に富む人士でさえも、軍事上のみならず政治上の事柄においてはギリシア人から学んだ。なぜなら、たとえ戦争の方法が武器や時代や世界情勢とともに変わろうとも、人間の精神、それも戦争にあって工夫し、説き伏せ、自らの陰謀を隠し、攻撃し、前進し、防御し、あるいは退却し、敵の弱点を探り出し、自らの有利な立場をあれこれ利用し濫用する精神は、どの時代にあっても同じものであり続けるからである。

6　ペルシア人との数度に及ぶ戦争は、ギリシアの歴史において最初の大きな分岐点をなしている。これらの戦争は、アジアのギリシア植民市がきっかけとなって生じた。なるほど、同地の住民はペルシアという巨大な帝国の征服精神に抵抗することはできなかったが、自由というものに慣れていた彼らは、この最初の機会にこうした束縛を振り払おうとした。アテナイの市民が二〇隻の船を派遣して彼らを援助したのは、民主政の自負心からだった。実際スパルタの王クレオメネスは、彼らを援助することを拒否していた。もっとも、アテナイの市民はこれら二〇隻の船によってギリシア全土を野蛮このうえない戦争に巻き込むに至った。しかし一旦戦争が始まって、いくつかの小国家が大アジアの二人の王に対して決定的な勝利を挙げたのは、なるほど勇敢さによる奇蹟であっても、自然の奇蹟ではなかった。ペルシア人が完全に戦いの焦点を見失っていたのに比べて、ギリシア人は自由と国家と生命のために戦った。相手のペルシア人は奴隷を本性とする野蛮人であり、そしてエレトリア人において実証されていたこうした本性は、ギリシア人の目前にも迫っているように思われた。だからこそギリシア人は人間の叡智と勇気が成し遂げうるすべてをこれらの戦いに注ぎ込んだ。ペルシア人はクセルクセスの指揮のもと野蛮人のように攻撃してきた。すなわち縛り上げるための鎖と焼き払うための火を手にしてやってきた。しかしこれは知恵のある戦い方とは言えなかった。テミストクレスは彼らに対して風を利用したにすぎなかったが、もちろん海上での逆風は操縦の未熟な船隊にとっては危険な敵なのだ。要するに、ペルシア戦争は強大な力と狂暴をもって遂行されたのであり、知性をもって行われたのではなかった。それゆえ、この戦争は不幸な結末を迎えざるをえなかった。しかしたとえギリシア人が敗北を喫し、その国全体がアテナイのように荒廃させられたとしても、アジアの中央から支配するペルシア人は、自らの帝国内部の状態からしても決してギリシアを維持していくことはできなかっただろう。事実ペルシア人は、エジプトすら辛うじて維持できたくらいなのだから。デルフォイの神託[162]が語ったのとは別の意味においても、海はギリシアの友だった。

7　しかし敗北を喫したペルシア人は、戦利品と不名誉のほかに、アテナイの人々に一片の火の粉を残していった。そしてそこから燃え上がった炎がギリシアの国家制度の全体系を破壊した。この炎とは、名誉と富、奢侈と嫉妬であり、これらは要するに戦争に引き続いて現れた一切の自負心であった。間もなくアテナイではペリクレスの時代が到来した。それはこのような小国家が経験した最も輝かしい時代だった。しかしその後には同じように自然な諸原因から、あの不幸なペロポネソス戦争と、二度にわたるスパルタ戦争[163]が起こり、ついにはたった一度の戦いによってマケドニアのピリッポス[164]がギリシア全土に網を投げかけ、これを征服した。だが、どうか誰も、無慈悲な神が人間の運命を操り、嫉妬のあまりギリシアを高みから突き落とそうとした、などと決して言わないでほしい。人間自身が互いにとっての無慈悲な悪魔なのだから。こうした時代に遭遇したギリシアは、容易に征服者の餌食になる以外に何ができたろうか？　しかもこの征服者は、マケドニアの山地以外のどこから出て来られたというのか？　ギリシアはペルシア、エジプト、フェニキア、ローマ、カルタゴに対しては安全であった。しかし敵はすぐ近くにいて、策略と力を伴った手際のよさでギリシアをさっとかすめ取ってしまった。ここでもまた神託はギリシア人よりも賢明だった。神託はピリッポスの意のままに解釈され(165)、この戦争全体において次のような普遍的命題しか実証されなかった。その命題とは、「一致団結し、戦争に熟練した山岳民族は、弱体化し分裂し無気力になった国民の背後に迫り、前者がただちに賢明かつ勇敢に事を行えば、その国民の征服者となるのは必然であろう」というものである(166)。ピリッポスはこれを実行し、ギリシアをかき集めて拾い上げた。なぜなら、ギリシアはずっと以前に自分自身によって敗北を喫していたからである。もしピリッポスがスッラやアラリック(167)のような野蛮人だったならば、ギリシアの歴史もここに終わりを告げていただろう(168)。だがピリッポス自身はギリシア人だったし、彼のいっそう偉大な息子もそうだった。こうしてまさにギリシアの自由が失われたことで、他に類例を見ない世界の舞台が、なおこの国民の名のもとに展開される。

8　すなわち、やっと二十歳になったばかりの若きアレクサンドロスは、自らの中で初めて燃えさかった名誉心をいだいて王位につき、父がすべて準備しておいてくれた構想を実行に移した。彼はアジアへと兵を進め、ペルシア王の直轄国家に侵攻した。これもまた起こりえた最も自然な出来事であった。ギリシアに対するペルシア人の行軍は、すべてトラキアとマケドニアを通って進んだ。しかしペルシア人に対するかつての怨念は、これら地域の民族にあってまだ消えてはいなかった。今やペルシア人が無力であることはギリシア人に知り尽くされていたが、それは以前のマラトン(169)やプラタイア(170)などにおける戦いのみならず、比較的まだ新しい時代にクセノフォンが一万人のギリシア兵を率いて退却したことからも知りえたことであった。こうした状況のもと、ギリシアの支配者にして最高司令官であったマケドニア人アレクサンドロス(171)は、ここ一世紀来、内部からひどく崩壊していたこの富裕な帝国以外のいったいどこに、自分の武器とファランクスと呼ばれる密集隊形を向けるべきだったというのか。この若き英雄(172)は三たび戦火を交え、その結果、小アジア、シリア、フェニキア、エジプト、リビア、ペルシア、インドが彼のものとなった。それどころか、彼よりも賢明であった部下のマケドニア人たちが、もし彼に退却を余儀なくさせていなかったら、彼は大洋にまで進出したいと思ったことだろう。このような幸運がどれも何ら奇蹟でなかったのと同じように、バビロンで彼が最期を遂げたのも嫉妬深い運命のせいではなかった。しかしバビロンから世界を統治するというのは、それもインダス河からリビアに至る世界、さらにはギリシアを越えてイカリアの海(173)にまで達する世界を統治するというのは、何と壮大な構想だろうか！これらの地域を言語、習俗、技術、交易、植民市の点で一つのギリシアとし、バクトリア、スーサ(174)、アレクサンドリアなどに新たなアテナイを建設するというのは何と壮大な構想だろうか！「だが見るがよい。この征服者は生涯の最も美しい全盛期に死ぬばかりか、これらすべての希望も、新たに創造されるギリシア世界も彼とともに死んでしまう。」運命に対してこのように言う者があれば、運命はこう答えるであろう。「バベルもしくはペラ(175)をアレクサンドロスの居住地にしようと、あるいはバクトリアでギリシア語もしくはパルティア語(176)を話すようにしようと、好きにするがよい。ただ人の子が自らの構想を遂行しようとするならば、節度を保つがよい。飲みすぎて死に至らないようにすることだ。」実際アレクサンドロスは飲みすぎて(177)、彼の王国は滅亡した。彼が自分で自分の首を絞めて死んだのは不思議ではない。それよりもむしろ自分の幸福に、もはやとうに耐えられなくなっていた彼が、こうも長く生きたことのほうがほとんど奇蹟であった。

9　今や王国は分裂した。巨大な水嚢が破裂したのだ。もし同じような状況であれば、どこで、いつ、これと違った結果が生れたというのか？　アレクサンドロスの領土はまだどの方面からも統一されておらず、征服者自身の心の中でも、ほとんどまだ一つの全体へと結びつけられていなかった。彼があちこちに建設した植民市は、彼のような保護者がいなければ、こうした青年期にあっては自己を防御することもできなかったし、ましてやこれらの植民市を押しつけられた民族をすべて制御することなどできはしなかった。アレクサンドロスがほとんど後継ぎもない状態で死んだ今となっては、勝利の飛翔を重ねる彼を助けた猛禽が、今度は自分のために略奪を行ったとしても何の不思議があろうか？　これらの猛禽はずっと互いにつつき合い、ついには各自が自分の巣を、つまり強奪した戦利品を手に入れた。かくも大規模で迅速な征服から生れ、もっぱら征服者の胸のうちだけを頼りにしていた国家の結末としては、こうなる以外になかった。種々異なる民族や地域の本性は、自分の権利をすぐにも回復する。したがって、一つになることを強要された多くの地域が、もっと早くに旧の体制に復帰しなかったことは、野蛮な民族に対してギリシアの文化が持つ優越性にのみ帰されうる。最初に旧の体制に復帰したのは、パルティア、バクトリア、そしてユーフラテス河の彼方の諸国である。なぜなら、これらの国は王国の中心点からあまりにも遠い位置にあって、しかもその王国はパルティア系の山岳民族に対してまったく自らを護ることができなかったからである。もしセレウコス朝(178)がアレクサンドロスの望みどおりに、バビロンもしくは自分たちのセレウキアを本拠としていたならば、おそらくこの王朝は東方に向かってはもっと強大なものであり続けたろうが、しかし多分また衰弱をもたらす華美な生活にも、それだけいっそう早く陥っていたことだろう。これと同じことは、トラキア王国のアジア諸地域についても見られる。すなわちこれらの地域は、自分たちを略奪した者たちが行使していた権利を利用して、アレクサンドロスの盟友たちが自分たちよりも微力な後継者たちに王位を譲ったときに独立国となった。こうしたすべてのことにも、政治をめぐる世界史の常に繰り返される自然法則(179)が明らかに見てとれる。

10　最も長続きした王国はギリシアに最も近接した王国だった。そればかりか、もしこれらの王国間の不和が、なかでもカルタゴ人とローマ人の不和が、これらの王国を、イタリアの王妃(180)から発して次第に地中海の沿岸全体に広がった崩壊へと引き入れていなかったならば、これらの王国はもっと長続きしていただろう。かくして衰え弱りはてた国々は、ここで運を賭して戦いに打って出たが、これはあまりにも分不相応なものだった。しかもこうした戦いを起こさないように、これらの王国に警告するには、それほどの知恵も必要とされなかったろうに。それでもなおこれらの王国においては、ギリシアの文化や技術のうち、統治者と時代の性質に応じて保存されうるものはずっと保存された。エジプトにおける学問は、もっぱら広範囲な知識として導入されたため、そのようなものとして花開いたが、ミイラのように博物館あるいは図書館に埋もれたままだった。アジアの宮廷における芸術は、目の眩むような華麗なものとなった。ペルガモンやエジプトの王たちは競って書物を蒐集したが、この競争心は後世のあらゆる文献にとって有益にもなれば有害なものにもなった。書物は蒐集されたが、偽書も作られた。それどころか、蒐集された典籍が焚書に遭ったために、古代の学問世界の全体が一挙に消滅した。(181) このことからも明らかなように、運命によるこれらの書物の扱い方は、賢明であるにせよ愚鈍であるにせよ、運命がとにかく人間による自然な振舞いに委ねた世俗の事物の扱い方と何ら異なるものではなかった。学者が古代の失われた書物のことで涙を流すならば、運命の流れに否応なく従った何と多くのもっと重要な事物のことを嘆き悲しまねばならないことか。アレクサンドロスの後継者たちの歴史は、この点で最も注目に値する。なぜなら、そこには種々の事物が消滅あるいは保存に至った原因が非常に多く含まれているのみならず、その歴史はまた、領土にせよ、学問や技術や文化にせよ、外国から獲得したものに根ざす諸王国の悲惨な典型となっているからである。

11　こうした状態に置かれたギリシアが、昔の栄光へと二度と戻れなかったことは、おそらく証明するまでもないだろう。これらの全盛期はとうに過ぎ去っていた。なるほど、何人かの虚栄心の強い統治者はギリシアの自由を再び確立しようと努めたが、それとても精神を伴わない自由、つまり魂を伴わない身体を求める見せかけの努力だった。アテナイは自らの恩人を神格化することに余念がなかったし、芸術のみならず哲学や諸学問についての熱弁も、ヨーロッパ全体に広がる文化の拠点であったこの地では可能なかぎり長く保持された。しかし僥倖と荒廃はつねに交替を繰り返していた。いくつかの小国家はアエトリア同盟(182)を結び、アカイア同盟(183)を更新したにもかかわらず、互いに協調することも知らなければ、国を維持するための原則も知らなかった。フィロポイメン(184)の知恵によっても、アラトス(185)の公正によっても、ギリシアは昔の時代を取り戻すことはなかった。沈みゆく太陽は地平線の靄(もや)に包まれて自らの形姿を実際よりも大きく見せるものだが、この時期におけるギリシアの政治術も、これと同じ様相を呈している。しかし落日の光線はもはや真昼のような熱を持たなかったし、まさに没落せんとするギリシア人の政治術も無力なままだった。ローマ人は媚を売る暴君としてギリシア人のところに押し寄せ、この地域の不和をすべて自分の利益になるように解決した。ただ、いかなる野蛮人といえども、コリントスにおけるムンミウス(186)、アテナイにおけるスッラ、マケドニアにおけるアエミリウス(187)ほど残虐な振舞いに及んだ者はかつてほとんどいなかったと思われる。長年にわたってローマ人は、ギリシアで略奪の限りを尽くした。とはいえ、ローマ人は最後に、持ち物を奪われたうえに殺された者の死体に敬意を払うように、ギリシアに敬意を表した。彼らはギリシアで自分たちにすり寄ってくる者には報酬を与える一方で、自分の子息たちをギリシアに送り、饒舌家や細部ばかりにこだわる芸術批評家に立ち混じって、古代の賢者たちの神聖な足跡を研究させた。しかし最終的にはゴート人、キリスト教徒、トルコ人がやって来て、このギリシアの神々の国に、それもとうに老朽化していたこの国に決定的な終焉をもたらした。[188] オリンポスのゼウス、パラス・アテネ、デルフォイのアポロン、アルゴスのユーノーといった偉大な神々は滅んだ。彼らの神殿は廃墟と化し、彫像は石の山となり、今やその瓦礫さえ探すのも困難になっている。[*50] これらは地上から消え去ったため、われわれとしても、かつてギリシアの国がどれほど信仰されて栄え、この国のきわめて明敏な諸国民のもとで非常に多くの奇蹟をどのようにして産み出したのか、今やほとんど考えることができないほどである。人間の想像力が産んだこれら最も美しい偶像が崩壊したのだから、それより美しくない偶像も同じように崩壊するのだろうか？　このような偶像は何に席を譲るのだろうか？　他の偶像に、だろうか？

12　大ギリシアはこれと異なる苦境を経験したが、けっきょく同じ運命を辿った。最も隆盛を誇り、人口も最大であった諸都市は、地球の最も美しい風土においてザレウコス[189]、カロンダス[190]、ディオクレス[191]による法に従って建設され、文化と学問と芸術と交易の点でギリシアの大多数の地方に先んじていた。これらの都市は、なるほどペルシア人はもとより、ピリッポスの邪魔にもならず、そのため一部はヨーロッパやアジアの同胞都市よりも長く存続した。しかしこれらにも運命の時はやって来た。カルタゴとローマとともに種々の戦争に巻き込まれたこれらの都市は、ついに敗北を喫した。ローマの武器がこれらを滅ぼしたのと同じように、これらの都市はその習俗によってローマを滅ぼした。これらの都市の美しく壮大な廃墟が残っているが、嘆かわしいことに、これらの都市は地震や火を吐く山によって、いや、それよりもむしろ人間の狂暴さによって悲しいまでに荒廃させられた*51。水の精であるパルテノペ[192]は悲痛な声を上げ、シチリアの女神ケレス[193]は自分の神殿を探し求めるものの、黄金の種子を再び見出すことはほとんどない。

＊49　これに関するいくつもの民族の比較は、歴史の進展から生れるだろう。

＊50　スポーン[194]、ステュアート[195]、チャンドラー[196]、リーデセルの旅行記などを参照。

＊51　リーデセル、ウエル[197]の旅行記などを参照。

七　ギリシアの歴史に関する一般的考察

われわれはこの注目に値する地域の歴史を、多くの側面から考察してきた。というのも、歴史の哲学にとってこの地域の歴史は、地球のあらゆる民族のなかでもいわば唯一の基礎資料となっているからである。ギリシア人は他国民との混淆を免れ、自己形成の全体において独自性を保ったのみならず、他の民族の歴史には見られないほど自分の時代を完全に生き通し、形成のごく初期の段階から、その過程をくまなく歩み通した。大陸の諸国民は文化の最初期にとどまり、この時期を掟や慣習という形で自然に反して永久化したか、あるいは自分の生を十分に享受しないうちに侵略の餌食となった。花は咲き誇らないまま、摘み取られたのだ。これに比べてギリシアは、自分の時代を余すことなく享受し、完成させうるかぎりのものを自分自身で完成させた。しかもこうした完成の域に達するには、ギリシアを取り巻く幸運な状況がまたしても寄与した。もしギリシアが大陸にあったなら、きっとアジアの同胞諸国のように、ただちに征服者の餌食となっていたであろう。(198)ダレイオスとクセルクセスがギリシア征服の野望を実現していたならば、ペリクレスの時代は出現しなかったであろう。あるいは、もし一人の専制君主がギリシア人を支配したならば、彼はすべての専制君主の嗜好に従って、間もなく自ら征服者となり、アレクサンドロスが行ったようにギリシア人の血で遠方の河川を染めていたであろう。外部の諸民族は、ギリシア人の国に混ぜ入れられ、勝ち誇りながらこれら外部の国で分散させられていただろう。しかしこうしたすべてのことからギリシア人を護ったのは、彼らの適度の力ばかりか、ヘラクレスの幸運の柱を決して越えようとしなかった彼らの限定された交易だった。それゆえ、博物学者が植物を余すところなく観察できるのは、種子から芽が出て花が咲き枯れるまでを知悉している場合にかぎられるのと同じように、われわれにとってはギリシアの歴史がこのような植物であると言ってよいだろう。ただ残念なことに、通常の研究の歩みからすれば、ギリシアの歴史はローマの歴史に比べると従来はそれほど時間をかけて研究されてこなかった。したがってここでの私の課題は、これまで述べてきたことに基づきながら、人間史全体にとって重要な寄与を行ったギリシアを手がかりとして、考察者の眼前にあるいくつかの視点を明示することにある。そこで最初に以下の大原則をあらためて確認しておきたい。

第一に。人類という領域では、国民、時代、場所といった所与の状況の範囲に従って

起こりうることは実際に起こる。ギリシアはこれについて最も豊富で、最も素晴らしい証拠を提供してくれる。

われわれは現実の自然にあって奇蹟など決してあてにしない。われわれの目にする法則とは、いたるところで等しく効力を有し、不変で秩序あるものなのだ。とすれば、諸力と変革と情念を伴う人類という領域が、この自然の連鎖から逃れることがいったいどうしてありえようか？　もしギリシアに中国人を植民させていたら、われわれがこれまで見てきたギリシアは決して生れていなかっただろう。同様にわれわれの目にしてきたギリシア人を、ダレイオスがその捕虜のエレトリア人を連行した場所に置くならば、これらのギリシア人はスパルタもアテナイも形作らないだろう。現在のギリシアに目を向けてみるがよい。そこには古代のギリシア人は見られないし、それどころか、もはやその国土さえ見られないことも稀ではない。それゆえ、もし彼らの言語の残滓が今も話されていなければ、そしてまた彼らの思考様式や技術や都市、あるいは少なくとも昔の河川や山地の廃墟が目にされることがなければ、読者諸賢としても、古代のギリシアをカリプソ、もしくはアルキノスの島[199]のように架空のものと考えざるをえないであろう。しかし近代のギリシア人が、もっぱら時の経過につれて、そして一連の所与の原因と結果において近代のギリシア人になったのとまったく同じように、古代のギリシア人は古代のギリシア人になったのであり、地球上のどの国民も、それぞれ固有の国民となった。このように人間史はどこをとっても、人間の諸力と行為と本能がそれぞれの場所と時代に従って産み出した自然史そのものなのだ。

この原則はきわめて単純なものではあるが、諸民族の歴史を考察するに際しては大いにわれわれの蒙を啓いてくれるとともに、非常に有益なものとなる。事実また諸民族の歴史を徒に賛嘆して学ぶだけでは歴史研究の名に値しないという点では、私もすべての歴史研究者と意見を同じくするものだ。それゆえもしこの原則が正しいならば、熟考する知性はそのあらゆる明敏さをもって、歴史のすべての現象を自然の出来事と同じように考察しなければならない。そうすればこの知性は、歴史を物語るに際しては最大の真理を求めるであろうし、また歴史を把握し評価するに際しては最も完全な連関を求めこそすれ、現実に存在するか生起する事柄を、現実に存在しない他の事柄によって説明することは決してないだろう。この厳格な原則によって、理想とか魔術の分野に属する幻影はことごとく消え去る。こうしてわれわれはどこにおいても、現実に存在するものを、ありのままに見ようと努める。するとたいていの場合、この現実に存在するものが、どうしてこのような形でしか存在しえなかったのかということの原因も、たちまちのうちに明らかになる。われわれが歴史についてこのような習慣を自分のものにすれば、その瞬間にわれわれの心情は健全な哲学の道を、それも自然史と数学以外のところではほとんど見つからなかった道を見つけたことになる。

それゆえ、われわれとしてはまさにこうした哲学に従うことにしたい。そうすればわれわれは何よりもまず次のことをしなくなるだろう。すなわち、われわれに知られない形で諸事物に潜んでいる構想の個々の意図や目に見えない超自然的な力、それも自然現象にあってはその名を挙げることさえ憚（はばか）られるような超自然的な力による魔術的な作用を、歴史上の行為として生じた諸現象にかこつけることをしなくなるだろう。運命が自らの意図を明示するのは、生起する出来事と、その起こり方を通じてなのだ。したがって歴史の考察者は、これらの意図を、現実に存在するものと自己の全貌を示すものに基づいてのみ詳述することになる。文明化されたギリシア人が存在したのはいったいなぜなのか？　それは彼らが現実に存在し、そのような状況のもとでは文明化されたギリシア人以外のものではありえなかったから、としか言いようがない。アレクサンドロスはなぜインドにまで遠征を試みたのか？　それは彼がピリッポスの息子アレクサンドロスであったからであり、父の準備してくれたもの、自国民のさまざまな行為、彼自身の年齢と性格、自ら読んだホメロスなどからすれば、これ以上の善行をなしえなかったから、としか言いようがない。しかし、もしわれわれが、彼の速やかな決断に人間を超えた力の隠された意図をこじつけてみたり、彼の大胆な行為の背後に彼自身の幸運の女神を求めたりすれば、われわれは次のような危険を、すなわち、一方では彼のきわめて無思慮な行為を神の最終目的としたり、他方では彼個人の勇気と戦略上の知恵を矮小化することによって、いずれにしても出来事の全体から、その自然な形態を奪うという危険を冒すことになろう。目に見えない妖精がバラに化粧を施したり、その萼(うてな)に銀色の露(つゆ)をたらすというような信仰を自然史の中でいだく者、あるいは光の小さな精がホタルの身体を自分の外皮にしたり、クジャクの尾の上で戯れるということを信じる者は、才気あふれる詩人であるかもしれないが、自然研究者もしくは歴史研究者として傑出することは絶対にないだろう。歴史とは現実に存在するものの学問であって、運命の隠された意図に従って存在しうるようなものの学問ではない。

第二に。**一つの民族に妥当することは複数の民族同士の結びつきにも妥当する。それらの民族は時代と場所が互いを結びつけた状態で存立し、生きた諸力の連関によって惹き起こされたままに互いに作用を及ぼす。**

ギリシア人にはアジア人が影響を及ぼし、アジア人はギリシア人から逆に影響を受けた。ローマ人、ゴート人、トルコ人、キリスト教徒は、ギリシア人を打ち負かしたが、そのローマ人、ゴート人、トルコ人、キリスト教徒は、ギリシア人から文明化の多様な方法を学び取った。これらの事柄はどのように関連しているのか？　それは場所、時代、生きた諸力の自然な作用を通じてである。フェニキア人はギリシア人に文字を伝えた。[200]しかしフェニキア人は、これらの文字をギリシア人のために案出したのではなかった。フェニキア人がギリシアに植民集団を送ったので、文字が伝えられることになったのだ。このことは、ヘレネスと呼ばれた古代ギリシア人やエジプト人についても、バクトリアに出征したギリシア人についても同様だった。さらにはわれわれがギリシア人から受け取ったムーサのすべての贈り物についても同じことが言える。ホメロスは歌った。しかしわれわれのためにではない。ホメロスがわれわれに伝えられたという理由だけで、われわれは彼を手にしているのであり、また彼から学んでもよいのだ。もし時代の進展につれて、何かの事情が他の多くの優れた作品と同じように彼の作品をもわれわれから奪ったとしたら、その消滅の自然な諸原因を眼前に見る者であれば、隠された運命の意図を非難しようと思うだろうか？　失われた著作と保存された著作、それに消え去った芸術作品と残存している芸術作品を、これらの著作や作品の保存や破壊についての報告ともども通覧し、それぞれについて運命がどのような法則に従って保存したり破壊したりしたかを敢えて明らかにしようではないか。アリストテレスの著作は一部が土に帰し、他は湿気で歪んだ羊皮紙写本として地下室や櫃に保存された。[201]また嘲笑家のアリストファネスの著作は聖クリソストムス[202]がそこから説教を学ぼうとしたので、その枕の下で保存されることになった。こうしてまさに神にも見放されたような小さな経路にこそ、われわれの文明化の全体が依存していた。今やわれわれの文明化というのは、世界史上の一大事項である。それはほとんどすべての民族を奮起させ、現在ではハーシェル[203]の手を借りて、天の川が層雲であることを解き明かしている。それでもなお文明化は、何と些細な事情に依存していたことか！　しかもこのような事情こそが、われわれに硝子（ガラス）や数冊の書物をもたらしたのだ。それゆえ、もしこうした些細な事情が存在しなければ、ひょっとしたらわれわれは古代の同胞にして不滅のスキタイ人[204]のように、妻子ともどもなおも家屋兼用の車で放浪生活を送っていることだろう。一連の出来事が、われわれにギリシア人の文字ではなくモンゴル人の文字を保存することを欲していたならば、今のわれわれはモンゴル人の文字で書いているだろう。しかしそのようになっていないからこそ地球は、それも神々しい自然法則に従って生きて働く万物の養育者である地球は、その年月や季節とともに自らの偉大な歩みを続けたのだ。

第三に。**民族の文化はその民族が現実に存在して花開いたものである。このような民族の姿は、なるほど快適ではあるが一時的なものである。**

この世に生れてくる人間は何一つ知らないので、自分の知りたいことは自ら学ばねばならない。これと同じように、未開の民族は訓練を通じて自ら学ぶか、あるいは他民族との交流を通じて学ぶ。しかし人間の知識はどのような種類のものであれ、固有の範囲を、すなわちその本性と時代と場所と年齢を有している。たとえばギリシア文化は時代と場所と対象に従って成長し、それらとともに没落した。いくつかの芸術と文芸は哲学に先んじていた。芸術もしくは弁論が栄えたところでは、戦争術あるいは愛国心という徳は、同じように栄える必要はなかった。アテナイの弁論家たちが自分なりに最大の情熱を示したのは、国家が終焉を迎え、その信頼性が失われていたからである。

しかし人間のあらゆる種類の文明化に共通しているのは、どの文明化も、完全という一点を目ざして努力するものの、この一点に、幸運な諸状況の連関によって、どこかで到達していれば、それは永遠に維持されることもなければ、その場所に再来することもできずに徐々に衰退が始まるということである。すなわち最も完全な仕事というものは、われわれがその完全性を人間に要求しうるかぎり、どれもその種の最高のものである。したがって、その後に来るものはたんなる模倣にすぎないか、あるいはこの最高のものを超えようとする不幸な努力でしかありえない。ホメロスが歌った後では、この分野におけ る第二のホメロスは、もはや考えられなかった。ホメロスは叙事詩の花冠から精華を摘み取ったため、彼に続く者は数枚の葉で満足せざるをえなかった。だからこそギリシアの悲劇詩人たちは別の道を選んだのだ。アイスキュロスの言うように、彼らはホメロスの食卓で食事をしたが、(205)自分たちの時代のためには別の饗宴を用意した。しかし彼らの時代もまた過ぎ去った。悲劇の題材は使い尽くされ、最大の悲劇詩人たちの後継者もそれらを改作することしか、それもずっと拙劣な形で差し出すことしかできなかった。というのも、ギリシア演劇の最も美しい形は、これらの詩人たちによる模範的作品によってすでに提示されていたからである。エウリピデスは、自分の作品にどれほど教訓を盛り込んでも、ソフォクレスと、もはや肩を並べることはできなかったし、ましてやソフォクレスを悲劇という芸術の本質において超えることなどとうてい不可能であった。そこで賢明なアリストファネスは、これとは違う道を選んだ。(206)ギリシア人によるどの芸術分野においても事情は同じであった。このことは他のすべての民族において将来もそうであろう。そればかりでなく、ギリシア人はその全盛期においてこのような自然法則を認識したが、しかし同時に、最高のものをさらに高次のものによって超えようとはしなかった。そしてまさにこのことが彼らの美的感覚をかくも確かなものとし、多様な形で発達させた。フェイディアスが全能のゼウスを作り上げた後では、これを超えるゼウスはありえなかった。しかしそれでも、その理想的な姿はゼウスと同じ氏族の他の神々にも適用できたので、どの神々にもゼウスの特性が作り与えられた。こうして芸術の全領域に木が植えられたのだ。

それゆえもしわれわれが、人間による文化の何か或る対象への愛着を、万物を支配する摂理に対して規則として指定することで、その対象だけのものでしかありえなかった歴史上の一時点に、不自然な永遠性を与えようとすれば、それは惨めで小ざかしいことだろう。こうした願望は、時間というものの存在を無に帰し、有限なものに属する本性全体を破壊することにしかならないだろう。われわれの青春時代は二度とやって来ない。したがってまたわれわれの魂の諸力も、以前の時や場所におけるように活動することは決してない。花が咲いたということは、まさにそれが枯れることを示している。花は根から植物の諸力を自らのうちに吸い上げたのであり、それゆえ花が死ぬとその植物も続いて死ぬ。もしペリクレスやソクラテスのような人物を産み出した時代が、一連の事情によってその時代に定められた持続時間よりも一瞬たりとも長く続くことになっていたなら、さぞかし不幸だったろう。それはアテナイにとって危険で耐えがたい時代であったのだから。これと同じように、もしホメロスの神話が人間の心情において永遠に存続し、ギリシア人の神々が永遠に支配し、彼らのデモステネスたち[207]が永遠に大声で熱弁をふるうようなことにでもなれば、状況はむしろ制限されてしまうだろう。自然の植物であれば、どれもみな枯れてゆかざるをえない。しかし枯れて死んだ植物は、種子を広く蒔き散らし、それによって新たな生の創造を行う。シェイクスピアはソフォクレスではなかった[208]。ミルトン[209]はホメロスではなく、ボリングブルック[210]はペリクレスではなかった。それでもシェイクスピアにしても、ミルトンにしても、ボリングブルックにしても、ソフォクレスやホメロスやペリクレスがそうであったように、それぞれ各自の特性や場所に即して存在していた。したがって、誰もが自分の場所で、それもさまざまに連続して起こる事柄の中で存在しうるものであるように努めなければならない。誰もがそうあるべきであって、それと異なるあり方は当人にとって不可能なのだから。

第四に。国家の健全さと持続はその国家形成[211]の最高地点に依拠しているのではなく、その国家の生きて働く諸力の思慮深い均衡、もしくは幸福な均衡に依拠している。この生きた努力に際して、重心が低いところにあればあるほど、国家はそれだけいっそう堅固で持続するものとなる。

かの古代の国家創設者たちは何を頼りにしていたのか？　それは怠惰な休息でもなければ極端な運動でもなく、おそらく秩序と、そして決して眠らずいつも目覚めている諸力の適切な配分であった。これらの賢者の原則は、人間に関して自然から学びとられた純正な叡智だった。国家が頂点に達するたびに、たとえそれが最も輝いている人物によってきわめて幻惑的な口実のもとになされたにせよ、国家は没落の危機に瀕し、以前の形態に戻るには、もっぱら僥倖の威力によるほかなかった。こうしてギリシアはペルシア人と戦ったときにその恐ろしい頂点に立ち、アテナイ、ラケダイモン、テーバイは互いに死力を尽くして争ったために、ギリシア全体の自由が失われる結果となった。同じくアレクサンドロスは、度重なる輝かしい勝利をもって自分の国家という建築物全体を円錐の頂点に置いた。しかし彼が亡くなると、円錐は倒れて崩壊した。アルキビアデスとペリクレスがアテナイにとっていかに危険な人物であったかは、アテナイの歴史が実証している。もっとも、これと同じくらい真実なのは、このような頂点が特に迅速かつ幸福なまま終わるならば、それが類稀な効果を現出させ、信じられないような力を惹き起こすということである。ギリシアの栄光は、どれもみな多くの国家と生きた諸力の活発な働きによるものであった。これに対してギリシアの美的感覚と体制のあらゆる持続的で健全な要素は、ギリシアの有する努めてやまない諸力が、賢明かつ按配よく配分されることによってのみ実現された。ギリシアが常にフマニテート、すなわち理性と公正(212)に支えられていればいるほど、この国の諸制度はそれだけ持続的で高貴なものであった。とすれば、この点にもギリシアの体制に関する広大な考察領域がわれわれの眼前に提示されているといえよう。しかもその領域は、ギリシアがさまざまな案出や営造物によって、ギリシア市民の幸福だけでなく人類全体のために行った貢献に関するものである。

だがこれについて述べるには、まだあまりにも早すぎる。この問題について確固たる結論を下すに先だって、われわれはまず時代の少なからぬ結びつきと、いくつもの民族を精査しなければならない。

訳注

第二部（承前）

第十巻

（1）ヘルダーは本書第一部の特に第一巻の各章の標題を想起させる形で第二部を締めくくるが、それは人間の登場に至るまでの地球および鉱物界・植物界・動物界の自然諸物体の発生の連続的プロセスを再確認するためである。その際ヘルダーが強調するのは、この地球上では、その「中間惑星」としての位置と地球特有の大気圏によって、自然の生命力が地球にのみ妥当する展開の形式をとったということである。

（2）『旧約聖書』の「創世記」における「ノアの箱舟」の記述が念頭にある。

（3）ベルリンの教会主任で教育学者アーヴィング（Irwing, Karl Franz, 1728-1801）の著作。

（4）『自然の諸時期』（一七七八年）など。

（5）第一巻第六章を参照。ヘルダーが人間の最初の居住地をアジアの尾根に置くのは、地理上の所与、風土上の条件、飼育可能な動物の豊かさに恵まれた生活基盤のためであると考えられる。

(6) 第一巻の訳注(67)を参照。

(7) 具体的には誰の仮説を念頭に置いているのか不明であるが、ヘルダーはここで二つの対立する仮説を、いわば作業仮説として提示している。

(8) 原語は zweite Ursachen. アリストテレスやスコラ哲学における第一原因、すなわち万物の運動の根本原因としての神(創造主)に対して、自然現象(被造物)の現れが自然連関の中に組み込まれることで惹き起こされる個々の現象の依存性あるいは偶然性を意味する。

(9) 第五巻第三章の「素材」への訳注(16)を参照。

(10) 『旧約聖書』「創世記」(一、二七および二、二)を参照。

(11) 原語は Amphitheater. 周囲にひな壇式の観覧席を巡らせた古代ローマのすり鉢型の屋外劇場。ゲーテは『イタリア紀行』(一七八六年九月一六日)においてヴェローナの屋外円形劇場について詳細に記述している。

(12) 地中海沿岸に棲息している最も体の小さい野生のヒツジ。

(13) 湾曲した角をもつ野生のヤギで、山岳地帯に棲息する。

(14) イヌ科の動物。形態はオオカミに似て耳は大きく、尾は太くて長い。

(15) 同書の第二巻(第二版、一七六二年)においてリンネは太古の世界を海に取り巻かれた山として記述しているとされる。

(16) パラス『山脈、および地軸の変化。特にロシア帝国との関連において』(『自然地理学論集』第三巻、一七八〇年、二五〇頁以下)。

(17) 地理的には「ゲルマーニア」、すなわちライン河の東、ドナウ河の北の地域で現在のドイツ、ポーランド、チェコ、スロバキア、デンマークとほぼ重なる一帯に居住した諸民族を指す。また言語的にはインド＝ヨーロッパ語族のゲルマン語派に属する言語を母語とする諸民族を指すが、スラヴ語系の言語を母語とする民族もいたと推測される。以下「キンブリ人」までは、第十六巻において詳しく考察される。

(18) スカンジナビア南部を原住地とする東ゲルマンの一民族。一世紀頃から黒海北辺へと南下し、二世紀後半頃に東ゴート人と西ゴート人に分かれた。

(19) ローマ時代に「ガリア」と呼ばれた古代ヨーロッパ西部（＝現在のフランス、ベルギー、オランダ、スイスにあたる）に住んでいたケルト人のこと。

(20) インド＝ヨーロッパ語族のケルト語派の言語を用いて広くヨーロッパに居住していた人々。現存するケルト語派の言語としてはアイルランド語、スコットランド＝ゲール語、ウェールズ語、マン島語、コーンウォール語、ブルトン語などが挙げられる。

(21) ユトランド半島を原住地とするゲルマン民族の一つで、前二世紀頃から南下を開始した。ストラボンの『地誌』、第二篇「東方ヨーロッパ」第七巻「ギリシア以北の世界」の第二章「キンブリ族地方とその東方」に詳しい記述がある（『ギリシア・ローマ世界地誌Ⅰ』飯尾都人訳、龍溪書舎、一九九四年、五一四―五一七頁）。なお、以下においては「紀元前」を「前」と略記する。

(22) Büttner, Christian Wilhelm（1716-1801）言語および自然研究者でゲッティンゲン大学の哲学教授。宮廷顧問官としてイェーナで暮らした。ゲーテの『色彩論』歴史篇の「著者の告白」でも言及されている。一七八三年以来、ヴァイマール大公の恩給で生活し、その代わり彼は自分の膨大な蔵書を大公に譲渡した。イェーナでは主として言語の比較研究に取り組んだ。

(23) ベトナム北部の旧称。

(24) インドシナ半島中北部の内陸国。国土の八割以上が山地と高原で占められ、南北にメコン河が流れる。

(25) ベトナム南部の旧称。

(26) 現在のタイの旧称。以上「チベット」から「シャム」までは第十一巻において考察される。

(27) 地中海東岸の地域で、内陸部の大半にはシリア砂漠が広がる。第一次世界大戦期まではレバノン、パレスチナ、ヨルダンも含む地域を意味した。

(28) バングラデシュとインドの西ベンガル州を合わせた地域に相当するベンガル地方の言語。インド＝ヨーロッパ語族のインド＝イラン語派に属する。

(29) セム語族に属する北西セム語の一つ。前三世紀頃までのものは古代ヘブライ語と呼ばれ、『旧約聖書』の大部分はこれで書かれている。

(30) 原語は Hieroglyphik. ここでは表語文字としての漢字の体系を意味していると考えられ、後出の「象形文字」(Hieroglyphe)とは区別して使われている。

(31) 古代の地中海東岸(現在のレバノン)にあった地域。中心都市はテュロス。

(32) 古代エジプト人の子孫で、キリスト教の信者。古代エジプト語をギリシア文字で記し、三世紀に『旧約聖書』をコプト語に翻訳した。異端とされるキリスト単性論を信じ続けた。第十七巻

第二章でも言及される。

(33) 結縄は、縄の結びによって記憶や記録の手段とする原始的な記録法。文字を所有しない社会にはしばしばこうした習慣がある。

(34) シナ＝チベット語族のチベット＝ビルマ語派チベット諸語に属し、インド、中国、ネパールなど複数の国にまたがって使用されている。表記にはチベット文字を用いる。

(35) スリランカの多数民族であるシンハラ人の言語。インド＝アーリア諸語の一つといわれる。その最古の記録は前三世紀頃の刻文すなわち金属や石に鋳出あるいは刻まれた文字や文章である。

(36) インド＝ヨーロッパ語族に属し、表記にはデーヴァナーガリー文字を用いる。

(37) 満州族が話すツングース諸語に属する。表記には満州文字を用いる。

(38) アケメネス朝ペルシアの王都。

(39) 言語能力の有無によって人間と動物を区別するヘルダーであるが、この段落では人間文化の形成に果たす動物の役割に目が向けられる。動物はまた第十七巻を除く本書のすべての巻において言及される。

(40) 南アメリカの野生のラクダ。ラマの祖先。

(41) 南アメリカのアンデス地方に多く棲息し、古くから家畜として飼われている。

(42) 中央アジアに棲息する野生のロバ。

(43) アジアの野生のヒツジで、モンゴル高原の南端とアルタイのあいだの山脈に棲息する。

(44) Bailly, Jean Sylvain (1736–93) フランスの天文学者で政治家。『アレクサンドリアの学校建設に至るまでの古代の天文学の歴史』(ドイツ語訳、全二巻、一七七七年)。

(45) 北西イラン地方の古代名。

(46) たとえばレーナルは『両インド史』第六篇第十一章や第七篇第六章においてメキシコとペルーの起源に言及している(以下の邦訳の当該箇所を参照。『両インド史 西インド篇』(上)、大津真作訳、法政大学出版局、二〇一五年)。

(47) 古代メソポタミア南部の地域で、ティグリス河とユーフラテス河の下流域をさす。

(48) 『過去および現在の種々の民族における文字種類の比較表』(第一部、一七七一年、第二部、一七七九年)。

(49) フランスの法学者ゴゲ(Goguet, Antoine-Yves, 1716–58)の著作『法と技芸と学問の起源、および古代人におけるそれらの進歩について』(一七五八年)と、ゲッティンゲン大学の哲学教授ハンベルガー(Hamberger, Georg Christoph, 1726–73)によるドイツ語訳(全三巻、一七六〇―六二年)のこと。

(50) Jones, William (1746–94) イギリスの東洋学者で法学者。『アジアの詩歌への注釈。第六巻。ヨハン・ゴットフリート・アイヒホルン編』(一七七七年)。

(51) Eichhorn, Johann Gottfried (1752–1827) ドイツのプロテスタント神学者。

(52) ドイツの地理学者エーベリングによってドイツ語に訳された『ルジャンティーユのインド洋航海記』(『新旅行記集』第二部、一七八一年、四〇六頁)所収の「コロマンデル沿岸におけるインド人の天文学について」のこと。

(53) Walther, Christoph Theodosius (1699–1741) ドイツのプロテスタント神学者。『時間についてのインドの教義』。同書は後述のバイエルによる『ギリシアのバクトリア王国の歴史』(一七三八年)に付け加えられている。

(54) Bayer, Theophilus Siegfried (1694–1738) ドイツの東洋学者で歴史家。

(55) ヒンドゥークシュ山脈とアムダリヤ河の間に位置する中央アジアにあった、ギリシア人の建てた王国。

(56) 以下の記述は主として前出のゴゲの著作に依拠していると考えられる。

(57) 中国古代の創世神話における帝王で、三皇の一人。大洪水のとき、伏羲と妻の女媧だけが助かり、人類の祖となったとされる。後出の「八卦」を作り、『易経』の著者ともされる。

(58) 中国古代の伝説上の帝王で、三皇を継ぐ五帝の一人。人類の文化を創造したとされる。

(59) 五帝の一人で、天文暦法を定めたとされる。

(60) 中国山東省の名山で、道教の聖地。秦の始皇帝以来、帝王の即位の儀式が行われる。

(61) 易学の用語で、変化の原理である陰と陽の四つの象を意味する。

(62) 同じく易学の用語で、陰と陽を示す三個の算木を組み合わせてできる八つの象を意味する。

(63) 中国の古代神話に登場する神で、この世界を創造した造物主であるとされる。

(64) 中国神話に登場する三人の神にして帝王。「伏羲・黄帝・神農」など組合せには諸説ある。

(65) 中国古代の伝説上の帝王で、天地人の三皇の一人。

(66) 中国北魏代の地理書『水経注』巻十七「渭水」(黄河の支流の一つ)によれば、中国の北西部

(現在の甘粛省あたり)に位置するとされる。
(67) ともにヒンドゥー教の最高神。
(68) 古代インドのバラモン教聖典の総称。
(69) ヴィシュヌの化身の一つで、インド神話において最強の英雄の一人。
(70) インド半島の西海岸沿いにある「西ガーツ山脈」のことと思われる。
(71) インド南西部にあり、アラビア海に面する。古くからアラビアや東南アジアとの海上貿易の中継地として栄えた。
(72) ツァラトゥストラとも呼ばれる。前六世紀の古代イランにおける宗教創設者。
(73) イラン北部を東西に走る山脈。
(74) ペルシア神話に登場する原初の動物。
(75) インドに住むゾロアスター教の一派。
(76) ヘルダーによれば、人類の歴史は自然の展開が終わりに達し、「創造の門が閉じられた」(第五巻第三章の第三段落)ときに、そして人間の存在がこの「閉じられた門」の内部で保障されるときに初めて始まりうるものである。こうした観点からすると、アジアの種々の宗教的な神話が語る大きな領域は、人間の力の及ばない自然の歴史であり、これに対してヘルダーにとってのユダヤの宗教的な神話とも言うべき「創世記」では、歴史的に把握可能なもの以前のことについて天地創造に関する簡潔な報告が置かれるだけである。
(77) Sanchoniathon(前九世紀頃) フェニキアの著作家で、フェニキア語でフェニキア人の歴史を書いたとされる。作品はギリシアの教父エウセビオスの『福音の備え』においてギリシア語に翻訳された断片でしか伝えられていない。十七世紀以来、その信憑性について活発に議論され、ヴォルテールの『歴史哲学『諸国民の風俗と精神について』序論』（一七六九年）の一三「フェニキア人とサンコニアトン」においても言及されている（邦訳『歴史哲学『諸国民の風俗と精神について』序論』安斎和雄訳、法政大学出版局、一九八九年、七五―八二頁）。なおフェニキア人は古代の地中海東岸（現在のレバノン）に位置した地域フェニキアの居住民。

(78) この部分はヘルダーがエウセビオスの『福音の備え』第一巻（一〇、一）に収められたサンコニアトンの文章をギリシア語からドイツ語に意訳したものと考えられる。

(79) シリアの創造神話に登場する原始生物。「天を観るもの」を意味する。

(80) 現在のトルコ中西部の地域名。

(81) バルカン半島南東部の地域を示す古名。

(82) ヘシオドスの『神統記』やオルフェウスの作とされる神統系譜学的および宇宙進化論的文学作品が念頭にあるものと思われる。

(83) 第八巻第四章の「先入見」への訳注（68）でも述べたように、ヘルダーにあって「先入見」は、祖先から伝わる世界観という肯定的な意味も有している。

(84) 正式な書名は『書経』。中国人の神聖な書物の一つ。古代の歴史の基礎、統治と道徳の原理を含む。孔子による作品。中国への宣教師ゴービル神父による注釈付き翻訳。中国語の本文へのド・ギーニュ氏による校閲および修正』（一七七〇年）。ゴービル（Antoine Gaubil, 1689–1759）はフランスのイエズス会宣教師。

(85) de Guignes, Joseph (1721-1800) フランスの東洋学者。「書物」とは『中国人はエジプト人の一集団であることを証明する報告』(一七五九年)のこと。

(86) Prémare, Joseph Henri de (1666-1736) フランスのイエズス会士で中国旅行家。「研究」とは、中国の最初期の歴史と神話に関する論文のことで、第十一巻第一章で言及される『書経』の翻訳書の序論となっている。

(87) Giorgi, Antonio Agostino (1711-97) イタリアの宣教師で東洋学者。

(88) ソヌラ以下の著者については第七巻第一章および第八巻第二章の訳注を参照。

(89) フランスの東洋学者デュ・ペロン(du Perron, d'Anquetil, 1731-1805)のフランス語訳(一七七一年)によって初めてヨーロッパに紹介された。原注に記載されている版は、ヘルダーの友人でもあったドイツの神学者クロイカー(Kleuker, Johann Friedrich, 1749-1827)によってドイツ語に訳されたもの。

(90) ビュフォンの『一般と個別の自然誌』第一巻(一七四九年)の第二節「地球の歴史と理論」における記述をふまえている。

(91) 『旧約聖書』におけるイスラエルの神の名称。

(92) 第二巻第一章の第二段落における文章、すなわち「われわれの地球の核である花崗岩が存在すると同時に、光も存在した。この光は、地球が混沌状態であったとき、濃い煙霧の中でおそらくまだ火として作用を及ぼしていたのだろう」という文章と関連する。

(93) イタリアのナポリ湾岸にある火山。

(94) 前出のサンコニアトンへの訳注(77)を参照。

(95) 「創世記」(一、一四―一八)には次のように書かれている。「神は言われた。／「天の大空に光る物があって、昼と夜を分け、季節のしるし、日や年のしるしとなれ。天の大空に光る物があって、地を照らせ。」／そのようになった。神は二つの大きな光る物と星を造り、大きな方に昼を治めさせ、小さな方に夜を治めさせられた。神はそれらを天の大空に置いて、地を照らさせ、昼と夜を治めさせ、光と闇を分けさせられた。神はこれを見て、良しとされた。」

(96) ヘルダーにとって月は「地球ができた時から」存在していた。それは月が地球上の潮の満ち干などの現象にとって重要な要素となっているからである。月については、第一巻第五章の第五段落を参照。

(97) 「創世記」(一、二〇―二三)では次のように書かれている。「神は言われた。／「生き物が水の中に群がれ。鳥は地の上、天の大空の面を飛べ。」／神は水に群がるもの、すなわち大きな怪物、うごめく生き物をそれぞれに、また、翼ある鳥をそれぞれに創造された。神はこれを見て、良しとされた。神はそれらのものを祝福して言われた。／「産めよ、増えよ、海の水に満ちよ。鳥は地の上に増えよ。」／夕べがあり、朝があった。第五の日である。」このあとの六日目に人間の創造について語られるが、ヘルダーはこの五日目において鳥と魚が同じ区分で人間に近づくということを第二巻第四章の第六段落において比較解剖学の観点から考察している。

(98) 啓示宗教とは異なり、創造を一つの大きな自然プロセスと見るヘルダーにとっては、啓示として創造に介入する神（エロヒム）は最初から存在しない。

(99) 第一巻第五章の「燃素」への訳注(38)を参照。

(100) ヘルダーはここで自著『人類最古の文書』第一部（一七七四年）における「創世記」の創造伝承の寓意的および歴史的解釈を参照するように指示している。

(101) 「始まり」の原語は Anfang. 第五章の標題で使われた「起源」（原語は Ursprung）と意味上の違いはほとんどないが、「起源」が事柄の発生あるいは誕生の時点を示すとすれば、「始まり」はその時点も含む一定の広がりを示しているとも考えられる。

(102) 第一部の「序言」で言及された『自然の諸時期』を参照。

(103) 以下の種々の年代表示についてヘルダーは、エジプトの年代計算については第十三巻で言及されるドイツの歴史家マイナースの『最古の諸民族、特にエジプト人の宗教史試論』（一七七五年）、パールシー教徒については訳注(89)で言及されたクロイカーによる『ゼンド・アヴェスター』のドイツ語訳、そしてチベットのラマ教については本巻第四章の原注134で言及されたジョルジの『チベットのアルファベット』などに依拠していると考えられる。

(104) ローマ神話に登場する神で、ギリシア神話の火と鍛冶の神にあたる。

(105) ペルシア神話に登場する最初の人間の夫婦。

(106) 「カルデア人」は、前十世紀以降に、メソポタミア南東部に広がる沼沢地域の歴史的呼称である「カルデア」に移住したセム系遊牧民の諸部族。前七世紀に新バビロニア王国を建設した。「アロルス王」は、前一五〇〇年頃には成立していた「シュメールの王名表」において大洪水以前に在位していたアルリム王であると推測される。

(107) こうした変革に満ちた自然史を、創造に関わる諸変革として六日間の出来事という形で簡潔に記述した「創世記」は、ヘルダーにとって一連の宗教神話の中でも特別な位置を占めている。

(108) 原語は der compilierende Geschichtschreiber. ここでは「創世記」の編纂者とヘルダーが考えるモーゼをはじめ、種々の資料を編纂しながら記述を行うツィンマーマンなどの歴史家のことが考えられる。ただ、ここで問題となるのは、「資料を集めて編纂する」と訳した compilieren という動詞である。これは古典修辞学では知の収集方法として重要な役割を果たしていた。当該箇所での一見否定的な記述とは裏腹に、『人類歴史哲学考』を種々の資料に依拠しながら執筆するヘルダー自身も「資料を集めて編纂する歴史記述者」の一人である。

(109) ヘルダーは「創世記」の前出の箇所を、本巻第二章で言及されたパラスの『山脈、および地軸の変化。特にロシア帝国との関連において』と並行させながら読んでいると思われる。パラスの書では、南アジアの最も重要な四つの河川（インダス河、ガンジス河、黄河、アムダリヤ河）の源泉が、アジア大陸の最も高い場所であるヒマラヤとアルタイから発するものとして描かれている。これによって本書の第一巻第六章、特に第四段落と第五段落における山脈の記述は「創世記」における前述の四つの河と結びつけられ、モーゼによる伝承は「原初の土地」の四つの存在する河への記憶を保存しているものと解釈される。

(110) 後注(125)を参照。

(111) 第十九巻第四章では「アムダリヤ河」として言及される。パミール高原から発し、北西に向かって流れ、アラル海に注ぐ。

(112) インド半島を流れる主要河川。チベット高原からパキスタンを流れ、アラビア海に注ぐ。

(113) アフガニスタンのヒンドゥークシュ山脈の旧称。パミール高原から南西に伸びる大山脈。

(114) ヒマラヤ山脈の旧称。カラコルム山脈、ヒンドゥークシュ山脈、天山山脈、崑崙(こんろん)山脈を含む。

(115) 現在のジョージア南東部の先住民で、「コーカサス・イベリア人」と呼ばれていた。その居住地は前四世紀から後六世紀にかけて南コーカサスに存在した「イベリア王国」と呼ばれる。ギボンの『ローマ帝国衰亡史』第四巻第四十二章には「アシアで最も高くて険しい山脈であるイベリア・コーカサス」という記述が見られる(邦訳は『ローマ帝国衰亡史6』朱牟田夏雄・中野好之訳、ちくま学芸文庫、一九九六年、二六七頁)。

(116) 比較伝承学あるいは比較神話学的な発想。第八巻第二章の訳注(20)を参照。

(117) イラン神話に登場する鳥の怪物。

(118) メソポタミア神話に登場する怪物で、ライオンの頭を持つワシの姿で表される。

(119) ヒンドゥー教における自然界と精神界の擬人化された諸力。

(120) 三つとも東洋(モンゴル、インド、ペルシア)の神話に登場する悪霊。

(121) 前出のジンスの国のこと。

(122) 三つともに東洋の神話に登場する神聖な山地。

(123) 以下においては「エロヒム」が複数形で使用されている。このことはヘルダーが、自己を啓示する唯一の創造神による教示を想定していないことを意味している。

(124) そこでは次のように書かれている。「地上にはまだ野の木も、野の草も生えていなかった。主なる神が地上に雨をお送りにならなかったからである。また土を耕す人もいなかった。／しかし、水が地下から湧き出て、土の面をすべて潤した。主なる神は、土(アダマ)の塵で人(アダム)を形づくり、その鼻に命の息を吹き入れられた。人はこうして生きる者となった。」ただ、本文でこれに続くヘルダーによる聖書からの引用は、この箇所と内容的に重複している。

(125) そこでは次のように書かれている。「エデンから一つの川が流れ出ていた。園を潤し、そこで分かれて、四つの川となっていた。第一の川の名はピションで、金を産出するハビラ地方全域を巡っていた。その金は良質であり、そこではまた、琥珀の類やラピス・ラズリも産出した。第二の川の名はギホンで、クシュ地方全域を巡っていた。第三の川の名はチグリスで、アシュルの東の方を流れており、第四の川はユーフラテスであった。」

(126) 前注を参照。ただヘルダーが楽園の河ピションをガンジス河として解釈することは、それに続く語源解釈とともに、ヘルダーが参照したと推測される種々の原典には見出されない。

(127) ウイグル地域の中心都市。イスラムの拠点都市としても発展した。

(128) 十三世紀から十七世紀にかけてのヨーロッパで、中国および中国人を呼ぶときに使われた表現。この名称は北部中国のツングース民族のキタンに遡る。

(129) Otter, Johan (1707–49) スウェーデンの探検旅行家。『トルコとペルシアへの旅。(…)フランス語からのゲオルク・フリードリヒ・シャートによるドイツ語訳』(第一巻、一七八一年)。インドに関する語源については第十一巻第四章で言及されるハルヘッドの著作に依拠している。

(130) ヘルダーはこれらの問いについて、モーゼの伝承に従って検証することを考えていたと思われるが、まとまった記述としては残していない。
(131) アダムの息子であるカインとアベルの弟のセツから始まる一族。
(132) カインから始まる一族。
(133) 第七巻の訳注(26)で言及されたベドゥイン人の生活様式。
(134) アルジェリアのベルベル人の一族で、アトラス山脈に住むカビール人の生活様式。
(135) 古代シュメール・カルデア王朝の王で大洪水前の最後の支配者。
(136) これについては、杉勇・尾崎亨訳『シュメール神話集成』(ちくま学芸文庫、二〇一五年)における「洪水伝説」(一八一—二二三頁)を参照。
(137) 訳注(135)で言及されたジウスドゥラ、あるいは関係する人物のことと思われる。
(138) 「創世記」(四、一六—二二)を参照。
(139) セム、ハムとともにノアの息子の一人。裸のまま酔いつぶれたノアにセムとともに顔をそむけて着物を着せ、祝福された。

第三部

第十一巻

(1) プリニウス『博物誌』序文(一五)。訳文は『プリニウスの博物誌』(縮刷版Ⅰ、中野定雄・中野里美・中野美代訳、雄山閣、二〇一二年、五頁）による。ビュフォンの『博物誌』第一巻（一七四九年）の最初に置かれているこのプリニウスの題辞が『人類歴史哲学考』第三部、すなわち自然に関する記述を終えて人類の歴史の記述が始まる最初の部分を飾っているのは、ヘルダーが自然史と人類史を連続したものとして理解していることを示している。

（2）第十巻第二章の「永遠の原山脈」への訳注（5）を参照。

（3）南ロシア草原地帯に居住したイラン系の遊牧騎馬民族。

（4）前著『歴史哲学異説』での人類史の記述は、メソポタミアの族長時代、すなわちユダヤの歴史から始まっていたが、本書『人類歴史哲学考』での記述は、本巻の冒頭において説明されるように、地球の自然史的観点に基づいて中国を起点とする。そのさいヘルダーが記述の典拠としているると考えられるものは、以下の原注に挙げられる諸作品である。

（5）第二部第六巻第二章における記述では主として中国人の身体的特徴の面からの否定的な描写が見られたが、以下では中国全体についての肯定的な評価と否定的な評価が並存している。

（6）第十巻第三章における「タタールの高原でも、遊牧民集団の奔放さは統治者カン（汗）たちの専制政治と織り合わされたが、この専制政治はヨーロッパにおける多くの統治形態の基盤となった」という文章を参照。またこの段落の最初で言及される「阻害要因」については第六巻第二章における記述を参照。

（7）一二〇六年にモンゴル高原の遊牧民を統合し、遊牧国家のモンゴル帝国を創設した。

（8）「トルグート人」は西モンゴルの民族。モンゴル系遊牧民族オイラトに属するカルムイク人の一部族で、好戦的な遊牧民として十七世紀から十八世紀にかけて中国とロシアの境界地域で活動した。ジューンガル帝国(十七世紀から十八世紀にかけてオイラトが現在のジューンガル盆地を中心とする地域に築いた遊牧帝国)が一七五五年に清によって滅ぼされた後、約一万人のオイラトがカルムイク人の別の一部族であるトルグート人のもとへとヴォルガ河に逃亡してきた。オイラトの族長はヴォルガ河のトルグート人を説得してジューンガル帝国を再建しようとしたが、一七七〇年から七一年にかけての冬に領主たちや聖職者たちによってなされた決議によって、トルグート人を含むオイラトはジューンガル帝国のあった地域への移住を命じられた。移住には一年を要し、トルグート人は最終的にキルギス人によってバイカル湖の北のステップ砂漠へと追放されたが、清は約七万人から一七万人の生き残った者たちに東トルキスタンへの移住を認めた。「移住についての皇帝の記念碑」とは、ヴォルガ河からのトルグート人移住者の、ジューンガル帝国のあった地域への到着と定住に関するもので、一七七一年に乾隆帝の命令により四つの言語で石に刻み込まれた碑文のことと思われる。この問題については宮脇淳子『最後の遊牧帝国 ジューンガル部の興亡』(講談社選書メチエ、一九九五年)を参照。

(9) 後出のバルフを中心とする古地名。アレクサンドロス大王の東征後にギリシア人が住みつき、前二五〇年頃にバクトリア王国を創設した。古代より交通の要所として発展した。

(10) アフガニスタン北部の都市名で、ギリシア人のバクトリア王国の首都がバクトラとして繁栄した。アケメネス朝にはゾロアスター教の中心地の一つであったとされる。

(11) このような表現が現在から見ればヨーロッパ中心主義的なものであることは否定できないが、

これは当時のヨーロッパにおける中国像の反映と見ることもできる。これについては大野英二郎『停滞の帝国　近代西洋における中国像の変遷』（国書刊行会、二〇一一年）を参照。この後に続くヨーロッパによる中国との交易の将来についての記述は、前出のレーナルをふまえていると推測される（『両インド史』第五篇第二十五章「ヨーロッパ人によるシナとの貿易」から第三十二章「シナとヨーロッパの貿易はどうなるであろうか」、邦訳『両インド史　東インド篇』（下）、大津真作訳、法政大学出版局、二〇一一年、二八四—三一九頁）。また「茶」については同じくレーナル（『両インド史』第三篇第三十四章「会社が貿易で味わった窮屈な思い。会社が注ぎこんだ資金。会社が貿易に与えた広がり」、邦訳『両インド史　東インド篇』（上）、大津真作訳、法政大学出版局、二〇〇九年、四三〇—四三二頁）を参照。

（12）Büsching, Anton Friedrich（1724-93）ドイツの地理学者で神学者。『新たな歴史学および地理学雑誌』第十四部（一七八〇年）。

（13）Leontiew, Alexei（1716-86）ロシアの中国研究者。『中国の帝国地理学からの抜粋』（ビュッシングの前掲書に所収）。

（14）Herrmann, Benedict Franz Johann von（1755-1815）オーストリアの自然研究者。『特にロシア諸国の物理学、経済、鉱物学、化学、技術、統計についての論集』（全三部、一七八六—八八年）。これに続く中国の社会、地理、政治、宗教に関する資料としてヘルダーが参照していると思われるものは、前掲のヴォルテール『歴史哲学　『諸国民の風俗と精神について』序論』一八「中国」（邦訳は前掲、一一〇—一一九頁）、およびレーナル『両インド史』第一篇第十九章「ポルトガル人のシナ到達。この帝国を概括する」、第二十章「賛美者によるシナの状態」、第二十一章「中傷者によるシナの状態」(邦訳は前掲『両インド史　東インド篇』(上)、一一四―一四八頁)などである。

(15) この著作は一七七六年から一七九一年にかけてパリで全十五部が刊行された。これにはイエズス会士たちの書簡のほかに、儒教の基本書である『大学』と『中庸』の翻訳も含まれている。

(16) Noel, Franciscus (1651-1729) フランスのイエズス会士で宣教師。『中国帝国の六冊の古典的著作』(一七一一年)は『四書』のラテン語版全集。

(17) Couplet, Philippe (1622-93) ベルギーのイエズス会士で、中国で宣教を行う。『中国の哲学者孔子』(一六八七年)。これには『四書』の最初の三巻すなわち『大学』『中庸』『論語』のラテン語訳が収められ、「中国史年表」も付いている。

(18) 第十巻の訳注(84)を参照。

(19) Mailla, Joseph-Anne-Marie de Moyriac de (1669-1748) フランスのイエズス会士で宣教師。『中国の一般史、あるいはこの帝国の年鑑』(全十三巻、一七七七―八五年)。

(20) Le Comte, Louis Daniel (1655-1728) フランスのイエズス会士で、中国で宣教を行う。『中国の現状についての新報告』(一六九六年)。

(21) 第六巻第二章における中国人についての記述(第二分冊・三〇―三二頁)。

(22) 十八世紀に清王朝の最盛期を創出した清の第六代皇帝(1711-99)。

(23) 訳注(15)で言及された著作のことと思われる。

(24) コーチシナとトンキンについては同じくレーナルに記述がある(『両インド史』第四篇第十四章「トンキン地方とコーチシナ地方に関するフランス人の見解。これらの地方についての記述」、邦訳は前掲『両インド史　東インド篇』(下)、五三―五九頁)。「朝鮮」の原語は Korea である。
(25) インドネシアを構成する島の一つ。
(26) チベットに発達した仏教の一派ラマ教の僧侶たち。ラマとはチベット語で「上人」「師」を意味し、仏・法・僧の三宝のほかにラマをも崇敬するためラマ教と呼ばれる。
(27) 「タングート」と呼ばれるチベットの地域に居住する遊牧民族。
(28) 現在のモンゴル国の人口の多数を占めるモンゴル系民族。
(29) モンゴル系の遊牧民族で、西モンゴル人とも呼ばれる。訳注(8)も参照。
(30) 後出の訳注(35)を参照。
(31) チベット仏教で最高位にある化身ラマの名跡。ダライ・ラマ一世はゲンドゥン・ドゥップ(1391-1474)。
(32) これについては、石濱裕美子『物語　チベットの歴史　天空の仏教国の1400年』(中公新書、二〇二三年)第一章第一節「観音菩薩の誓い」(同書、一四―一七頁)を参照。
(33) 第六巻第二章の「パラスの『北方論集』」への訳注(62)を参照。
(34) 『歴史および政治に関する往復書簡』(第五部、一七七九年、二八・二九号)。シュレーツァーについては第六巻第二章の訳注(56)を参照。
(35) 以下においてはインド全体が考えられている。インドについては同じくレーナルに詳細な記述がある(『両インド史』第一篇第八章「インドの宗教、政体、法制度、習俗、慣習」、邦訳は前掲『両インド史　東インド篇』(上)、四二―七七頁)。

(36) 古代インドの民族宗教であるバラモン教では「知識」を意味する聖典『ヴェーダ』を中心として天や地などの自然神を崇拝する。

(37) 仏教の天部にある尊い存在の一つ。古代インドにおいて万物実存の根源とされたブラフマンを神格化したもの。

(38) ヒンドゥー教の最高神ヴィシュヌ神(維持神)の八番目の現象形態。

(39) インド北東部に位置し、中央部をガンジス河が流れている。仏教が生れた地でもある。

(40) 当該箇所は『歴史』第三巻(九八―一〇六)。

(41) インド北部を流れる河川。

(42) 「サマネーア派」と「ゲルマーン派」の原語は Samanäern と Germanen で、いずれも前出のバクトリアにおけるインド仏教の宗派と関連すると考えられるが、詳細は未詳。

(43) ベンガル湾沿いに位置する都市で、ヒンドゥー教徒の聖地。現在のオリッサ州のプリー。元来「ジャガンナート」はヒンドゥー教の神で、オリッサ地方の土着神であったが、後にクリシュナと同一視されるようになった。

(44) インド西岸にある商業都市。現在はムンバイと呼ばれる。

(45) 南インドのマラバール地方に住むイスラム教信者の総称。

(46) 第八巻第四章における記述(第二分冊・一九四頁)も参照。

（47）第十巻第四章の『ゼンド・アヴェスター』への訳注（89）で言及されたデュ・ペロンのこと。『ゼンド・アヴェスター。ゾロアスターの著作。ダンケティーユ・デュ・ペロンによるフランス語訳』第一巻（一七七一年、八一―八八頁）。

（48）Ross, Alexander（1591-1654）イギリスの著作家で神学者。『パンセビア、あるいは世界の全宗教概観』（一六五三年）。マッキントッシュについては第四巻第五章を参照。

（49）インドでのドイツ人最初のプロテスタントの宣教師ツィーゲンバルク（Ziegenbalg, Bartholomäus, 1682-1719）による『東インドの異教徒の改宗に向けた福音派による宣教活動の最近の歴史』第一巻（一七七〇年）、および『東インドのトランクエバールから送られたデンマーク王国の宣教団の詳細な報告。四六の続編を付す』（一七一〇―七〇年）。

（50）『イエズス会宣教師による海外での宣教に関する注目すべき教育書簡』全三十四巻（一七〇二―七四年）。

（51）Halhed, Nathaniel Brassey（1751-1830）イギリスの東洋学者。『ベンガル語文法』（一七七八年）。

（52）『ゲントゥー法典集、あるいはバラモン学者の聖職授任式。ペルシア語訳からの英訳』（一七七六年）。「ゲントゥー」とはヒンドゥー教以前のインドの先住民のヨーロッパ側からの呼称。

（53）バイカル湖に注ぐセレンガ河沿いにある、タタールとロシアの境界の都市。

（54）第十巻第四章の『書経。中国人の神聖な書物の一つ』への訳注（84）および（85）を参照。

（55）『世界史全範囲略解。第一部。アダムからキュロスまで。三六五二年間』（一七八五年）。バイエルについては第十巻の訳注(54)を、ガッテラーについては第一巻の訳注(57)を参照。

(56) Pauw, Cornelius de (1739-99) オランダの哲学者で地理学者。『エジプト人と中国人に関する哲学的研究』(一七七三年)。

(57) Delisle de Sales, Jean Baptiste-Claude Izouard (1741-1816) フランスの著作家。『原始世界の哲学の歴史』(一七七九年)。

(58) ライプニッツの著作『プロトガイア』(一六九一年頃。出版は一七四九年)のことが念頭にあると思われる。

(59) ここで月蝕と竜が登場するのは突然のような感じもするが、その背後には、第八巻第二章の原注111で言及されたラフィトーの『アメリカの未開人の習俗と古代の習俗の比較』(一七二四年)があると推測される。同書の第三章においては、月蝕が女性と竜にまつわるインドの神話との関連で説明されている。これと似たような伝承は、第八巻第二章で言及される「月と太陽」に関する伝承にも見られる。

(60) イギリスのブリテン島の古称。古代ローマの属州ブリタニアがあった。

(61) イソップの寓話「ゼウスとヘビ」の暗示。

(62) 訳注(60)で言及されたブリタニアがあったブリテン島南部と、その周辺の小群島のこと。

(63) この箇所はたしかにアジアの側からすると、たとえそれが二百数十年前の記述であるとはいえ、読んでいて決して心地のよいものではない。ただここでも忘れてならないのは、ヘルダーがアジアには最初から理性も文化も存在しないと考えてはいないということである。たとえば中国について「高度な文化」という表現も見られる（第一章第二段落）ことはもちろん、本書の「序言」の冒頭にもあったように、ヘルダーにあっては地球上で文化を持たない民族は存在しない。すなわち、どの民族も永遠に眠った状態にあるのではなく、時が来て状況が変われば、眠りから覚め、それぞれに備わる能力に基づいて新たな歩みを開始する。

第十二巻

(1)「創世記」（一一）に現れる街で、「バベルの塔」で知られる。
(2) アッシリア王国の首都で、ティグリス河東岸にあった。
(3) イラン北西部にあった古代イランの王国であるメディア王国の中心都市で、現在のイランのハマダンにあたると考えられる。
(4) フェニキアの古代都市で、現在のレバノンの南西部にあった。
(5) メソポタミア南部にあったバビロニアの居住民。
(6) メソポタミア北部ティグリス河沿いの地域アッシリアの居住民。
(7) メディア王国の居住民。次の「フェニキア人」については、第十巻第四章の「サンコニアトン」への訳注(77)を参照。
(8) ガンジス河沿いのヒンドゥー教最大の聖地ヴァーラーナシーの旧称。
(9) メソポタミア地方の古代都市で、ユーフラテス河の両岸に広がる。なおバビロニアは国名で、バビロンはその中心都市。

(10) シドンはフェニキア最古の都市で、現在のレバノンのサイダにあたる。「エルサレム」はヨルダンとイスラエルの国境にあり、ユダヤ教・キリスト教・イスラム教の聖地。
(11) 前八五〇年頃から六一〇年頃にかけて使用された古代アラム語と、前六〇〇年頃から前二〇〇年頃にかけて使用された帝国アラム語のことが考えられる。
(12) カナン人とバビロニア人の神。
(13) 第十一巻第五章で言及されたガッテラーの『世界史全範囲略解。第一部。アダムからキュロスまで。三六五二年間』のこと。
(14) 「創世記」(一〇、八―一二)を参照。
(15) トルコ南東部の都市で、現在のシャンルウルファ。古代から中世にかけてのヨーロッパでは「エデッサ」と呼ばれ、古くからキリスト教が普及していた。
(16) トルコ南東部にあった古代の都市で、第十七巻第二章で言及されるネストリウス派の中心地であった。
(17) イラクにある古代都市で、パルティア王国の首都。
(18) マケドニア南西部にあった古代イリュリア王国の都市。
(19) メソポタミア北部にあった小王国。
(20) 古代アッシリアの都市でニネヴェの南方に位置する。一時はアッシリア王国の首都であった。現代名はニムルド。
(21) ペロポネソスはギリシア本土の最南端に位置する半島。スパルタを中心として「ペロポネソいる。

ス同盟」を組んだ。アリストテレスとの関連は、プロスによればゴゲの前著の第三巻に依拠して

(22) アッシリア王国の首都ニネヴェの伝説上の創設者で、セミラーミスの夫。

(23) 西アジアのクルディスタンに住む山岳民族。

(24) 第十巻第六章の「カルデア人にはアロルス王」への訳注(106)を参照。

(25) 新バビロニアの王ネブカドネザル二世。

(26) バビロニア人が自分たちの神ベルスのために建てた巨大な神殿。ヘロドトスの『歴史』第一巻(一八一)に記述が見られる。

(27) 古代から商業都市として発展したタシュケント(ウズベキスタン)にある村。

(28) カルデア人の使用した言語は、最も古いセム語であるアッカド語のバビロニア方言であるとされる。その後この方言はアラム語に取って代わられた。

(29) 家での礼拝に用いられた家族神の神像もしくは偶像。「創世記」(三一、三〇—三五)を参照。

(30) シリア王国の首都で、ティグリス河畔に位置する。

(31) シリア砂漠の中に建設されたオアシス都市。

(32) 古代オリエントの遊牧民で陸上のフェニキア人といわれる。隊商貿易で活躍し、その言語や文化を普及させた。

(33) 新バビロニアの王ナボニドゥスの息子。「運命の文字」とは『旧約聖書』の「ダニエル書」(五、五—二五)における「壁に字を書く指の幻」についての記述による。その最後(五、二五)では

「さて、書かれた文字はこうです。メネ、メネ、テケル、そしてパルシン」と書かれている。

(34) 音節を単位として表す表音文字。

(35) アケメネス朝ペルシアの地方長官。

(36) メディア人の伝説上の将軍で、ニネヴェの破壊者。

(37) 『新地理学の第五部第一節。アジアのさまざまな地域を含む』(一七六八年)。ビュッシングについては第十一巻の訳注(12)を参照。

(38) 『聖書およびオリエント文献目録』(全十八部、一七七七―八六年)第八部に所収。

(39) ウイグル地方の都市カシュガルの東北に位置した都市。イスラム王朝のカラハン朝の時代にモスクが建立された。

(40) Valle, Pietro della (1586–1652) イタリアの旅行作家。『世界のさまざまな地域、すなわちトルコ、エジプト、パレスチナ、ペルシア、東インドおよび他の遠く離れた諸地域への旅行記』(一六七四年)。

(41) ヒッラはイラク中央部のユーフラテス河沿いに位置するバビロン近郊の地域で、古代バビロンの遺跡がある。ニーブールの報告は『アラビアと周辺地域への旅行記』第二巻に見られる。第六巻の訳注(92)を参照。

(42) 『ムハンマド以前の東インド交易の歴史』(一七七五年)一二頁。アイヒホルンについては第十巻の訳注(51)を参照。

(43) 『年表説明のための共時的配列の普遍史序論』(全二部、一七七一年)。

(44) 本巻第五章における「象形文字」についての記述を参照。
(45) ヘロドトスによれば、古代メディア王国の創設者とされる。
(46) キュロス二世。ペルシア帝国の創設者。徳を備えた人物として有名。
(47) 古代ギリシアの軍人で歴史家。『ギリシア史』『アナバシス』。
(48) クセノフォンは政治的哲学的傾向の強い小説『キュロスの教育』の中でキュロスをソクラテスの原則に従って行動する主人公として描いている。邦訳は『キュロスの教育』松本仁助訳、京都大学学術出版会、二〇〇四年。
(49) ペルシア帝国の首都。
(50) 古代エジプトの都市で、ナイル河の中流に位置する。
(51) アケメネス朝ペルシアの第二代の王でキュロスの息子。
(52) ペルシア帝国の王ダレイオス一世。
(53) バルカン半島南東部の古代トラキアの居住民。
(54) バルカン半島中央部に位置するマケドニアの居住民。
(55) ペルシア帝国の王クセルクセス一世。
(56) トルコ、アルメニア、イラン、アゼルバイジャンを流れる河。
(57) トルコを流れ、黒海に注ぐ河。現在のクズルウルマク河。
(58) アナトリア半島にあった古代リュディア王国の首都。
(59) ダレイオス三世のこと。

（60）ダレイオス一世はイラン高原の古代国家パルティアの統治者ヒュスタスペス王の息子。ただしヒュスタスペス王はゾロアスターの保護者ではなかったとされる。なお「ゾロアスター」と後出の「パールシー教徒」については第十巻第四章を参照。

（61）世界における悪の存在に関して神を擁護する教説。ライプニッツの同名の著作（一七一〇年）による。

（62）トルコ東部地方の古代地名。

（63）『地誌』で有名な古代ギリシアの歴史家で地理学者。「拝火神殿」の記述は同書の第十五巻第三章の一五「カッパドキア地方の消えずの火」に見られる。

（64）原語は Mahomedaner. 直訳すると「マホメット教徒」となる。なお「イスラム教」の原語は Mahomedanismus であり、直訳すると「マホメット教」となろう。

（65）エジプトの司祭。プトレマイオス二世の要望で第三〇代王朝の最後までのエジプトの歴史を書いた。この段落の最後の文章、すなわち、「私は、ヘブライ人の歴史を彼らの語るままの形で考察の基礎とすることを恥じるものではない。だがその一方で私としては、彼らの敵対者の語る伝承を軽蔑もしないし、それどころか利用したいとも思っている」という文章は、一つの主題についての相反する視点からの記述を許容する点において、ヘルダーの歴史記述を理解するうえで重要なものと思われる。

（66）「創世記」（三九―五〇）におけるアブラハムの孫でイサクの息子ヤコブおよびその一二人の息子たちの物語。そこにはファラオの高官ヨセフもいる。

(67) ヘブライ人の王国で、カナン南部のユダ地方を支配し、エルサレムを首都とした。

(68) ダビデとソロモンによる統治の時代。

(69) イスラエル王国の二代目の王。

(70) 北アラビアのセム系遊牧民。

(71) 原語は Nomokratie. 英訳、仏訳とも constitution となっている。「法の支配」、すなわち、専制的な国家権力による支配を排し、権力を法によって拘束する政治のことと考えられる。次の「神権君主政治」とは対立する政治形態。

(72) 原語は theokratische Monarchie.「神権的」の基になる「神権制」とは、支配者の権力が神から与えられたものと考える政治体制を意味する。

(73) ユダ王国の南に隣接した地域イドゥメアの居住民。

(74) 近世ペルシアの典範で、宗教上の義務や慣習について記述されている。

(75) ここで念頭に置かれているのは「創世記」の記述を近代の自然科学の諸認識と一致させようとする種々の試みであると想像されるが、具体的には未詳。

(76)「ダニエル書」(七、一―一〇)における「四頭の獣の幻」をふまえている。

(77) 第九巻第四章の「預言者の夢の中の像における君主政の、かの象徴のように」への訳注(64)を参照。

(78)「ヨシュア記」(一〇、一二―一三)を参照。

(79)『改訂　古代年代学』(一七二八年)や『ダニエル書と黙示録の預言に関する考察』(一七三三年)

が念頭にあると思われる。

(80) 原語は Zigeuner. ヨーロッパを移動しながら生活している民族。直訳の「ツィゴイナー」という語は「ジプシー」という語とともに他称であり、現在では使用されない。

(81) 『旧約聖書続編』の「マカバイ記」に登場するユダヤ人の民族的英雄。

(82) 「ソロモン神殿」はエルサレムにあった神殿。その建築については「歴代誌　下」(二―四)を参照。

(83) 原語は eine parasitische Pflanze. ユダヤ人について中世にすでに見られる「寄生」という表現は、ヘルダーにおける反ユダヤ主義の象徴として従来たびたび言及されてきたが、レオン・ポリアコフの『反ユダヤ主義の歴史』(全五巻、一九五五―七七年)第三巻(副題は「ヴォルテールからヴァーグナーまで」、邦訳は菅野賢治訳、筑摩書房、二〇〇五年、二一四頁)などに見られるように、この表現がヘルダー自身による創案でないことが明らかになっている。また本章および第十六巻第五章にも見られるユダヤ人に対するヘルダーの肯定的な評価も見逃されるべきではない。こうした二律背反的な言述については訳注(65)を参照。

(84) 「ヨシュア記」(一九、四〇―四八)を参照。

(85) 本書『人類歴史哲学考』第一部の一年前の一七八三年に刊行されている。

(86) 第十巻の訳注(31)を参照。

(87) アフリカ大陸の北岸にフェニキア人によって建設された植民市。

(88) これ以降の記述においてヘルダーは交易国家を肯定的に評価する。その理由は、これらの国家の活動が、父権的支配の専制主義国家やローマ・カトリックの位階制度のようにいわば凝固してしまった体制に比べて、人の自由な動きを促す流動性をその本質としている点にあると考えられる。

(89) 前四〇〇〇年のメソポタミアで作られたとされる。ヨハン・ベックマン『西洋事物起原』(一)(特許庁内技術史研究会訳、岩波文庫、一九九九年)の「ルビー・ガラス」の項を参照。

(90) ベロス河はイスラエル北西部を流れる河。

(91) イベリア半島の南東の端にあり、ヨーロッパ大陸とアフリカ大陸を隔てる海峡。

(92) スペイン南部の古地方名、またはそこにある河口の地域のこと。

(93) 前述のように「三大陸」とはヨーロッパ大陸、アジア大陸、アフリカ大陸のこと。

(94) パレスチナ地方の古称。

(95) 「民数記」(一三)を参照。

(96) 共和政ローマの政治家サルスティウスに見られる「カルタゴ人の信義、つまり裏切り」(fides Punica)という言い回しをふまえていると考えられる。

(97) アッシリア人やヘブライ人などセム系の言語を使用する人々の総称。フェニキア人(カルタゴ人)もセム系民族に含まれる。次の「ハム系民族」とともに第十巻第七章の原注146における記述も参照。

(98) ヘルダーはフェニキア人をハム系民族に含めているが、ハム系民族とはエジプト文明を産み出した古代エジプト民族とその周辺の北アフリカのベルベル人などの総称である。

(99) ジブラルタル海峡の入口にある岬の古代における別称。
(100) イタリア半島を南北に走る山脈。
(101) イタリア中部トスカナ地方の古称。第十四巻第一章で詳述される。
(102) 第十巻などで言及されるタタール人あるいはモンゴル人による国家が考えられるが、詳細は未詳。
(103) 訳注(88)を参照。
(104) カルタゴと共和政ローマの間で戦われた最後の戦争。これによって国家としてのカルタゴは滅亡した。ヘルダーはストラボンの『地誌』第十七巻(三、四)の記述をふまえている。
(105) シチリア島南東部に位置する都市で、古代ギリシアの植民市であった。
(106) セリヌス以下、三つの都市はいずれもシチリア島に位置し、古代ギリシアの植民市であった。
(107) スペインのバレンシア地方の都市。
(108) アリストテレスの『政治学』第二巻(一二七三a)における記述をふまえている。
(109) カルタゴの将軍で、ハミルカル・バルカの娘婿。
(110) ハミルカル・バルカのこと。カルタゴの将軍で、ハンニバル・バルカの父。
(111) ハンニバル・バルカのこと。カルタゴの将軍で、第二次ポエニ戦争(前二一九―前二〇一年)を始めたとされる。
(112) ハミルカル・バルカと息子のハンニバルとハスドルバルのこと。
(113) カルタゴの将軍で、第一次ポエニ戦争において傭兵の乱を惹き起こしたハンノ・ボミルカルや、ハンニバルの甥で、第二次ポエニ戦争で活躍した同名のハンノ・ボミルカルなど。

(114) シラクサの僭主で、前四八〇年にカルタゴとの戦い（ヒメラの戦い）で大勝した。

(115) 古代ギリシアの都市国家(ポリス)コリントスの政治家・将軍で、シラクサを僭主たちから解放したことで知られる。

(116) 共和政ローマの軍人・政治家スキピオ・アフリカヌス（大スキピオ）のこと。ハンニバルを破り、第二次ポエニ戦争を終結させた。

(117) シチリア島南部にある古代ギリシアの植民市ゲラ（現在のジェーラ）の居住民。

(118) 第六巻第三章で言及された「チェルケシア」の居住民。同巻の訳注(76)を参照。

(119) 第三巻第六章で言及されたディオドロスの『歴史叢書』においてエジプト人は、アフリカとアラビア半島がまだアジア大陸と結びついていた時点においてエチオピアの山地に到達し、そこから平地に植民したとされる。これについては同書、第三巻第一章第一節「エチオピア族の起源」、三「エジプト民はエチオピアからの移民」（邦訳は『神代地誌』飯尾都人訳編、龍溪書舎、一九九九年、二〇二頁）を参照。ここでもヘルダーは、人類が一つの山地から、それも新たな土地あるいは地域における最初期の人間に、そのつど保護を与える山地から広がったという地理的条件に基づく自らの構想を提示している。

(120) 第六巻第四章の第二段落におけるエジプト人の記述も参照。

(121) ここでは専制主義の象徴として否定的に評価されている「ピラミッド」であるが、第十五巻第三章の「3」では「あらゆる時代の人間知性にとっての永遠の規則を含んでいる」として高く評価されている。

(122) まず「ヘルメス」について見れば、エジプトの知の神トートをギリシア人はヘルメス・トリスメギストスと同一視している。前出のガッテラーの『普遍史序論』(第一部、二八九頁以下)では次のように記されている。「文字の発明者はタアウトと呼ばれる(すなわち最も確実な見方によれば、エジプト人がトートあるいはトイト、ギリシア人がヘルメス、ラテン人がメルクリウスと呼ぶ)フェニキア人である。彼はミソール(おそらくミズライム)の息子で、人類が分散してから約二〇年後にこの傑出した発明をフェニキアで完成させ、それからエジプトに移り住んだ一〇年後に同地へも導入した。」このような「神的なヘルメス」に続くのが、ここで言及される「第二のヘルメス」である。

(123) 二二の字からなる純粋な子音文字で一つの文字が一つの子音を表す。本巻第四章の第四段落も参照。

(124) オシリスは豊饒と死者の国の神。イシスは王位女神で、ハヤブサの姿をした天の神ホルスの母。テュフォンは砂漠の神でオシリスを殺害したセトのギリシア語の名称。

(125) 東ローマ帝国の首都ビザンティウムの居住民。

(126) エジプトを中心に支配を行ったイスラム王朝の一つであるファーティマ朝の人々。

(127) イスラム世界における奴隷軍人のこと。

(128) 初期の著作『近代ドイツ文学についての断想集』以来、ヴィンケルマンによって理想的な美の規範としてのギリシアについて思索を重ねてきたヘルダーであったが、『人類歴史哲学考』以降、この問題について個別に考察することはなかった。ただ、最晩年の著作『カリゴネー』（一八〇〇年）の第三部第二章は「美の理想について」と題されている。

(129) 『ペルセポリス書簡』（一七九八年）（『ズプハン版全集』第二十四巻）を参照。

(130) インダス河流域、アフガニスタン北部、カシミール地方、デカン高原を含む南アジア一帯に広がる帝国。第六巻第三章における当該地域についての記述も参照。

(131) これについては第十三巻第四章を参照。

(132) アピスはエジプト神話における創造神プタハの再生として崇拝された雄ウシ。またネコもエジプトでは神聖なものとされ、ミイラにもなっている。雄ヒツジはメンデスの雄ヒツジとして知られ、特にプトレマイオス二世によって崇敬された。

(133) 第五巻の原注34および第十一巻第四章の第五段落における記述を参照。

(134) 古代教会の伝承によれば、使徒ヨハネは死んだのではなく、いつか時代の終わりに再来し、反キリスト者たちと戦うために墓の中で生きているとされる。

(135) このアジアに対する否定的とも言える表現については、第十一巻の訳注(63)を参照。

第十三巻

(1) アルゴー船物語を歌にした古代ギリシアの詩人ロドスのアポロニオスや、古代ローマの詩人ヴァレリウス・フラックスのこと。

(2) 前一世紀のアウグストゥス時代のローマの歴史家。『ピリッポス史』（邦訳『地中海世界史』合

阪學訳、京都大学学術出版会、一九九八年)。

(3) 知恵と音楽と予言の神アポロンはムーサたちの指導者と考えられており、古代の詩人あるいは古代様式を模倣する詩人は、その加護を伝統的なムーサへの呼び掛けという形で求めた。

(4) ヘルダーにとっての「三重の」ギリシアとは、ギリシア本土とエーゲ海の島嶼とともに、小アジア(=アナトリア半島)沿岸の植民市と、南イタリアやシチリアにおける大ギリシアから成り立っている。

(5) ヘルダーはガッテラーやマイナースに加えて、特に第七巻第一章で言及された古典文献学者クリスティアン・ゴットロープ・ハイネの研究に繰り返し依拠している。

(6) 特にヨーロッパとの関連については、第一巻第六章の第十段落(第一分冊・九二—九三頁)を参照。

(7) 共通の祖先と考えられるゲルマン人のことが念頭に置かれている。これに関してヘルダーは論考『中世英独詩芸術の類似性、並びにそこから生じる諸問題について』(一七七七年)の中で「アングロサクソン人が元来ドイツ人で」あった(訳文は薗田宗人訳、『無限への憧憬 ドイツ・ロマン派の思想と芸術』国書刊行会、一九八四年、一一頁)と書いている。

(8) 原語は Allgemeingeist. 第十六巻第六章では「ヨーロッパの普遍精神」という形で登場する。ヘルダーが特にヨーロッパの歴史において重視する概念の一つ。

(9) デンマークを主な居住地として八世紀以降にイングランドに侵入したノルマン人の一派で、アングロ・サクソンの史料ではデンマークからやってきたヴァイキングを指すとされる。

「島々」とはユトランド半島やシェラン島などの島嶼部のことと考えられる。

(10) ここでは「西スラヴ人」、すなわちスロバキア人やチェコ人などの居住する地域が考えられる。

(11) 中央アジアの遊牧騎馬民族スキタイ人の居住地域。

(12) 当時は一七七二年の第一次ポーランド分割によって、ロシア領、プロイセン領、オーストリア領に分割されていた。

(13) 当時は全土がハプスブルク帝国の支配下にあった。

(14) 南太平洋に浮かぶ多くの島からなる国。

(15) ギリシア南方の地中海に浮かぶギリシア最大の島。スパルタの法制を創設したという伝説上の人物リュクルゴスは、法を部分的にクレタ島から借用したとされる。

(16) ギリシア神話によれば、有徳者たちは死後、幸福者の島で暮らしたとされる。たとえばプラトンの『ゴルギアス』(五二三B)ではソクラテスがこう語る。「人間たちの中でその一生を正しく、また敬虔に過した者は、死後は「幸福者の島」に移り住み、そこにおいて、災厄から離れた、全き幸福のうちに日を送ることになる(…)」(訳文は『ゴルギアス』加来彰俊訳、岩波文庫、二〇〇七年、二六六頁)。

(17) ヨーロッパとアジアの間にある現在のダーダネルス海峡の古称。

(18) リュディアはアナトリア半島にある地域。

(19) ギリシアの非印欧語系先住民で、北方から侵入したヘレネスと呼ばれる古代ギリシア人によって大部分がアジアへと追いやられた。

(20) アナトリア半島沿岸部に位置する島。
(21) フリュギアはアナトリア半島中西部にある地域。
(22) トルコの南方に位置する島。
(23) ミレトスはアナトリア半島西海岸にあったギリシアの植民市。
(24) カリアはアナトリア半島南西部の古代地方名。
(25) エーゲ海の北東部、トルコ沿岸にある島。
(26) ポカイアは古代ギリシア領イオニアの都市で、アナトリア半島西岸にあった。
(27) サモスはトルコ沿岸にあるギリシアの島で、対岸のミレトスとたびたび争った。
(28) ペロポネソス半島南部にあった古代ギリシアの都市国家（ポリス）。
(29) エーゲ海南部のキュクラデス諸島で最大の島。
(30) エレトリアはギリシア中部のエウボイア島にあった古代ギリシアの都市国家（ポリス）。
(31) ギリシア南部のサロニカ湾にある島。
(32) 以下、この段落の最後まで、「美しい」という形容詞によってギリシアの風土が称揚される。これについては第二分冊の解説「2　人類の最初の居住地と最初の居住民」を参照。
(33) アナトリア半島西岸の中部地帯の古称。
(34) 古代ギリシア人が植民した南イタリアとシチリア島一帯を指す名称。
(35) 訳注(19)からも明らかなように、これは歴史的に見て根拠のない解釈である。ペラスゴイはギリシア以前のエーゲ世界の住民の一部である。

(36) トロイアは小アジア北西部の古代都市。

(37) ミュシアは小アジア北西部の一地方に対する古称。

(38) ギリシアと小アジアの非ギリシア語圏の住民。

(39) 古代の伝承によれば、トラキアはオルフェウスの故郷である。神話上の歌い手オルフェウスは秘密の教義の創設者とされ、オルフェウスの名で神秘主義的な内容の賛歌が広まった。いわゆるオルフェウスの秘儀に加わった者たちは、自らをオルフェウス教徒と呼んだ。

(40) ギリシア中部の地域で、周囲を山に囲まれている。

(41) 後出のボイオティア地方にある連山。

(42) ギリシア中部のピンドス山脈の中でコリント湾北部近くに位置する山。

(43) 前注を参照。

(44) 原語は Weltweisheit.「哲学」(Philosophie)とほぼ同義であるが、「世界知」は「今日の「哲学」の領域を含むと同時に、天文学、物理学、化学、医学生理学、地学、工学といった、自然科学の幅広い諸領域をも知の対象とした」(坂本貴志『〈世界知〉の劇場　キルヒャーからゲーテまで』未来哲学研究所、二〇二一年、一頁)ものであり、その根本には、「人間を含めた世界を構成する普遍的な原理の探究と、その原理を通してみた神の認識、そしてより良く生きるための知への希求があった」(同書、一―二頁)。この後に言及されるギリシアの哲学者、数学者、天文学者のピュタゴラスは、まさにこうした「世界知」の体現者の一人である。また知のこうした幅広い理解は、第十七巻第二章で言及される「東方の哲学」、そしてさらにはピュタゴラスも重要な役割を果たす「古代神学」ともつながっている。

(45) ギリシア中部の地方で、中心都市はテーバイ。

(46) テッサリア地方のペネイオス河。

(47) オリンポス山とオッサ山のあいだのペネイオスにあって風光明媚なことで有名な谷。

(48) ギリシアの伝説によれば、巨人たちはオリンポス山を征服するためにペリオン山をオッサ山へと積み上げた。

(49) 詩人のヘシオドスは、ボイオティアのヘリコン山の麓にあるアスクラの出身。ホメロスの叙事詩に依拠してギリシアの神々を体系化しようとする『神統記』の冒頭ではムーサたちが現れ、ヘシオドスに「育ちのよい月桂樹の若枝を手折り／それをみごとな杖として授けられ　わたしの身のうちに／神の声を吹きこまれたのだ　これから生ずることがらと／昔起ったことがらを賛め歌わせるように」と求めた(訳文は『神統記』廣川洋一訳、岩波文庫、一九八四年、一二頁)とされる。

(50) テーベの創設者コドモスはフェニキアの、ケクロプスはエジプトの出身であるとされる。なおアッティカはギリシアのアテナイ周辺を指す地域名。

(51) エジプトを脱出して、約束の地カナンを目ざすユダヤ人のこと。

(52) アリューシャン列島の一部。

(53) チリの沖合の太平洋上にあり、一五七四年にこの島に来航したスペインの航海者ファン・フェルナンデスにちなむ三つの島。

(54) アフリカ東岸、インド洋上にある群島。

(55) 現在はチリ領の太平洋上に位置する火山島。

(56) クックが一七七〇年に行った太平洋探検で名付けた「バイロン岬」からの類推ではあるが、オーストラリアの東海岸に位置するバイロン岬付近の島と思われる。

(57) インド洋にある島。

(58) ギリシア神話に登場する英雄。

(59) 『海洋民族のカストールの時代への注釈Ⅰ』(『ゲッティンゲン王立科学協会新論文集』第一巻、一七六九年および一七七〇年号)、同『海洋民族のカストールの時代への注釈Ⅱ』(同論文集、一七七一年号)。

(60) Riedesel, Johann Herrmann von (1740–85) プロイセンの外交官で旅行家。『レヴァントへの旅への注釈。フランス語からのC・W・ドームによるドイツ語訳』(一七七四年)。

(61) ドイツの詩人クロプシュトック(Klopstock, Friedrich Gottlieb, 1724–1803)の『文法対話』第一部(一七九四年)の「快い響き。第三対話」にも「ギリシア語とドイツ語は親戚である」という表現が見出される。

(62) ムサイオス、リノスのいずれもギリシア太古の神話上の歌い手。

(63) パールシー教の三段階の聖職者階級で中間に位置する階級。

(64) 放浪しながら、とりわけホメロスの詩作品を朗誦する吟遊詩人のこと。

(65) プラトン(『国家』第四巻、三、四二四C)と、アリストテレス(『政治学』第八巻第五章、一三四〇b)などが念頭に置かれている。モンテスキューの『法の精神』(一七四八年)第一部第四編第八章にもヘルダーと同様の記述が見られる(邦訳『法の精神』(上)、野田良之他訳、岩波文庫、一九八九年、一〇一頁)。

(66) 古代ギリシアの悲喜劇作家。この文章についてはヘルダーの論文『シェイクスピア』(一七七三年)を参照。

(67) 古代ギリシアの詩人で、オリンピックの頌歌で有名。

(68)『歴史伝承の誤りの源泉と原因』(『ゲッティンゲン王立科学協会論文集』第八巻、一七六三年号)、『伝承の自然的原因』(『アカデミー小作品集』ゲッティンゲン、一七八五年)、『ホメロス伝承の起源と根拠』(『ゲッティンゲン王立科学協会新論文集』第八巻、一七七八年号)、『ヘシオドスの神統記について』(『ゲッティンゲン王立科学協会新論文集』第二巻、一七七一年号)。

(69) 第六巻の訳注(33)で言及された『ロシア帝国の諸民族、および彼らの生活様式、宗教、慣習、住居、衣服、他の注目すべき点についての記述。第二版、タタール民族』(一七七六年)のこと。

(70) Blackwell, Thomas (1701-57) イギリスの文献学者。記載の著作はドイツの詩人フォス(Voß, Johann Heinrich, 1751-1826)によってドイツ語にも翻訳されている(一七七六年)。

(71) Wood, Robert (1717-71) イギリスの古典文献学者で旅行家。

(72) ギリシアの地理学者。『ギリシア記』の第十巻(邦訳は『ギリシア案内記』(下)、馬場恵二訳、岩波文庫、一九九二年、一七五頁以下)を参照。

(73)『博物誌』第三十四巻および第三十五巻(邦訳は『プリニウスの博物誌』縮刷版VI、中野定

雄・中野里美・中野美代訳、雄山閣、二〇一三年、一三六五頁以下）を参照。

（74）古代ギリシアの彫刻家で、パルテノン神殿建設の総監督を務めたとされる。ストラボンの『地誌』第八巻（C三五三以下）に記述がある。邦訳は前掲『ギリシア・ローマ世界地誌I』六五六頁。

（75）『流行病　第一巻』および『流行病　第三巻』を参照（邦訳は、ヒポクラテス『古い医術について』小川政恭訳、岩波文庫、一九六三年、一一五―一八〇頁）。

（76）ここではローマ神話の火の神ヴルカヌス（ギリシア神話の鍛冶神ヘーパイストス）が、アキレウスの盾に装飾を施した様子を「詩人」ホメロスが描いている（『イーリアス』第十八歌、四七七―六一七）ことを念頭に置いている。

（77）ヘシオドスに帰せられる詩『ヘラクレスの盾』は、戦争の神アレスの息子で、残忍な性格のキュクノスとヘラクレスとの闘いを扱っている。邦訳は『ヘシオドス　全作品』（中務哲郎訳、京都大学学術出版会、二〇一三年、二〇九―二四〇頁）。

（78）ギリシア神話の神々を人間の神格化と考えるエウヘメロス説をふまえている。

（79）ピンダロスの頌歌は、その大部分がトリアースと呼ばれる三つ組から構成されている。

（80）『オデュッセイア』第四歌におけるメネラオスの宮殿の描写が考えられる。

（81）最も有名なものは「彩りの柱廊」であり、そこの後壁にはテセウス王、トロイア戦争、マラトンの戦いの物語が画家のポリュグノトスによって描かれている。

（82）『古代美術史』第一部第四章「ギリシア人の美術」に以下の記述がある。「ギリシア人の社会環境と政治制度を見れば、彼らの美術が卓越した最も大きな原因は自由であったことが知られる。ギリシアにあっては、自由が常に主座に着いていた」(訳文は、ヨハン・ヨアヒム・ヴィンケルマン『古代美術史』中山典夫訳、中央公論美術出版、二〇〇一年、一〇六頁)。

(83) アテナイの政治家。彼のもとでギリシアは精神上および芸術上の最盛期(ペリクレスの時代)を迎えたとされる。

(84) パロス島はエーゲ海中央に浮かぶギリシアの島で、美しい白大理石で知られる。

(85) ロドス島出身の将軍カレスによって造られた青銅製の三二メートルに達するヘリオス神像。世界七不思議の一つ。プリニウスの『博物誌』第三十四巻(邦訳は前掲『プリニウスの博物誌』縮刷版Ⅵ、一三七六頁)に記述がある。

(86) Winckelmann, Johann Joachim (1717–68) ドイツの芸術史家。『古代美術史』(一七六四年)。ハイネによる補訂版は一七七一年に刊行された。

(87) ハイネの講演は一七七〇年に公刊された。オリュンピアにあるヘラ神殿内の、もはや存在しないキュプセロスの櫃はパウサニアスによって詳細に記述されている(『ギリシア記』第五巻、一七、五以下。邦訳は『ギリシア記』飯尾都人訳編、龍溪書舎、一九九一年、三四八—三五六頁)。キュプセロスはコリントスの支配者で、子どものとき親族の追跡から逃れるため母によって櫃の中に隠されていた。ヒマラヤ杉で作られた見事な長方形の櫃はオリュンピアのヘラに捧げられた。パウサニアスはそこで二世紀中頃にこの櫃を実際に目にしている。

(88) 第四巻第二章の「カンパー」への原注29、およびこれについての訳注(38)を参照。

(89) ペロポネソス地方の都市アルゴスの神話上の王アクリシオスは、テッサリア地方の中心都市ラリサで孫のペルセウスによって神託が成就する形で誤って殺される。アテナイの王エリクトニウスは、アクロポリス城塞でパラス・アテネの礼拝を導入し、その神殿に自分を礼拝する場所を設ける。ヒュアキントスは、自分の墓碑を父アミュクラスのアポロン祭壇の下に見出す。

(90) ヘルダーはここでギリシア人を単一の民族として理想化することから距離をとっている。

(91) ギリシア北西部の山岳地帯の名称。

(92) イタリア南部に位置した古代ギリシアの植民市。

(93) 古代ギリシアの画家。

(94) ピライス・デルポイ同盟のように、聖地の維持や、宗教上あるいは政治上の問題の議論や調停にあたった部族同盟の構成員のこと。

(95) 美しくて教養と機知に富んだ女性とされ、後にペリクレスの第二の妻となる。

(96) 『饗宴』を参照。そこでは特に成人男性と成人前の少年の間における「少年愛」のことが語られる。これについては、プラトン『饗宴』(中澤務訳、光文社古典新訳文庫、二〇一三年)の解説「一　作品の背景(四)　古代ギリシアのエロス」(同訳書二一五―二二四頁)を参照。

(97) 「発生時から」の原語は genetisch. これについては第九巻第一章の「発生時に遡るものであるとともに、有機組織に即したもの」への訳注(13)などを参照。ここでは「有機組織に即した(organisch)もの」の部分が「政治的な(politisch)もの」に置き換えられている。発生の段階でそれぞれの部族に固有の文化は、その後の種々の環境条件などによって多種多様な形をとるに至る。すなわち、それぞれに異質なギリシアの諸部族の地理的に異なる所与の(genetisch)条件は、異なる形で発展・競合する支配諸形式(organisch/politisch)の形成のために必然的な基盤である。ヘルダーは、このような支配形式が、アジアの諸国家あるいはローマ帝国と異なって、たった一人の人物による専制政治をギリシア全土に貫徹させることを不可能にしたと考えている。

(98) クレタの神話上の王。ゼウスとエウロペの息子でアリアドネの父。クレタに有名なミノスの法をもたらし、これからリュクルゴスやヌーマも学んだとされる。

(99) スパルタの王。

(100) ヘルダーにとって父権的な君主政から民主政への移行は本質的なもので、かつギリシアにおいて必然的で歴史的な出来事であった。なぜなら、この出来事は普遍精神の保持と宗教からの解放とも結びつくからである(第十二巻第六章「2」の第三段落も参照)。

(101) アテナイにおける最初の立法家。彼の刑罰はその苛酷さのために悪評が高かった。

(102) アテナイの政治家で詩人。その知恵と公正さのためにギリシアの七賢人の一人に数えられた。

(103) ヘルダーの歴史哲学の根本命題の一つであるが、ここでは政治上の展開はその自然な限界を超えると国家の崩壊につながるということを示唆している。

(104) 伝説上のローマの創設者で、その初代の王。

(105) プルタルコス『英雄伝』の「ソロン」の箇所に、いくつかの断片が見られる。

(106) スパルタ人に征服された古代ギリシアの先住民。

(107) スパルタの正式な名称。

(108) 古代ギリシアの都市国家(ポリス)の一つ。

(109) ギリシア中東部に位置する地域。

(110) この有名な銘は、古代ギリシアの抒情詩人シモニデスによる。

(111) エジプトの古代都市。

(112) 第十二巻の訳注(8)を参照。

(113) 「愛国心」(Patriotismus)という言葉については注意が必要である。なぜなら、この言葉は十八世紀後半のドイツにおいては「ナショナリズム的で偏狭な愛国精神」というよりも、むしろギリシア語の demos すなわち「都市国家の住民あるいは民衆」に関わるものであり、demokratisch「民主的な」という言葉とほぼ同義だったからである。Patriotismus の基になっている Patriot という言葉も現在は「愛国者」や「愛国主義者」と訳されることが多いが、元来は「同じ祖国に属する者、同郷人」あるいは「同じ都市国家の住民」を意味していた。こうした要素を考え合わせれば、「自らが居住する個々の都市にまつわる共同精神」としての「愛国心」と「人類全体の普遍的な文化活動」としての「啓蒙」は二項対立的ではなく、相互補完的な概念であると言えよう。なおヘルダーはこの問題を、本書第三部刊行の翌一七八八年に執筆した論考『ドイツの普遍精神のための最初の愛国的機関についての理念』(*Idee zum ersten patriotischen Institut für den Allgemeingeist Deutschlands*)(『ズプハン版全集』第十六巻、六〇〇―六一六頁)の中で「愛国的啓蒙」(patriotische Aufklärung)という標題のもと、詳細に論じている。

(114) アテナイの軍人で、マラトンでペルシア軍を打ち破る。

(115) アテナイの政治家で軍人。サラミスの海戦でペルシア軍を打ち破る。
(116) アテナイの政治家で「正義の人」と呼ばれた。プラタイアの戦い(前四七九年)でギリシアを勝利に導く。
(117) アテナイの政治家で将軍。小アジアでペルシア軍を打ち破る。
(118) アテナイの軍人で、マケドニア海軍に勝利している。
(119) テーバイの将軍で、スパルタ軍を破る。
(120) テーバイの将軍で、テーバイをスパルタによる支配から解放した。
(121) スパルタの王。エパメイノンダスによる支配からスパルタを守った。
(122) スパルタの王アギス四世。リュクルゴスの法をその苛酷さとともに復活させようとして失敗し、レオニダスによって処刑された。
(123) スパルタの王クレオメネス三世。アギス四世の始めた改革を継続したが、敵対者に追放され、エジプト亡命中に死亡。
(124) シラクサの政治家で、プラトンの弟子。シラクサをディオニュシオス一世による支配から解放し、同地にプラトンの理想に従った都市を建設したが、政治上の敵対者に殺害された。ティモレオンについては第十二巻の訳注(115)を参照。
(125) アテナイの政治家で将軍。ペロポネソス戦争では利己心と権力欲からたびたび隊の向きを変え、アテナイの敗北後は悪代官ファルナバゾスのもとに逃亡したが、彼の指図で殺害された。
(126) アテナイの将軍。アイゴスポタモイでの敗戦の後、ペルシア人と手を組み、アテナイの旧来の権力関係を新たなものにしようと努めた。

(127) 前出の『ギリシア記』のパウサニアスとは別人。スパルタの将軍。プラタイアの戦いでペルシア軍を破ったが、ギリシアへの裏切りなどのかどで何度も追及を受け、ついに餓死させられた。

(128) スパルタの将軍。アッティカの船隊を打ち破り、寡頭支配をギリシア諸都市に広げたが、間もなく覇権を失い、テーバイとの戦いに倒れた。

(129) 原語（一格）は Gemeingeist. 本巻の第三章（二五九頁）でも言及されているこの概念は、本巻の第一章（二三〇頁）における「普遍精神」（Allgemeingeist）とともに、ヘルダーのフマニテート概念を理解するうえでも重要なものである。

(130) 画家としてのパラシオスについてはプリニウス『博物誌』第三十五巻の六七—七二に記述がある。「アテナイの民衆」とはパラシオスによる絵画のこと。参考までに前掲の訳書による訳文を記しておく。「彼の『アテナイの人びと』の絵も、主題の取扱いにおける巧妙さを示している。彼はそれらの人々を気まぐれに、怒りっぽく、邪悪に、そして移り気に、しかしまたおとなしく、情深くそして憐み深く、高慢に、気高くそしてみすぼらしく、猛々しくそして小心に描いた。そしてそれらをすべて同時にだ」（邦訳は前掲『プリニウスの博物誌』縮刷版Ⅵ、一四二一頁）。

(131) この著書は一七八五年に刊行されている。

(132) Saint-Pierre, Charles Irénée Castel de（1658-1743）フランスの聖職者。『永遠平和論』（一七一三年）で知られる。

(133) クセノフォンの作とされる『アテナイ人の国制』、プラトンの『国家』、アリストテレスの

『政治学』のこと。ちなみにアリストテレスによる『アテナイ人の国制』が、パピルス古文書の発見によって読めるようになったのは一八九〇年以降のことである。

(134) 後に『フマニテート促進のための書簡集』第三集(一七九四年)の第三十一書簡で「ギリシア人のフマニテート」として扱われる。

(135) Gillies, John (1747-1836) イギリスの歴史家で古典文献学者。『リュシアスとイソクラテスの演説』(一七七八年)。リュシアスはアッティカの著名な雄弁家で、アテナイで演説の教師および書記者として活躍した。イソクラテスはアテナイの雄弁家で、ゴルギアスの弟子。

(136) ギリシアの哲学者、数学者、天文学者。イタリア南部のクロトンで宗教的哲学的な生活共同体を創設。調和に基づく世界の法則性を教えた。

(137) ここでの「モナド」とは、内在する力によって存在する一つの実体という意味。「世界霊」については第三巻第一章の「世界霊」への訳注(13)を参照。

(138) 第四巻第六章の「かの賢者」への訳注(99)を参照。

(139) 「デーモン」は「超自然的な力」あるいは「守護霊」というような意味。プラトンによればソクラテスには「なにか神に由来するもの、神霊のようなものが生じている」(『ソクラテスの弁明』三一d、訳文は『ソクラテスの弁明』納富信留訳、光文社古典新訳文庫、二〇一二年、六七頁)とされる。

(140) 第九巻第一章で言及されたイスラムの哲学者アヴェロエスのことが念頭にあるとも推測される。ただし十八世紀当時のアヴェロエス受容と、実際のアヴェロエスの哲学は区別して考えられなければならない。アリストテレスの受容については第二十巻第四章でも言及される。

(141) 前三世紀にアレクサンドリアで活動した数学者。「ユークリッド」とも表記される。

(142) イオニアで前六世紀に開始された哲学の学派。タレスに始まる自然哲学を特徴とする。

(143) ギリシア哲学一派の総称で、イタリア半島南部(大ギリシア)を拠点とした。ピュタゴラスに代表される数理哲学を特徴とする。

(144) アリストテレスの創設した逍遥学派またはペリパトス派と呼ばれる学派のことと思われる。

(145) アレクサンドロス大王はかつての師アリストテレスに東方遠征の途上から稀少な鉱物、植物、動物を送ったとされる。

(146) プトレマイオス一世によって創建されたエジプトの王朝。

(147) 数学者エウクレイデス、文献学者でアレクサンドリア図書館の館長エラトステネス、数学者で天文学者のアポロニオス・ペルゲウス、天文学者で地理学者のプトレマイオスはいずれもアレクサンドリアで活動した。

(148) 本巻冒頭の第二段落を参照。以下の記述もヘルダーの歴史観を知るうえで重要である。

(149) この考えに最初に言及するのはロンギノスの『崇高について』であるとされる。その第十三章では「ヘロドトスだけが最もホメロス的だったのでしょうか」と述べられている(訳文はロンギノス／ディオニュシオス『古代文芸論集』戸高和弘・木曽明子訳、京都大学学術出版会、二〇一八年、四二頁)。また後出のディオニュシオスは『ポンペイオス・ゲミノスへの書簡』第三章(一一)において、ヘロドトスは「ホメロスを見倣って著作を多彩なものにしようとした」と記している(同訳書三三六頁)。

(150) 古代ギリシアの歴史家。『戦史』。

(151) ローマで暮らしていたギリシアの歴史家。『歴史』。

(152) 小アジアにあったギリシア都市ハリカルナッソス出身の弁論術教師で、歴史家。『ローマ古代史』を公刊し、全二十巻のうちほぼ完全に残されている最初の十一巻においてローマ建国から第一次ポエニ戦争までを考察した。

(153) ここに挙げられているのはホメロスの『イーリアス』に続き、『アイティオピス』として知られる叙事詩に関するものである。ヘクトルの死からアキレスの死まで、つまりアマゾネスの女王ペンテジレアの到着と、エチオピアの領主メムノンの敗北を扱う五巻からなり、作者はミレトスのアルクティノスとされる。『テーバイス』はホメロス後の叙事的集合体(キュクロス)に属し、『エイレシオネ』(収穫の歌)と喜劇的叙事詩『マルギテス』は偽ホメロスの作とされる。『マルギテス』の作者をホメロスに帰すことはアリストテレスの『詩学』(一四四八b)に遡る。なお「イアンベン」とは『エイレシオネ』と『マルギテス』におけるイアンボス詩句に関連づけられる人物、もしくはホメロスの作とされる『イアンボス詩集』のことと思われる。これらのホメロスの作とされる作品については『ホメロス外典/叙事詩逸文集』(中務哲郎訳、京都大学学術出版会、二〇二〇年)を参照。

(154) アルキコロス以下の三人とも古代ギリシアの詩人。

(155) 古代ギリシアの哲学者。

(156) 古代ギリシアの哲学者で自然研究者。

(157) アリストファネス以下の三人とも古代ギリシアの喜劇作家。

(158) 古典古代の著作家たちの作品の喪失を嘆くと同時に「近代の著作の山」を、風呂を沸かすために提供するというヘルダーの姿勢は、この段落前半における修辞疑問文の多用によって近代批判の様相を濃いものにしている。これとまったく同じ論法と姿勢は第十四巻第五章「ローマ人の性格、学問、技術」においても見られる。ちなみに「アレクサンドリアの多くの風呂を丸一年も沸かす」というのは、イスラム教の信者で学者のアブル・ファラギウスが語ったとされる出来事であり、これについては第十九巻第四章でも言及される。

(159) 『ギリシアとローマにおける学問の起源と進展と衰亡の歴史』（一七八一―八二年）。

(160) 刊行は一七八五年。

(161) ここでは前五世紀のペルシア戦争においてギリシアが戦ったアケメネス朝ペルシアの領土を指すと思われる。これに続く「およそ七〇〇年」というヘルダーによる年代設定は、前出のゴゲの著書に依拠していると考えられる。

(162) アテナイの人々に与えられた指示、すなわち木の砦を準備せよという指示はテミストクレスによって船隊の準備に関係づけられた。ヘロドトス『歴史』第七巻（一四一以下）を参照。

(163) アテナイとスパルタのあいだのコリントス戦争と、テーバイがエパメイノンダスの指揮のもとに行ったスパルタへの出征。

(164) マケドニアの王ピリッポス二世のこと。カイロネイアの戦いでアテナイとテーバイの連合軍を破り、ギリシアの覇権を握った。

(165) ピリッポスはデルフォイの隣保同盟に受け入れられ、アムピッサとの同盟締結の遂行を委託された。

(166) プロスによれば、この山岳民族についての命題は、十四世紀のイスラム世界の哲学者イブン・ハルドゥーンの『歴史』の前書き、すなわち『歴史序説』と呼ばれる部分の第二章(一)「田舎や砂漠の民と都会の民とはともに自然な集団である」(邦訳『歴史序説』(一)、森本公誠訳、岩波文庫、二〇〇一年、三一八―三二〇頁)に類似しているとされる。ただしヘルダーが実際にこの書物を読んでいたかどうかは未詳である。

(167) スッラもアラリックもギリシアでの戦争および略奪行為によって、すさまじい荒廃をもたらした。古代ローマの貴族派の指導者スッラは、国内の政敵との対決はもとよりポントゥスの王ミトリダテス四世や、これと同盟したギリシア人との戦争においても野蛮な残忍さをもって臨んだ。西ゴートの王アラリック一世はマケドニア、テーバイ、アテナイを荒廃させた。

(168) アレクサンドロス大王のこと。

(169) 古代ギリシアのアテナイ北東にある村。

(170) 古代ギリシアのテーバイ南方に位置した都市国家(ポリス)。

(171) 彼の指揮下での小アジアの黒海沿岸への一万人の退却は彼の『アナバシス』に描かれている。

(172) アフリカ北部の地中海に面する国。古くからベルベル人が住んでいたが、古代にフェニキア、ギリシア、ローマが次々と侵入し、トリポリなどの植民市を建設した。

(173) イカリアとサモスの二つの主要な島を含むエーゲ海の南東部を指す。

(174) チュニジアの東部地中海沿岸にある港湾都市で、前九世紀にフェニキア人によって建設された。

(175) マケドニア王国の首都。

(176) 古代イランのパルティア帝国の公用語で、インド＝イラン語派に属する。

(177) アレクサンドロス大王の死は不摂生と飲酒癖によって早められたとされる。

(178) アレクサンドロス大王の部将であったセレウコス一世によって創建されたシリア王国の王朝。首都はアンティオキア。

(179) 政治に関しては第八巻第四章の最終段落に、「人類の第一にして必然的で普遍的な自然法則」（第二分冊・二〇五頁）という表現が見られるが、世界史における自然法則については第十五巻において詳述される。

(180) 第二次ポエニ戦争の英雄スキピオ・アフリカヌスの娘で、グラックス兄弟の母であるコルネリア・アフリカナのことと思われる。

(181) 後にカエサルによるアレクサンドリア防衛の際に図書館は炎上した。本巻の訳注(158)も参照。なおペルガモンは小アジアのミュシア地方にある古代都市。

(182) コリント湾北岸の山岳地方のアエトリアに興った同盟。主として中部および北部ギリシアの諸都市を統一した。

(183) ペロポネソス半島北部のアカイア地方に興った同盟。北部ペロポネソスの諸都市を統一した。

(184) アルカディアのメガロポリスの政治家で将軍。アカイア同盟の指導者。

(185) 古代ギリシアの政治家「シキュオンのアラトス」のこと。出身都市のシキュオンを僭主から解放し、アカイア同盟に加盟させた。

(186) 共和政ローマの政治家で軍人。元老院決議を遂行する形でコリントスを征服かつ破壊し、多くの芸術品をギリシアからイタリアへ持ち帰った。

(187) ルキウス・アエミリウス。共和政ローマの政治家で軍人。マケドニアのペルセウス王を打ち破り、多くの戦利品をローマへ持ち帰った。

(188) かつての古代ギリシアの都市国家アルゴスにあって、一八三一年に偶然に発見されたヘラ神殿に置かれたユーノー像のこと。前掲、パウサニアス『ギリシア記』第二巻第十七章(邦訳は前掲『ギリシア案内記』(下)、八五頁)を参照。

(189) イタリア南部のギリシア植民市ロクリスで立法者として活躍した。古代ギリシア最古の成文法のロクリス法を成立させたとされる。

(190) シチリアと南イタリアのカルキディケの植民市の立法者とされる。

(191) シラクサの政治家。前四一二年にシラクサをアテナイ風の民主政体に変えたとされる。

(192) 彼女を崇拝する場所はナポリであり、そのためまたナポリの文学上の名前ともなっている。ヘルダーは本書『人類歴史哲学考』第三部を刊行した一七八七年の翌一七八八年から行ったイタリア旅行でナポリを訪れた際に(一七八九年一月)、この水の精を表題とした詩『パルテノペ』を書いている(『ズプハン版全集』第二十九巻、一七〇―一七四頁)。

(193) 古代イタリアで農作の女神であったケレスは、特に穀倉地シチリアで崇拝された。
(194) Spon, Jacques（1647-85）フランスの医者で考古学者。『一六七五年と七六年に行われたイタリア、ダルマチア、ギリシア、レヴァントへの旅』（一六七八年）。
(195) Stuart, Gilbert（1742-86）スコットランドの歴史家。『ヨーロッパにおける社会の概観』（一七七八年）。
(196) Chandler, Richard（1738-1810）イギリスの旅行家で小アジア・ギリシア本土への学術調査団長を務めた。『小アジアへの旅』（一七七四年）、『ギリシアへの旅』（一七七六年）。
(197) Houël, Jean-Pierre Louis Laurent（1735-1813）フランスの画家で銅板彫刻家。『シチリア島、マルタ島、リパリ島への絵画の旅』（全四巻、一七八二―八七年）。
(198) 第十二巻で言及されたアケメネス朝の王ダレイオス一世のこと。ペルシア戦争で捕虜としたエレトリアの市民を、ペルシアの王都スーサに近いキッシア地方に定住させた。
(199) ホメロスの『オデュッセイア』による伝説上の島。
(200) 以下の記述については、第十二巻第四章を参照。
(201) ストラボンの『地誌』第十三巻（一、五四）によれば、アリストテレスの著作はペルガモンの支配者たちの蒐集欲から守るために前三世紀および二世紀にあってはトロアスにあるスケプシスの湿った地下室に保管され、前一世紀になって初めてアテナイに、そしてそこからスッラによってローマへ運ばれたとされる。邦訳は『ギリシア・ローマ世界地誌Ⅱ』飯尾都人訳、龍溪書舎、一九九四年、二三七―二三八頁。プルタルコス『英雄伝』「スッラ」第二十六章も参照。

(202)「黄金の口」というあだ名を持つコンスタンティノープルの司教でギリシア教会最大の説教者とされる説教師ヨハネスのこと。アレクサンドリアのテオフィルスと女帝エウドクシアとの敵対関係を招来し、追放されたまま四〇七年に亡くなった。

(203) Herschel, Frederick Willialm (1738-1822) ドイツ生れのイギリスの天文学者。天王星とその衛星、および土星の衛星を発見し、銀河系研究の基礎を築いた。

(204) ヘロドトスの『歴史』第四巻に「彼らの妻子全員が起居している車」という記述がある(訳文は『歴史』(中)、松平千秋訳、岩波文庫、二〇〇七年、八一頁)。

(205) 古代ギリシアの作家アテナイオスの『食卓の賢人たち』第八巻(三四七d—e)の次の箇所をふまえていると思われる。「まあ、わが『鍋の友』ウルピアヌス氏にさも似たりだ。いや、この『鍋の友』っていうのは、わが同胞、メガロポリスのケルキダスが作った言葉だがね。とにかくウルピアヌス氏は、人間にふさわしいものはひと口も召し上がらず、ほかのお客たちが、出された料理の中の刺とか軟骨とか粒々とかを、見逃していやしないかと監視の目を光らせるばかりで、かの美しくも輝かしいアイスキュロスが、「自分の悲劇は偉大なるホメロスの饗宴から、少しだけ切り取ったものだ」と言った、そんなことには頓着なしだ」(訳文は『食卓の賢人たち3』柳沼重剛訳、京都大学学術出版会、二〇〇〇年、二七二頁)。

(206) アリストファネスが自作の喜劇『蛙』(八三〇—一四八〇)において、エウリピデスらと繰り広げる議論を踏まえている。

(207) アテナイの弁論家で政治家。

(208) ヘルダーの論文『シェイクスピア』の根本命題。

(209) Milton, John（1608-74）イギリスの詩人。『失楽園』（一六六七年）。ここでは長編叙事詩人としてホメロスと対比されている。

(210) Bolingbroke, Henry Saint-John（1678-1751）イギリスの政治家で著作家。外務大臣としてユトレヒト条約を締結した。

(211)「形成」の原語は Cultur. ここでは名詞の「文化」ではなく、動詞の「耕作する」「育成する」(英語の cultivate, あるいはフランス語の cultiver) の意味に近い。

(212) これについては第九巻第四章と第五章における「理性」と「公正」をめぐる議論を参照。

解　説

嶋田洋一郎

1　『人類歴史哲学考』第二部（第十巻）

第二分冊では第二部第六巻から第九巻までを見てきたが、そこに見られる未開民族についての詳細な記述と人種概念の否定は、ヨーロッパ中心主義的な視点を相対化する試みであると言えよう。それはまた『人類歴史哲学考』全体における問いかけ、すなわち「どうしてヨーロッパだけが際立って民族も多彩で、習俗や技術も成熟し、そして何よりも世界のあらゆる地域に影響を及ぼしてきたのか？」（第一巻第六章、第一分冊・九二頁）という問いかけに対する一つの答えであるとともに、啓蒙されたヨーロッパ以外の地域を可能な限り詳細に記述することによって、「未開」あるいは「人種」という観点からもヨーロッパの特性をいっそう際立たせることを意図しているように思われる。

本・第三分冊の最初に置かれた第二部最後の第十巻では、第一部第一巻で考察された地球に再び言及されるとともに、人類史の起源に関する複数の文字伝承に基づいて、『旧約聖書』の「創世記」の記述が「原初の土地」という観点から自然地理学的に考察される。こうして「自然」という大きな枠組みを持つ『人類歴史哲学考』前半の「十巻組」が完結する。しかしこの第二部第十巻でもって「自然」の部が終わり、第三部以降の「歴史」の部が新たに始まるのかといえば、事情はそれほど単純ではない。第十巻における多種多様な宗教の世界創造神話についての言及は、第八巻第二章における比較神話学の構想を背景としながら、何よりも人類の具体的な歴史の始まりについて、どのように考え、また記述するのかという問題と結びついており、その意味でもこの第十巻は第三部以降における人類史の記述の出発点ともなっている。そこでは人間を、その自然史から歴史上の時間の中にどのように配置するかということが問われよう。

この第十巻で重要な役割を果たすのは、地球誕生の時期と人間の登場に至るまでの「年代計算法」(第十巻第三章)の問題である。十八世紀のヨーロッパでは、宇宙と地球の生成史に関する種々の自然科学的な考察にもかかわらず、「創世記」の記述を基本とするユダヤ教的‐キリスト教的な時間枠が前提とされていた。イギリスの神学者アッシャー(Ussher, James, 1581-1656)の年代計算によれば、地球は紀元前四〇〇四年に創られ、ノアの大洪水は紀元前二三四八年に起き、バベルの塔を建造後のノアの子孫の拡散は紀元前二二二四年のこととされている。ヘルダーの『人類歴史哲学考』第二部が刊行された一七八五年当時にあって、この年代計算をめぐる議論に最も大きな影響を与えたと考えられるのは、第一巻で言及されたフランスの自然学者ビュフォンの『自然の諸時期』(一七七八年)である。地球の生成が彗星と太陽の衝突に起因するというビュフォンの主張は従来の聖書的な年代学と大きく異なるものであり、地球の完成までに要した時間は当時の理解では想像もできない約六万年から三〇〇万年をも超えるものであった。

他方また『自然の諸時期』よりも前の一七四九年には、ライプニッツの地球論である『プロトゲア』(執筆は一六九二年)が死後に初めて公刊されていた。ここでも地球の歴史は、化石遺物から見ても六万年では収まりきらないように思われた。ちなみにハンザー版の編者プロスによれば、ライプニッツとビュフォンの理論の示唆するものがどれほど革命的なものであったかは、スイスの地質学者で気象学者のド・リュックによる激しい反応からも見てとれる。ド・リュックは『山岳および地球の人間の歴史に関する自然学と道徳の書簡』(一七七八―八〇年)を出版し、その中でユダヤ教的‐キリスト教的年代学と地球史の諸仮説の一致可能性を証明しようと試みる。そのさいド・リュックはこの問題を二つの世界観の二者択一へと先鋭化している。すなわち、地球の諸変革と天地創造の無限に見える時間の仮説を受け入れるとすれば、啓示された創造神と世界指導者の概念はその意味を失わざるをえず、混沌とした始原からの調和のとれた世界の形成によって、偶然が世界秩序を生み出すということになる。こうした中でヘルダーは、地球の誕生も含めた人類史の起源についての考察を「創世記」だけに限定せずに、諸民族の宗教に見られる世界創造神話を相互に比較することから始めようとする。

この第十巻のみならず『人類歴史哲学考』全体においても宗教は大きな位置を占めている。ヘルダーにおいて宗教の成立は、想像力の活動の結果として人間精神の自然史に属する。『人類歴史哲学考』にあっては「宗教的なもの」という純粋な現象は存在せず、またキリスト教も啓示宗教として特別な位置を主張するわけでもない。ヘルダーにとって自然宗教のアニミズム、『旧約聖書』、ゾロアスターの教説、イスラム教、あるいは古典古代やインドの多神教は、世界創造神話という一つの基本テクストが変化したものであり、そこでは世界の創造と、人間の生活を規定する諸力の活動の説明が問題となっている。ヘルダーにとって重要なのは、異なる人種が存在するという仮定を否定すべく、人間の単一発生という命題を裏付けることである(第十巻第六章)。実際ヘルダーは地球全土への人間の地理的拡大を、彼がカシミールのヒマラヤの山地に置く中心点から開始する。ただ、注目に値するのは、ヘルダーが想像上の「月の山脈」を未探究のアフリカの中心に置きながらも、他方でまたアンデスの深い谷をも地球での植民の出発点として考察する可能性を考慮していることであろう(第十巻第二章)。その背景には、人類の存在をすでにその初期段階で脅かしそうな地球の壊滅的な変革とも言うべき「ノアの大洪水」という聖書上の出来事の影響からさえも人類は逃れることができた、というヘルダーの考えがある。

実際また第十巻の最終章である第七章には、「最古の諸伝承による最初の世界の変革」と題された未刊の長大な異稿が存在し、そこからはヘルダーがド・リュックによって提示された二つの世界観をめぐる問題といかに格闘したかが読み取れる。ちなみに、原注も付され、構成的にもほとんど完成稿と呼べるこの異稿をヘルダーは印刷の直前に撤回し、「人間史の始まりに関する最古の文字伝承の結び」という分量的にも短い現在の章に差し替えた。その理由としては、まず分量のことが考えられる。この当初の稿を第七章とすると、第十巻全体の紙幅が他の巻に比べて突出して多くなり、『人類歴史哲学考』という作品全体の構成と各巻ごとのバランスを重視するヘルダーにとってこれは決して些細な問題ではなかった。しかも先の第一部がカントに酷評されたことを考えると、このような分量の新刊本を出版する側も二の足を踏むことは十分に想像できたかもしれない。

しかしこうした外的な要素に加えてヘルダーがこのテクストの公刊を躊躇したさらなる理由が存在する。それは彼自身が示した命題、すなわち大洪水として知られているものは自然的普遍的な出来事であって、それは地球上の風土地帯の完全な変化を惹き起こした地軸の移動によるという命題である。これに関連して、このテクストではバーネットやホイストンといった当時のイギリスの自然神学者の名が挙げられているが、プロテスタント(ルター派教会)の聖職者であったヘルダーにとっては、この異端とも言える大胆さによってだけでも啓示宗教の側から辛辣な批判を浴びる可能性があり、しかもそれは神学者や聖職者の間で自らの立場を危うくするものでもあった。

ヘルダーは基本的には、神聖な年代計算によって認められたものを超えて、自然科学的に考察される地球の古さを認めることに何の逡巡もなかった。第一部第一巻に見られたように、彼は地球の諸変革を何よりも重視し、さらにこれをモーゼの伝承と巧みに結びつける。実際また「これらの変革は古ければ古いほど、また長く続いたものであればあるほど、必然的に人類はそれだけいっそう新しいものでなければならない」(第十巻第六章)と述べ、地球の最初の住人が地球それ自体と同じ年齢かもしれないと推測するまでには至らなかった。それは地球の軸の位置が洪水という大きな変革によって変わった後に、アジアに置かれた楽園から人類が降り下って、地球に人間が住めるようになった、とヘルダーが考えていることからも明らかである。この未刊に終わった異稿は、当時におけるキリスト教的世界観と自然科学的世界観の関係をめぐる学問史的文脈を明らかにする資料として重要なものと思われる。そして何よりもこの未刊のテクストは『人類歴史哲学考』第一部の第一巻と対応しており、人類史の起源を自然的側面から描こうとする第一部全体の「十巻組」を締めくくるにふさわしい内容と分量を有している。

こうした第一部と第二部の記述をふまえたうえで、第三部と第四部における人類史の記述が行われる。そのさい第二部第十巻は『人類歴史哲学考』の前半の十巻組と後半の十巻組を結びつける重要な意義を有している。そしてヘルダーがその最終第七章で地球の自然上の「変革」に配慮しながらも、「最古の文字伝承」を基盤とする歴史記述を選択したことは、第三部以降における歴史記述の方向を定めることでもあった。そこでは実際それぞれの民族における神話や宗教が一定の役割を果たしており、それはまた理性を中心とした合理的な因果関係を重視する当時の啓蒙主義的な歴史記述とは大きく異なるものと言えよう。なお十八世紀のヨーロッパ、特にドイツにおける「年代計算法」や歴史記述についての邦語文献としては、岡崎勝世の一連の著作、『聖書vs.世界史　キリスト教的歴史観とは何か』（講談社現代新書、一九九六年）、『キリスト教的世界史から科学的世界史へ　ドイツ啓蒙主義歴史学研究』（勁草書房、二〇〇〇年）、『世界史とヨーロッパヘロドトスからウォーラーステインまで』(講談社現代新書、二〇〇三年)、『科学vs.キリスト教　世界史の転換』(講談社現代新書、二〇一三年)を参照されたい。

2　第三部第十一巻から第十三巻まで

『人類歴史哲学考』第三部の刊行は、第二部の刊行(一七八五年八月)から二年後の一七八七年八月のことであった。また同年四月には、当時の「スピノザ論争」にも大きく関わる『神、いくつかの対話』も出版されている。ヘルダーにとっては本書の第一部と第二部に対するカントの辛辣な書評の影響もあり、この第三部の執筆作業は最初の二部の場合と比べても決して容易なものではなかったと推測される。しかしこうした状況にもかかわらず、第三部は『人類歴史哲学考』全四部の中でも分量が最も多くなっている。また古代ギリシアとローマというそれまでの世界史記述の中で重厚な蓄積がある分野にあっても、ヘルダーの歴史記述は独自の相貌を呈している。

人類史全体の記述という点から見れば、一七七四年に刊行された『歴史哲学異説』では『旧約聖書』の舞台であるオリエントが出発点であったのに対して、『人類歴史哲学考』では中国、すなわちアジアから始まる。これは人間の活動の自然上の基盤である地球全体に目を配るヘルダーが、人類の生誕地をアジアの「原山脈」(第一巻第六章)に求めていることによる。以下、本・第三分冊に収録された第十一巻から第十三巻までの内容を概観するが、そこで扱われる地域や民族は、モンテスキューの『法の精神』やヴォルテールの『歴史哲学』(第十巻の「サンコトニアン」への訳注(77)を参照)など、十八世紀以降のヨーロッパにおける歴史記述の周知の題材でもあるので、ここではヘルダーによる記述の特徴に言及するにとどめたい。

最初の第十一巻では中国、コーチシナ、トンキン、ラオス、朝鮮、東タタール、日本、チベット、ヒンドスタン(インド)といったアジアの諸国が考察されるが、その根底にはアジア大陸の自然史に対するヘルダーの視線がある。またこのような自然地理学的な記述に加えて、それぞれの国や地域の宗教、政治、文化についてもラマ教やカースト制度なども含めて種々の資料を駆使して詳細に記述されている。ちなみに中国に関する否定的な記述は、すでに当時のヨーロッパにおいて多様な観点からの中国史記述が存在する中でも、ひときわ目立つものとなっている。ただ中国やインドについてのヘルダーの記述を読むにあたって重要なことは、「一国の在りようは、それ自身の内部においてと、他の国との対比において評価されうる」(第五章)という観点を保持しながらも、これらの地域に関する考察が、たとえば「彼ら〔中国人〕は銀を受け取り、その代わりにヨーロッパ人を衰弱させる何百万ポンドもの茶を引き渡し、ヨーロッパを堕落へと向かわせる」(第一章)、あるいは「どこをも遠いと思わないヨーロッパ人がとうとうやって来て、そこに彼ら自身の王国をそれぞれに建設した。彼らがインドからわれわれに届けてくれる報告や商品のすべてをもってしても、彼らがインド人に加えた罪過を償うことなどできはしない」(第四章)と言われるように、これらの国に関する考察が、あくまでもヨーロッパとの関係において行われていることであろう。

次の第十二巻では東方世界に目を移し、バビロニア、アッシリア、カルデアと進む。そしてメディア人とペルシア人とヘブライ人(ユダヤ人)が取り上げられ、続いてフェニキアとカルタゴ、そしてエジプトへと至る。なかでもペルシアやヘブライ人に関しての部分は、ヘルダーがそれまでも『旧約聖書』との取り組みを通じて考察を深めてきた領域だけに、その記述にも厚みがあるように思われる。また第十一巻の場合と同じように、序論にあたる部分で「ギリシアとローマは別として、とりわけヨーロッパのために、またヨーロッパを介してこの地域ほど、かくも多くのものを地球の全民族のために案出し、準備した地域はない」としていることからも明らかなように、その視点は同じくヨーロッパを念頭に置いたものである。そこではフェニキアのような交易民族に注意が向けられるが、それは「侵略者は自分のために侵略を行うのに対して、交易民族は自分と他民族に奉仕する」（第四章）という利他性をヘルダーが重視しているためである。また興味深いのは、ヘルダーがアッシリア人とバビロニア人による「文字の案出」（第一章）に言及していることであろう。これは第二部第十巻の第五章以下で議論された「人間史の起源に関する最古の文字伝承」という問題に直接つながるとともに、ヘルダーにとって文字は「伝承」という行為をはじめとする人間のあらゆる活動の根幹をなす重要な要素でもある。

続く第十三巻ではギリシアが主題となる。そこでも前提となるのは、「人類という領域では、国民、時代、場所といった所与の状況の範囲に従って起こりうることは実際に起こる」（第七章）と言われるように、ギリシアを取り巻く自然であり、あるいはその基盤となっている「神々しい自然法則に従って生きて働く万物の養育者である地球」（第七章）である。しかしこの第十三巻で何よりも注目すべきは、第一章の前に置かれた導入の部分であろう。特に第二段落における次の文章、すなわち「歴史の哲学はギリシアを生誕地と考えており、その美しい青年期をもこの地において満喫した」が示すように、ヘルダーは本書『人類歴史哲学考』の主題である「歴史の哲学」の起源をギリシアに見出している。しかもその原点には「物語作家」としてのホメロスが存在し、彼による詩を出発点として、「後にヘロドトスが多くの国を旅して回り、自分が見聞したことを、

するこ とになった」のである。

第十三巻全体としては、「美しい形姿の民族」（第三章）である「ギリシア人の美しい風土」（第一章）が称賛される。それとともに、「かつては粗野だったギリシアの諸部族に、いったい誰がこのような言語や詩歌、比喩の叡智を与えたのか？　それは自然のゲーニウス、つまり彼らの国土、生活様式、時代、部族としての性格であった」（第二章）とされたうえで、彼らの特性が次のように述べられる。「自国の部族同士および他民族との多様な交際によって、ギリシア人は自発的にあれこれと道徳や掟を受け入れた」（第一章）。特に注目すべきは、「ギリシア人の文化が神話と文芸と音楽から出発した」（第二章）と語るヘルダーが、ホメロスの文学作品をギリシアの芸術全体の根幹と考えていることであろう。すなわち、「世界中の好戦的な民族は、みな自分の盾に彩色と装飾を施したが、ギリシア人はそれ以上に進んでいた。彼らは祖先の思い出を、盾に刻み込むか、鋳込むか、彫り込むかした」（第三章）と言われるように、ヘルダーによれば、ギリシア人は盾に装飾を施すに際して他の優れた盾の図案などの美術品を手本にしたのではなく、ホメロスに代表される文学伝承をそのまま装飾の手本もしくは理念としたということである。

こうして本・第三分冊を読み通してみると、これら第二部と第三部にわたる四つの巻に共通するのは、啓示宗教の範囲にとどまらない、それぞれの民族における世界創造神話を中心とした広い意味での宗教に対するヘルダーの視線である。たしかに啓示宗教の範囲を超えるという点において、こうした視線は啓蒙主義的なものであるが、神話的な要素を重視するという点では啓蒙主義の合理的な側面を拡大しようとするものであるとも言えよう。そこでまた明らかになるのは、第三分冊の内容と、そこに見られる宗教的側面が、ヴォルテールの『歴史哲学』とほとんど重なっているということである。ここで第三分冊の内容をヴォルテールの同書と比較する余裕はないが、記述の詳細さや啓示宗教に対する批判の鋭さにおいてはヴォルテールがヘルダーを圧倒しているように思われる。ただヴォルテールは同書の全体をこうした考察にあてているのに対して、本・第三分冊でのヘルダーによる考察は『人類歴史哲学考』という作品の五分の一を占めているにすぎない。それゆえ、ここでのヘルダーの言述を評価するためには、これを全二十巻に及ぶ作品全体の中で把握する必要があろう。

3 『人類歴史哲学考』における歴史記述の特性

この第三分冊で『人類歴史哲学考』全体の約三分の二のところまで来たわけであるが、ここでヘルダーによる歴史記述の特性について見ておきたい。本・第三分冊では、歴史の語り手という問題と、歴史を考察し記述するにあたっての視点あるいは姿勢に目を向けてみよう。まず歴史の語り手という点で目につくのは、ヘルダーが人類史の種々の事象や出来事を時系列あるいは地域に従って、客観的に記述を重ねるのではなく、ヘルダー自身が語り手として作品の中に組み込まれていることである。このことは、地球およびその被造物全体を自然という観点から描いた第一部と比べるとより明らかになる。すなわち、第一部の五つの巻はどれもただちに第一章から始まるのに対して、第二部以降の巻では、第一部第四巻と直接結びつく第九巻を除いて、いずれも語り手としてのヘルダーによる前書きが付されている。

なかでも『人類歴史哲学考』全体の冒頭に置かれた長大な「序言」(第一分冊・三三―四五頁)は、ヘルダー自身の歴史研究の来歴を明らかにしている点で注目に値する。同じように著者の自伝的要素を著作の一部とする例は、最晩年のゲーテが「植物のメタモルフォーゼ試論」(一七九〇年)など一連の植物研究を総括する形で一八三一年に書いた論考「著者は自己の植物研究の歴史を伝える」(*Der Verfasser teilt die Geschichte seiner botanischen Studien mit.*)においても見られる。『人類歴史哲学考』では、第二部第八巻の冒頭における文章、すなわち「私は自分が海上の波濤から虚空に向かって航行しなければならない者であるかのように感じている」(第二分冊・一三九頁)が自伝的要素の例として挙げられよう。これは、ヘルダー自身が一七六九年に行ったリガからナントへの船旅の体験を下敷きとしたものと考えられる。この船旅による体験は同じく第八巻第二章における文章、すなわち「人間理性の最も普遍的な原則であると思われ、また認められていたものは、ちょうど陸地が船乗りの視界から雲のように消えるのと同じように、あちらこちらで土地の風土もろとも雲散霧消してしまう」(第二分冊・一六九頁)にも反映されている。このように『人類歴史哲学考』にあっては、ヘルダー個人の歴史が人類の歴史の記述に織り込まれ、それが人類史そのものを考察する動的な視点にも少なからぬ影響を与えていると言えよう。

歴史記述に著者の自伝的要素が入り込むことで歴史記述は著者自身による「語り」という主観的ないし虚構的な性質を帯びる。ただ、ヘルダーに特徴的なのは、こうした一個人やヨーロッパの視点に固執せず、「公平」性を保とうとしている点である。たとえば第二部第六巻の第四章では次のように言われている。「黒人の国に移るについて当然ながらわれわれは高慢な偏見を捨て去り、この地域の有機組織を、それがあたかも世界で唯一のものであるかのように公平に考察しなければならない」(第二分冊・四六頁)。

そして第三部でも、ヘルダーは記述の「公平」性を保つために、二つの相反する見解をともに尊重しようとする姿勢も見せる。「私は、ヘブライ人の歴史を彼らの語るままの形で考察の基礎とすることを恥じるものではない。だがその一方で私としては、彼らの敵対者の語る伝承を軽蔑もしないし、それどころか利用したいとも思っている」(第十二巻第三章)。

また、しばしば偏狭なナショナリズム、あるいは民族主義と結びつけられがちなヘルダーであるが、次の文章も「公平」性を保とうとする彼の態度を示しているだろう。「導きの糸を見失わないようにするためにも何らの仮説にとらわれない精神の持ち主が必要とされる。導きの糸が最も見失われやすいのは諸民族のどれか一つの氏族をひいきにして、そうでない氏族を軽蔑する場合である。人類の歴史を記述する者は、人類の創造主、あるいは地球のゲーニウスであるかのように、公平に観察し、感情にとらわれずに評価を下さねばならない」(第十二巻第六章)。われわれとしても、このようなヘルダーの言葉を心に留めながら、本書で描かれる人類の歴史世界を読み進める必要があろう。

本・第三分冊の解説を終えるにあたり、ヘルダーがギリシアの歴史家をどう見ていたのかということも考えておきたい。ヘルダーは「歴史の哲学は特にギリシアを生誕地としている」(第十三巻第五章)としており、「歴史の哲学」を主題化するという点において第十三巻は『人類歴史哲学考』全体の中でも重要な意義を有している。ただ、ここでのヘルダーは「歴史の哲学」について思弁的な考察を行うのではなく、具体的な歴史の語り、あるいは記述に目を向ける。そのさい特に興味深いのは、ヘロドトスが「ホメロスの後継者」として理解されていることである。

ヘルダーによれば、ギリシア人は「伝承と歌謡と説話と部族の系図から、時とともに物語という健全な身体を、それもこれらすべての部位がその中で生きている身体を作り上げた」(第十三巻第五章)とされる。さらに「やがて間もなくヘクサメータと呼ばれる六歩格の長い韻律詩は、散文による歴史記述においても快い響きを作り出すことができた。こうしてヘロドトスはホメロスの後継者となり、また後の共和国の歴史家たちは自らの語りの中に共和国の色彩、すなわち共和国特有の弁論家精神を取り入れた」と述べる。このような韻文と散文の対比、あるいはホメロスとヘロドトスの対比の背景には、詩人と歴史家の相違を「歴史家は実際に起こった出来事を語り、詩人は起こるであろうような出来事を語ることにある」と論じたアリストテレスの『詩学』(第九章、一四五一b、訳文は『詩学』三浦洋訳、光文社古典新訳文庫、二〇一九年、七〇頁）における議論が存在する。

一方でヘルダーは、ヘロドトス以降のギリシアにおける歴史記述について語る場合、トゥキュディデスとクセノフォンをギリシアの歴史記述の嚆矢（こうし）とし、彼らとヘロドトスの間に連続性を見出さない。すなわちヘルダーによれば、ヘロドトスは伝承や歌謡などをも歴史記述の資料や対象としている点で、詩人であるホメロスといっそう緊密な関係を有しているものの、ヘロドトスの後に来るトゥキュディデスやクセノフォンの歴史記述は「実用的」であり、ヘロドトスと直接には結びつかないということである。こうした観点からヘルダーは次のように述べている。

そのとき、ギリシア人による歴史記述はトゥキュディデスとクセノフォンとともにアテナイから始まり、しかも記述者は政治家と軍司令官であった。そのため彼らの手になる歴史記述は、たとえ彼らがこれに実用的な形態を与えようとしなくても実用的なものにならざるをえなかった。（…）後に政治術と戦争術がいよいよ発展するにつれて、歴史記述の実用的精神もそれだけいっそう技巧を凝らしたものとなり、ついにポリュビオスに至って歴史記述は、ほとんど戦争と政治の学問そのものとなった。

そして、第十三巻全体では、古代ギリシアにおける歴史記述がその後の歴史記述の発展に大きく貢献したということだけではなく、その記述の対象となった古代ギリシアの歴史そのものが近代ヨーロッパにおける市民社会の成立に大きく関与していることを論じる。具体的に考察されるテーマとしては、「愛国心と啓蒙」をはじめ、「公共の場での弁論」や「政治術と戦争術」などが挙げられよう。これらのテーマは第十四巻におけるローマの歴史に引き継がれ、続く第十五巻での理論的な省察を経て、第四部の第十六巻と第十七巻において、ゲルマン諸民族の動き、ならびにキリスト教の成立と進展という観点から幅広く考察されることになる。

人類歴史哲学考（三）〔全5冊〕　ヘルダー著

2024年3月15日　第1刷発行

訳　者　嶋田洋一郎

発行者　坂本政謙

発行所　株式会社 岩波書店
〒101-8002 東京都千代田区一ツ橋 2-5-5
案内 03-5210-4000　営業部 03-5210-4111
文庫編集部 03-5210-4051
https://www.iwanami.co.jp/

印刷・三秀舎　カバー・精興社　製本・中永製本

ISBN 978-4-00-386034-2　　Printed in Japan

読書子に寄す

——岩波文庫発刊に際して——

岩波茂雄

真理は万人によって求められることを自ら欲し、芸術は万人によって愛されることを自ら望む。かつては民を愚昧ならしめるために学芸が最も狭き堂宇に閉鎖されたことがあった。今や知識と美とを特権階級の独占より奪い返すことはつねに進取的なる民衆の切実なる要求である。岩波文庫はこの要求に応じそれに励まされて生まれた。それは生命ある不朽の書を少数者の書斎と研究室とより解放して街頭にくまなく立たしめ民衆に伍せしめるであろう。近時大量生産予約出版の流行を見る。その広告宣伝の狂態はしばらくおくも、後代にのこすと誇称する全集がその編集に万全の用意をなしたるか。千古の典籍の翻訳企図に敬虔の態度を欠かざりしか。さらに分売を許さず読者を繋縛して数十冊を強うるがごとき、はたしてその揚言する学芸解放のゆえんなりや。吾人は天下の名士の声に和してこれを推挙するに躊躇するものである。このときにあたって、岩波書店は自己の責務のいよいよ重大なるを思い、従来の方針の徹底を期するため、すでに十数年以前より志して来た計画を慎重審議この際断然実行することにした。吾人は範をかのレクラム文庫にとり、古今東西にわたって文芸・哲学・社会科学・自然科学等種類のいかんを問わず、いやしくも万人の必読すべき真に古典的価値ある書をきわめて簡易なる形式において逐次刊行し、あらゆる人間に須要なる生活向上の資料、生活批判の原理を提供せんと欲する。この文庫は予約出版の方法を排したるがゆえに、読者は自己の欲する時に自己の欲する書物を各個に自由に選択することができる。携帯に便にして価格の低きを最主とするがゆえに、外観を顧みざるも内容に至っては厳選最も力を尽くし、従来の岩波出版物の特色をますます発揮せしめようとする。この計画たるや世間の一時の投機的なるものと異なり、永遠の事業として吾人は微力を傾倒し、あらゆる犠牲を忍んで今後永久に継続発展せしめ、もって文庫の使命を遺憾なく果たさしめることを期する。芸術を愛し知識を求むる士の自ら進んでこの挙に参加し、希望と忠言とを寄せられることは吾人の熱望するところである。その性質上経済的には最も困難多きこの事業にあえて当たらんとする吾人の志を諒として、その達成のため世の読書子とのうるわしき共同を期待する。

昭和二年七月

《歴史・地理》〔青〕

- 新訂 魏志倭人伝・後漢書倭伝・宋書倭国伝・隋書倭国伝 —中国正史日本伝1　石原道博編訳
- 新訂 旧唐書倭国日本伝・宋史日本伝・元史日本伝 —中国正史日本伝2　石原道博編訳
- ヘロドトス 歴史 全三冊　松平千秋訳
- トゥーキュディデース 戦史 全三冊　久保正彰訳
- ガリア戦記　カエサル　近山金次訳
- ランケ 世界史概観 —近世史の諸時代　鈴木成高・相原信作訳
- ランケ自伝　林健太郎訳
- 歴史とは何ぞや　ベルンハイム　坂口昂・小野鉄二訳
- 歴史における個人の役割　プレハーノフ　木原正雄訳
- 古代への情熱 —シュリーマン自伝　シュリーマン　村田数之亮訳
- アーネスト・サトウ 一外交官の見た明治維新 全二冊　坂田精一訳
- ベルツの日記 全二冊　トク・ベルツ編　菅沼竜太郎訳
- 武家の女性　山川菊栄
- インディアスの破壊についての簡潔な報告　ラス・カサス　染田秀藤訳
- ラス・カサス インディアス史 全七冊　長南実訳　石原保徳編
- コロンブス 全航海の報告　林屋永吉訳
- 戊辰物語　東京日日新聞社会部編
- 大森貝塚 —付 関連史料　E・S・モース　近藤義郎・佐原真編訳
- ナポレオン言行録　オクターヴ・オブリ編　大塚幸男訳
- 中世的世界の形成　石母田正
- 日本の古代国家　石母田正
- 平家物語 他六篇　石母田正　高橋昌明編
- クリオの顔 —歴史随想集　E・H・ノーマン　大窪愿二編訳
- 日本における近代国家の成立　E・H・ノーマン　大窪愿二訳
- 旧事諮問録 —江戸幕府役人の証言 全二冊　旧事諮問会編　進士慶幹校注
- 朝鮮・琉球航海記 —一八一六年アマースト使節団とともに　ベイジル・ホール　春名徹訳
- アリランの歌 —ある朝鮮人革命家の生涯　ニム・ウェールズ　キム・サン　松平いを子訳
- さまよえる湖 全二冊　ヘディン　福田宏年訳
- 老松堂日本行録 —朝鮮使節の見た中世日本　宋希璟　村井章介校注
- 十八世紀パリ生活誌 —タブロー・ド・パリ 全二冊　メルシエ　原宏編訳
- 北槎聞略 —大黒屋光太夫ロシア漂流記　桂川甫周　亀井高孝校訂
- ヨーロッパ文化と日本文化　ルイス・フロイス　岡田章雄訳注
- ギリシア案内記 全二冊　パウサニアス　馬場恵二訳
- 西遊草　清河八郎　小山松勝一郎校注
- オデュッセウスの世界　フィンリー　下田立行訳
- 東京に暮す —一九二八～一九三六　キャサリン・サンソム　大久保美春訳
- ミカド —日本の内なる力　W・E・グリフィス　亀井俊介訳
- 増補 幕末百話　篠田鉱造
- 幕末明治 女百話 全二冊　篠田鉱造
- トゥバ紀行　メンヒェン=ヘルフェン　田中克彦訳
- 徳川時代の宗教　R・N・ベラー　池田昭訳
- ある出稼石工の回想　マルタン・ナド　喜安朗訳
- 植物巡礼 —プラント・ハンターの回想　F・キングドン-ウォード　塚谷裕一訳
- モンゴルの歴史と文化　ハイシッヒ　田中克彦訳
- ダンピア 最新世界周航記 全二冊　平野敬一訳
- ローマ建国史 全三冊（既刊上巻）　リーウィウス　鈴木一州訳
- 元治夢物語 —幕末同時代史　馬場文英　徳田武校注
- フランス・プロテスタントの反乱 —カミザール戦争の記録　カヴァリエ　二宮フサ訳
- ニコライの日記 —ロシア人宣教師が生きた明治日本 全三冊　中村健之介編訳
- 徳川制度 全三冊・補遺　加藤貴校注

第二のデモクラテス
戦争の正当原因についての対話
セプールベダ
染田秀藤訳

ユグルタ戦争 カティリーナの陰謀
サルスティウス
栗田伸子訳

史的システムとしての資本主義
ウォーラーステイン
川北稔訳

《法律・政治》〔白〕

- 人権宣言集 — 高木八尺・末延三次・宮沢俊義 編
- 新版 世界憲法集 第二版 — 高橋和之 編
- 君主論 — マキァヴェッリ／河島英昭 訳
- フィレンツェ史 全二冊 — マキァヴェッリ／齊藤寛海 訳
- リヴァイアサン 全四冊 — ホッブズ／水田洋 訳
- 法の精神 全三冊 — モンテスキュー／野田良之・稲本洋之助・上原行雄・田中治男・三辺博之・横田地弘 訳
- 教育に関する考察 — ロック／服部知文 訳
- 完訳 統治二論 — ジョン・ロック／加藤節 訳
- 寛容についての手紙 — ジョン・ロック／加藤節・李静和 訳
- キリスト教の合理性 — ジョン・ロック／加藤節 訳
- ルソー 社会契約論 — 桑原武夫・前川貞次郎 訳
- アメリカのデモクラシー 全四冊 — トクヴィル／松本礼二 訳
- リンカーン演説集 — 高木八尺・斎藤光 訳
- 権利のための闘争 — イェーリング／村上淳一 訳
- 近代人の自由と古代人の自由・征服の精神と簒奪 他一篇 — コンスタン／堤林剣・堤林恵 訳
- 民主主義の本質と価値 他一篇 — ハンス・ケルゼン／長尾龍一・植田俊太郎 訳
- 外交談判法 — カリエール／坂野正高 訳
- 危機の二十年 —理想と現実 — E・H・カー／原彬久 訳
- ザ・フェデラリスト — A・ハミルトン、J・ジェイ、J・マディソン／斎藤眞・中野勝郎 訳
- アメリカの黒人演説集 —キング・マルコムX・モリスン他 — 荒このみ 編
- モーゲンソー 国際政治 —権力と平和 全三冊 — 原彬久 監訳
- ポリアーキー — ロバート・A・ダール／高畠通敏・前田脩 訳
- 現代議会主義の精神史的状況 他一篇 — カール・シュミット／樋口陽一 訳
- 政治的なものの概念 — カール・シュミット／権左武志 訳
- 第二次世界大戦外交史 全二冊 — 芦田均
- 憲法講話 — 美濃部達吉
- 日本国憲法 — 長谷部恭男 解説
- 民主体制の崩壊 —危機・崩壊・再均衡 — ファン・リンス／横田正顕 訳
- 憲法 — 鵜飼信成

《経済・社会》〔白〕

- 政治算術 — ペティ／大内兵衛・松川七郎 訳
- 国富論 全四冊 — アダム・スミス／水田洋 監訳、杉山忠平 訳
- 法学講義 — アダム・スミス／水田洋 訳
- コモン・センス 他三篇 — トーマス・ペイン／小松春雄 訳
- 経済学における諸定義 — マルサス／玉野井芳郎 訳
- オウエン自叙伝 — ロバアト・オウエン／五島茂 訳
- 戦争論 全三冊 — クラウゼヴィッツ／篠田英雄 訳
- 自由論 — J・S・ミル／塩尻公明・木村健康 訳
- 大学教育について — J・S・ミル／竹内一誠 訳
- 功利主義 — J・S・ミル／関口正司 訳
- イギリス国制論 全二冊 — バジョット／遠山隆淑 訳
- ユダヤ人問題によせて ヘーゲル法哲学批判序説 — マルクス／城塚登 訳
- 経済学・哲学草稿 — マルクス／城塚登・田中吉六 訳
- 新編輯版 ドイツ・イデオロギー — マルクス・エンゲルス／廣松渉 編訳、小林昌人 補訳
- マルクス エンゲルス 共産党宣言 — 大内兵衛・向坂逸郎 訳
- 賃労働と資本 — マルクス／長谷部文雄 訳
- 賃銀・価格および利潤 — マルクス／長谷部文雄 訳
- マルクス 経済学批判 — 武田隆夫・遠藤湘吉・大内力・加藤俊彦 訳
- マルクス 資本論 全九冊 — エンゲルス 編／向坂逸郎 訳
- トロツキー わが生涯 全二冊 — 森田成也・志田昇 訳

空想より科学へ —社会主義の発展　エンゲルス　大内兵衛訳
帝国主義論 全二冊　ホブスン　矢内原忠雄訳
帝国主義　レーニン　宇高基輔訳
国家と革命　レーニン　宇高基輔訳
ローザ・ルクセンブルク 獄中からの手紙　秋元寿恵夫訳
雇用、利子および貨幣の一般理論 全二冊　ケインズ　間宮陽介訳
シュムペーター 経済発展の理論 全二冊　塩野谷祐一　中山伊知郎　東畑精一訳
シュムペーター 経済学史 —学説ならびに方法の諸段階　中山伊知郎　東畑精一訳
租税国家の危機　シュムペーター　木村元一　小谷義次訳
日本資本主義分析　山田盛太郎
恐慌論　宇野弘蔵
経済原論　宇野弘蔵
資本主義と市民社会 他十四篇　大塚久雄　齋藤英里編
共同体の基礎理論 他六篇　大塚久雄　小野塚知二編
ユートピアだより　ウィリアム・モリス　川端康雄訳
社会科学と社会政策にかかわる認識の「客観性」　マックス・ヴェーバー　富永祐治　立野保男訳　折原浩補訳
プロテスタンティズムの倫理と資本主義の精神　マックス・ヴェーバー　大塚久雄訳

職業としての学問　マックス・ウェーバー　尾高邦雄訳
社会学の根本概念　マックス・ヴェーバー　清水幾太郎訳
職業としての政治　マックス・ヴェーバー　脇圭平訳
古代ユダヤ教 全三冊　マックス・ヴェーバー　内田芳明訳
宗教と資本主義の興隆 歴史的研究 全二冊　トーニー　出口勇蔵・越智武臣訳
世論 全二冊　リップマン　掛川トミ子訳
鯰絵 —民俗的想像力の世界　C・アウエハント　小松和彦・中沢新一・飯島吉晴・古家信平訳
贈与論 他二篇　マルセル・モース　森山工訳
国民論 他二篇　マルセル・モース　森山工編訳
ヨーロッパの昔話 その形と本質　マックス・リュティ　小澤俊夫訳
独裁と民主政治の社会的起源 —近代世界形成過程における領主と農民 全二冊　バリントン・ムーア　宮崎隆次　森山茂徳　高橋直樹訳
大衆の反逆　オルテガ・イ・ガセット　佐々木孝訳

《自然科学》〔青〕

ヒポクラテス医学論集　國方栄二編訳
科学と仮説　ポアンカレ　河野伊三郎訳
ロウソクの科学　ファラデー　竹内敬人訳
種の起原 全二冊　ダーウィン　八杉龍一訳

自然発生説の検討　パストゥール　山口清三郎訳
完訳 ファーブル昆虫記 全十冊　山田吉彦　林達夫訳
科学談義　T・H・ハックスリ　小泉丹訳
メンデル 雑種植物の研究　岩槻邦男　須原準平訳
アインシュタイン 相対性理論　内山龍雄訳・解説
相対論の意味　アインシュタイン　矢野健太郎訳
アインシュタイン 一般相対性理論　小玉英雄編訳・解説
自然美と其驚異　ジョン・ラバック　板倉勝忠訳
ダーウィニズム論集　八杉龍一編訳
ニールス・ボーア論文集1 因果性と相補性　山本義隆編訳
ニールス・ボーア論文集2 量子力学の誕生　山本義隆編訳
ハッブル 銀河の世界　戎崎俊一訳
パロマーの巨人望遠鏡 全二冊　D・O・ウッドベリー　関正雄　湯澤博　成相恭二訳
生物から見た世界　ユクスキュル　クリサート　日高敏隆　羽田節子訳
ゲーデル 不完全性定理　林晋　八杉満利子訳
日本の酒　坂口謹一郎
生命とは何か —物理的にみた生細胞　シュレーディンガー　岡小天　鎮目恭夫訳

岩波文庫の最新刊

ゲルツェン著／長縄光男訳

ロシアの革命思想
—その歴史的展開—

ロシア初の政治的亡命者、ゲルツェン(一八一二―一八七〇)。人間の尊厳と言論の自由を守る革命思想を文化史とともにたどり、農奴制と専制の非人間性を告発する書。〔青N六一〇―一〕 定価一〇七八円

ラス・カサス著／染田秀藤訳

インディアスの破壊をめぐる賠償義務論
—十二の疑問に答える—

新大陸で略奪行為を働いたすべてのスペイン人を糾弾し、先住民に対する賠償義務を数多の神学・法学理論に拠り説き明かし、その履行をつよく訴える。最晩年の論策。〔青四二七―九〕 定価一一五五円

岩田文昭編

嘉村礒多集

嘉村礒多(一八九七―一九三三)は山口県仁保生れの作家。小説、随想、書簡から選んだ。己の業苦の生を文学に刻んだ、苦しむ者の光源となる同朋の全貌。〔緑七四―二〕 定価一〇〇一円

網野善彦著

日本中世の非農業民と天皇(下)

海民、鵜飼、桂女、鋳物師ら、山野河海に生きた中世の「職人」と天皇の結びつきから日本社会の特質を問う、著者の代表的著作。(全二冊、解説＝高橋典幸)〔青N四〇二―三〕 定価一四三〇円

ヘルダー著／嶋田洋一郎訳

人類歴史哲学考(三)

第二部第十巻―第三部第十三巻を収録。人間史の起源を考察し、風土に基づいてアジア、中東、ギリシアの文化や国家などを論じる。(全五冊)〔青N六〇八―三〕 定価一二七六円

……今月の重版再開……

池上洵一編

今昔物語集 天竺・震旦部

〔黄一九―一〕 定価一四三〇円

清水三男著／大山喬平・馬田綾子校注

日本中世の村落

〔青四七〇―一〕 定価一三五三円

定価は消費税10％込です

2024. 3